SNS소통연구소, 스마트폰 교육 문화부터 바꾼다!

## 전 세계 모든 교육 문화를 바꿀 때까지!

# 스마트폰 활용

***제대로 배우고 익히면 인생이 즐거워지고 비즈니스가 풍요로워집니다!***

***스마트폰 활용지도사가 즐거운 대한민국을 만들어갑니다!***

## 책을 내면서...

# 대한민국 국민 5,182만명!
# 스마트폰 개통대수 6,700만대!

이번에 출간하는 책은 12년 동안 뉴미디어 마케팅 교육(스마트폰, SNS마케팅 등)을 해오고 있는 SNS소통연구소에서 시니어 실버분들의 즐거운 인생을 위해 시니어 실버가 보기 편하게 제작한 책입니다.

책 크기도 A4 크기이고 글자 크기도 14포인트로 제작해 시니어 실버분들이 책을 보는 데 있어 매우 편하게 되어 있습니다.

SNS소통연구소는 12년 동안 시니어 실버들에게 스마트폰 활용 교육을 하면서 꼭 필요한 스마트폰 활용 기능이 무엇인지 누구보다도 잘 알고 있습니다. 따라서 SNS소통연구소에서 발행한 이 책은 스마트폰 활용을 잘 못하시는 시니어 실버 분들에게 훌륭한 스마트폰 기본 활용의 지침서가 될 것입니다.

또한, 전국에서 스마트폰 활용 교육을 하고 계시는 스마트폰 강사님들도 이 책을 스마트폰 기본 교육 시 교재로 사용하시면 강사님과 수강생 분들에게 많은 도움이 되실 거라 자부합니다.

추후 시니어 실버들을 위한 스마트폰 활용 중급편, 고급편 뿐만 아니라 스마트폰 교육 관련 다양한 분야도 준비 중에 있습니다. (예를 들어 스마트폰 카메라, 스마트폰 UCC, 유튜브 크리에이터, 블로그 등)

SNS소통연구소는 2010년도부터 스마트폰 활용 교육을 전문적으로 해오고 있습니다. 스마트폰 교육 전문가를 양성하기 위해서 국내 최초로 스마트폰 강사 자격증인 **[ 스마트폰 활용지도사 ]** 교육을 통해 현재까지 2,200명 이상 되는 분들을 양성했습니다.

자격을 취득하고 훈련을 통해 전문가로 거듭난 **[ 스마트폰 활용지도사 ]** 선생님들은 전국 각 기관 및 단체에서 왕성히 활동을 하고 있습니다.

이번 책 구성도 전국에서 강의를 하는 스마트폰 활용지도사 선생님들의 교육 커리큘럼을 참고해서 탄생하게 된 것입니다.

필요로 하는 전부를 담아내지는 못하지만 그래도 이번 책을 통해 스마트폰 활용 교육 강사님들이나 수강생들 모두에게 도움이 되었으면 좋겠습니다.

SNS소통연구소가 항상 강조하고 있는 "스마트폰 제대로 배우고 익히면 인생이 즐거워지고 비즈니스가 풍요로워집니다!"를 대한민국 국민 모두가 공감하고 제대로 스마트폰 활용을 하셨으면 하는 바람이 간절합니다.

**★ 스마트폰 활용지도사 자격증에 대해서 아시나요?**
(과학기술정보통신부가 검증하고 직업능력개발원이 관리하는 스마트폰 자격증 취득에 관심 있으신 분들은 살펴보세요)

**★ 상담 문의 :**이종구 010-9967-6654
E-mail : snsforyou@gmail.com
카톡 ID : snsforyou

**★ 스마트폰 활용지도사 1급**
- 해당 등급의 직무내용

초/중/고/대학생 및 성인 남녀노소 누구에게나 스마트폰 활용 교육 및 SNS마케팅 교육을 실시 할 수 있습니다.
학생들뿐만 아니라 일반 성인들의 스마트폰 중독에 대한 예방 교육을 실시할 수 있습니다.
1인 기업 및 소기업이 스마트워크 시스템을 구축하는데 필요한 제반사항을 교육할 수 있습니다.
개인 및 소기업이 브랜딩 전략을 구축하는데 있어 저렴한 비용을 들여 브랜딩 및 모바일마케팅 전략을 구축할 수 있도록 필요한 교육을 할 수 있습니다.

**★ 스마트폰 활용지도사 2급**
- 해당 등급의 직무내용

시니어 실버분들에게 스마트폰 활용교육을 실시 할 수 있습니다. 개인 및 소기업이 모바일마케팅 전략을 구축하는데 있어 기본적인 교육을 할 수 있습니다.

---

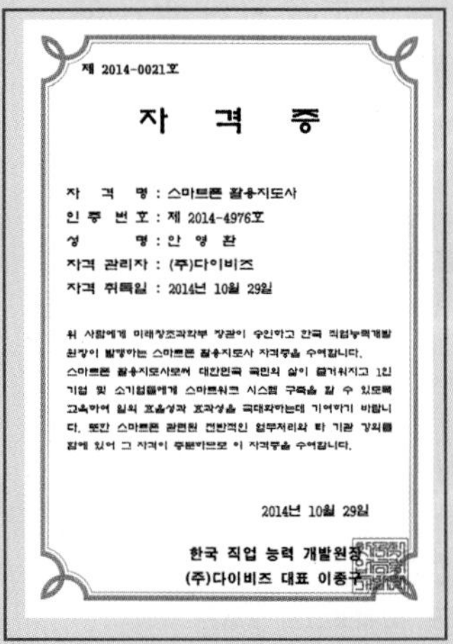


**★ 시험 일시 :** 매월 둘째주,넷째주 일요일 5시부터 6시까지 1시간.
**★ 시험 과목 :** 2급 : 스마트폰 활용 분야, 1급 : SNS마케팅 분야
**★ 합격점수 :** 1. 1급 - 80점 이상(총 50문제 각 2점씩 100점 만점에 80점 이상)
2. 2급 - 80점 이상(총 50문제 중 각 2점씩 100점 만점에 80점 이상)

**★ 시험대비 공부방법**

1. 스마트폰 활용지도사 길라잡이 책 구입 후 공부하기.
2. 정규수업 참여해서 공부하기.
3. 유튜브에서 [ 스마트폰 활용지도사 ] 검색 후 관련 영상 시청하기

**★ 시험대비 교육일정**

1. 매월 정규 교육을 SNS소통연구소 전국지부에서 실시하고 있습니다.
2. 스마트폰 활용지도사 SNS소통연구소 블로그(blog.naver.com/urisesang71) 참고하기.
3. 소통대학교 사이트 참조(www.snswork.com)
4. NAVER 검색창에 〈SNS 소통연구소〉라고 검색하세요!

**★ 시험 응시료 :**3만원
**★ 자격증 발급비 :**7만원

1. 일반 플라스틱 자격증.
2. 종이 자격증 및 우단 케이스 제공.
3. 스마트폰 활용지도사 강의자료 제공비 포함.

**★ 스마트폰 활용지도사 자격증 취득시 혜택**

1. SNS상생평생 교육원 스마트폰 활용 교육 강사 위촉.
2. SNS소통연구소 스마트폰 활용 교육 강사 위촉.
3. SNS 및 스마트폰 관련 자료 공유.
4. 매월 1회 세미나 참여(정보공유가 목적).
5. 향후 일정 수준이 도달하면 기업체 및 단체 출강 가능.
6. SNS 상생신문 기자 자격 부여.
7. 그외 다양한 혜택 수여.

# SNS소통연구소
# 2021년 상반기 출간리스트

| 미래 유망직업 스마트폰 활용지도사 2급 교육 교재 |
스마트폰
활용 교육 전문가들을 위한 책
길라잡이
저자_ 이종구, 이정화, 전윤이, 노지영
정다연, 한경희, 백종우, 서미경
2급 자격증 교재
언택트 시대! 4차 산업혁명 시대! 가장 먼저 배우고 익혀야 할 스마트폰 활용 노하우
SNS소통연구소

스마트폰 활용 교육 전문가들을 위한 책
(스마트폰 활용지도사 2급 교재)

| 언택트 시대! 성공 비즈니스를 위한 필수 지침서 |
고객을 유혹하고 매출이 증대되는
SNS마케팅 길라잡이
저자_ 이종구, 이정화, 유정화, 오영희
어윤재, 이중현, 여원식, 박민정
스마트폰 활용지도사 1급 자격증 교재
01:01
언택트 시대! 4차 산업혁명 시대! 가장 먼저 배우고 익혀야 할 SNS마케팅 노하우
SNS소통연구소

SNS마케팅 교육 전문가 양성 과정 책
(스마트폰 활용지도사 1급 교재)

| 1인 기업가 및 소상공인들의 필수 지침서 |
업무효율 200% 올려주는
스마트워크 시스템 구축 길라잡이
저자_ 이종구, 이정화, 이월례, 문정임, 손희주
김영희, 정덕모, 노승유, 유은서, 김숙
언택트 시대! 4차 산업혁명 시대! 가장 먼저 배우고 익혀야 할 스마트워크 노하우
SNS소통연구소

1인 기업 및 소상공인들의
업무 효율 상승을 위한 책
(스마트폰 워크 전문지도사 2급  교재)

스마트한 강사가
되고 싶으신가요?
언택트 시대! 꼭 필요한 책!
스마트한 강사를 위한 책 시리즈 1탄!
스마트한 강사를 위한 길라잡이
컴맹! 스맹! 파맹!
(컴퓨터, 스마트폰, 파워포인트 모르는 사람)
해결(解決)책
저 자_ 이종구, 이정화, 조연주, 박소순, 한덕호, 손희주
이월례, 전윤이, 조환철, 이서영, 문정임, 공혜경
Change -> Chance
변화되고자 하면 기회가 옵니다!
SNS소통연구소

스마트한 강사를 위한 길라잡이
(컴퓨터 활용 전문지도사 2급 교재 교재)

# CONTENTS

▣ 4차 산업혁명 시대 스마트폰 활용을 제대로 배우고 익혀야 하는 이유_ 14

▣ 스마트폰 개요_ 18

▣ 스마트폰 운영체제, 제조사, 통신사, 디바이스 정보 알아보기_ 19

▣ 스마트폰 화면 및 전원 켜고 끄기_ 21

▣ 스마트폰 주요 버튼과 아이콘 모양 이해하기_ 22

▣ 스마트폰 각 부분의 이름_ 23

▣ 스마트폰 조작 방법 알아보기_ 24

▣ 스마트폰 화면 구성_ 26

▣ 상태 알림줄 - 아이콘 설명_ 27

▣ 알림창 살펴보기 - 기본적인 내용_ 28

▣ 소리/진동/무음 바꾸기_ 29

▣ 화면 자동 꺼짐 시간 조절하기_ 29

▣ WI-FI(와이파이)로 네트워크 연결하기_ 30

▣ 모바일 데이터 사용 및 차단하기_ 32

▣ 화면 밝기 조절하기_ 33

▣ 화면 글자 크기 조절하기_ 34

▣ 저장 공간 확인 및 확보하기_ 34

▣ 최근 실행 앱 확인하기_ 35

▣ 디바이스 케어로 스마트폰 최적화하기_ 36

- 삼성 스마트폰(노트 10 기준)

▣ 최근 실행 앱 확인하기_ 39

▣ 연락처 활용_ 40

- 연락처 사용하기

- 즐겨찾기 사용하기
- 그룹 사용하기
- 최근 기록 사용하기
- 스마트폰 주소록 백업하기

▣ 화면 페이지 편집_ 47
- 추가, 삭제, 순서변경, 홈페이지 변경

▣ 폴더 관리하기_ 49
- 폴더 만들기, 폴더에 앱을 모으기, 홈 화면 어플 정리 하기

▣ 위젯(Widget) 활용하기_ 51
- 바로 전화걸기
- 돋보기
- 디바이스 관리
- 그 외(날씨 및 시계, 카카오 큐알코드)
- 카카오톡 QR 코드 발급
- 카카오톡 QR 코드 위젯 활용

▣ 시계 앱 활용하기(알람)_ 57

▣ 문자메시지_ 58
- 음성녹음 사용하기
- 음성녹음 확인하기
- 음성 녹음 파일 이름 변경하기
- 말로 문자 보내기
- 음성으로 문자 보내기(인터넷이 안되는 경우)
- 빠른 음성 보내기(인터넷이 안되는 경우)

▣ 카메라 설정법_ 63

- 카메라 빠른 실행
- 화이트밸런스로 색감 맞추기
- 카메라 모드별 촬영 방법(갤럭시폰 기준, 카메라 기종에 따라 이름과 기능이 다를 수 있습니다)
- 스마트폰 카메라의 기본설정
- 사진편집 - 포토에디터 사진 보정(갤럭시 노트9 기준)
- 스냅시드 - 스마트폰 사진 보정의 끝판 왕
- 푸른 하늘을 멋지게 촬영하는 방법
- 꽃 사진 잘 촬영하는 방법
- 음식 사진을 더 맛깔나게 찍는 방법

▣ 갤러리에서 사진 및 동영상 확인하기_ 79

▣ 갤러리에서 폴더 만들고 관리하기_ 80

▣ 갤러리에서 사진 편집하기_ 82

▣ 휴지통 기능_ 83

▣ 즐겨찾기 기능_ 84

▣ 지메일 계정 설정하기_ 85

▣ 구글 Play스토어 활용하기_ 88

- 플레이스토어에서 앱이 다운로드 되지 않을 때
  1. 저장공간(앱 지우기)
  2. 설정에서 캐시 및 데이터 삭제
  3. 플레이스토어에서 와이파이 다운로드로 해 놓은 경우
  4. 구매 취소하는 방법

▣ 구글 어시스턴트 활용하기_ 92

▣ 구글렌즈 제대로 활용하기_ 95

▣ 카카오톡_ *98*

- 카카오톡 설정 메뉴 살펴보기
- 카카오톡 프로필 관리하기
- 카카오톡 친구 메뉴
- 카카오톡 친구 즐겨찾기 추가와 이름 변경하기
- 채팅방에서 이모티콘 전송하기
- 채팅방에서 사진 전송하기
- 채팅방에서 동영상 전송하기
- 음성 메시지
- 카카오톡 롱탭 검색(모르는 건 길게 꾸욱 눌러서 해결)
- 카카오톡에서 주고받은 사진 및 동영상 저장하기와 확인하기
- 카카오톡 저장공간 확보하기
- 카카오톡 채팅방 용량 관리하기
- 채팅방 메시지 5분 안에 삭제하기(잘못 보낸 메시지 해결)
- 그룹 채팅방 만들기 및 이름 변경하기
- 그룹 채팅방에 지인 초대하기
- 오픈 채팅방 만들기 및 활용법
- 친구 숨김 및 숨김 친구 관리하기
- 카카오톡 선물하기
- 카카오톡 송금하기
- 카카오톡 멤버십 바코드 활용하기
- 카카오톡 QR코드 흔들어서 입장하기
- 카카오톡에서 1:1 보이스톡하기
- 카카오톡에서 그룹 보이스톡하기
- 카카오톡에서 1:1 페이스톡(영상통화) 하기
- 카카오톡에서 그룹 페이스톡(그룹영상통화) 하기

▣ 유튜브 앱 제대로 활용하기_ *132*

- 유튜브와 광고
- 유튜브와 와이파이, 모바일 데이터
- 유튜브 화면 설명
- 유튜브 영상 보는 방법
- 유튜브 영상 빨리 재생하기 (배속으로 보기)
- 유튜브 알림 해제하기
- 유튜브 영상 화면 크게 보기
- 유튜브 영상 광고 없이 보는 방법

▣ 네이버 앱 제대로 활용하기_ *140*

▣ mybox 앱 제대로 활용하기(스마트폰 저장공간 관리하기)_ *144*

▣ 멋진 카드뉴스 만들기_ *147*

- 글그램
- 글씨팡팡

▣ 스마트폰에서 음악 및 동영상 다운받기_ *157*

- 4Shared
- 스텔라브라우저

▣ 수백만원짜리 동영상 편집 이제 무료로 만들기_ *164*

- 멸치(기본)

▣ 나만의 감동 영상 편지 만들기_ *167*

- 슬라이드 메시지

▣ 나만의 인생스토리 영화관 만들기_ *171*

- 키네마스터(KineMaster)

▣ 이미지 합성 어플 활용하기_ *191*

- 포토퍼니아

▣ 사진작가들이 가장 많이 사용하는 카메라 필터 앱_ 193

- 피크닉

▣ 키오스크 활용하기 - 큐알코드 영상 포함_ 196

1. 버거킹(종이 책)
2. 코레일(종이 책)
3. 영화예매(CGV-비회원 예매)(종이 책)
4. 휴일날 병원이나 약국 찾기(응급의료정보제공)(종이 책)
5. 카카오택시
6. 배달(배민 등)
7. 쇼핑(이마트,네이버 앱 쇼핑)
8. 이마트몰
9. QR-CODE 영상으로 볼 수 있는 키오스크 현장

①KTX 열차 예매 ②KTX 예매 취소

③무인 민원 발급기 ④베스킨라비스 31 주문하기

⑤KFC 주문하기 ⑥맥도널드 주문하기

⑦버거킹 주문하기 ⑧EDIYA 음료 주문하기

⑨농협 ATM 사용하기 ⑩무인 점포매장 이용하기

▣ 줌(ZOOM) 참가자 용_ 224

- 스마트폰에서 참가하기(스마트폰의 경우 앱을 미리 설치해놓으면 좋다)
- PC버전에서 참가하기

▣ 스마트폰, 요금제, 보험 선택하는 방법_ 234

▣ 유용한 앱 활용하기_ 238

- 스마트폰 하나면 노래방이 필요 없다(노래방 종결자)
- LED전광판 활용하기

# 4차 산업혁명 시대 스마트폰 활용을 제대로 배우고 익혀야 하는 이유

## 1 스마트폰 활용을 제대로 배우고 익혀야 하는 이유?

전 세계 유명한 경제학자들이 연구한 바에 의하면 인구 5천만 명을 기준으로 볼 때 100만 명 이상이 사용하면 패션(Fashion)이라 하고 500만 명 이상이 사용하면 트렌드(Trend)라 하고 1000만 명 이상이 사용하면 문화(Culture)라고 합니다.

패션이나 트렌드는 바뀔 수 있지만, 문화는 쉽게 바뀌지 않습니다. 이제 스마트폰 활용은 선택이 아니라 필수입니다.

이제는 스마트폰 활용 방법을 배울 지 말지가 아니라 스마트폰을 제대로 배우고 익혀서 가족 간, 세대 간의 즐거운 인생과 더욱 풍요로운 비지니스 결과를 만들어 내야 할 것입니다.

**2021년 8월 현재**
**이동전화 가입자 수 6,700만명**

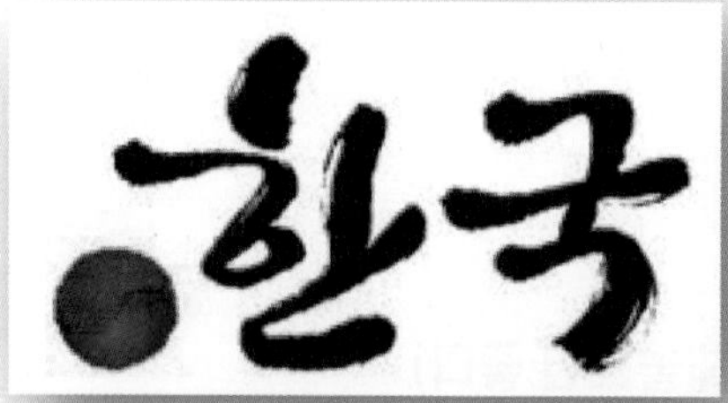


대한민국 국민
5,000만명 기준

100만명 이상이 사용하면
Fashion(패션)

500만명 이상이 사용하면
Trend(트렌드)

1,000만명 이상이 사용하면
Culture(문화)

## 2 가족 간 지인들 간의 원활한 소통을 위해서라도 스마트폰 활용 방법 제대로 배워야 합니다.

스마트폰 활용이 문화로 자리 잡은 요즘 시니어 실버들의 경우 용어 자체가 생소한 경우가 많아 소통하는데 어려움을 을 많이 겪고 있습니다.

과거에는 운전면허 연습은 가족 간에 하면 싸움만 난다고 했습니다.

요즘은 스마트폰에 대해서 실버들이 물어보고 하면 자식들은 “바빠요!”하고 피하고 손주들은 “일전에 알려드렸잖아요!”하고 피한답니다. 궁금해도 자존심 때문에 어디 물어볼 데도 마땅치 않은 게 현실이기도 합니다.

스마트폰 제대로 배우고 익히면 세대 간의 소통도 원활해질 것입니다. 소통이 원활하지 않으면 불통이 되고 불통이 반복되면 먹통이 되고 맙니다. 진정 스마트폰 활용 교육은 가족 간의 소통을 위해서라도 꼭 필요한 교육입니다. 손주들과 자녀들과 소통을 위해서라도 스마트폰 활용은 꼭 배우고 익히셔서 활용하시면 좋을 거 같습니다.

## 3 디지털 문맹 퇴치를 위해서라도 스마트폰 활용 교육은 체계적으로 이루어져야 합니다.

대한민국 국민 5,182만 명!

50세 이상은 2020년말 기준 2천 2백만명이 넘어섰고, 2020년 말 기준 65세 이상은 800만 명이 넘었습니다.

나이가 많다고 해서 스마트폰 활용을 못 하는 건 아니지만, 현재 50세 이상 기준으로 보면 스마트폰 기계 활용에 대해서 잘 못 하시는 분들이 상당히 많이 있습니다. 앞으로의 부국은 자원이 많은 나라보다도 국민 개개인의 지식수준이 높은 나라가 부국이라고 합니다.

스마트폰은 제2의 두뇌라고 합니다. 진정 스마트폰 제대로 배우고 익혀서 디지털 문맹 인구가 줄어들면 자연히 대한민국의 지식수준이 올라가고 부국이 되는데 초석이 될 것입니다.

소통대학교
스마트 시대의 그림자
'디지털 문맹'
스마트폰 활용 교육 문의
SNS소통연구소 이종구 010-9967-6654

연합뉴스
정부 역시 이런 정보 격차를 줄이기 위해
노력하고 있습니다.
전국 지방자치단체나 노인복지관에서 장노년층을 대상으로
IT 교육 프로그램을 운영하고 있죠.
그러나 효과는 크지 않은 게 현실입니다.
강의 수강생보다 강사의 수가
턱없이 부족하다는 지적도 있는데요.
YONHAP NEWS AGENCY
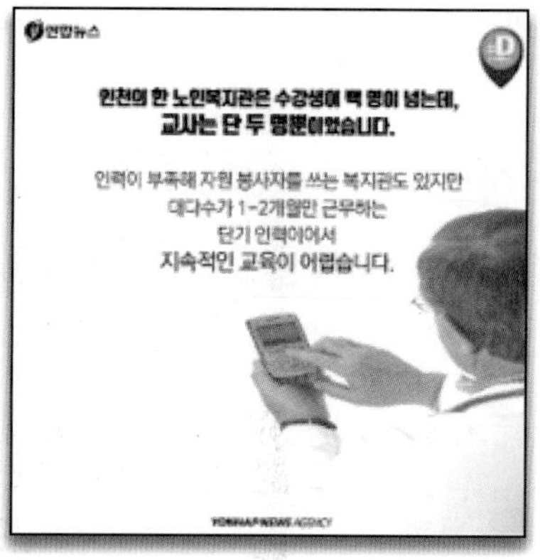
연합뉴스
인천의 한 노인복지관은 수강생이 백 명이 넘는데,
교사는 단 두 명뿐이었습니다.
인력이 부족해 자원 봉사자를 쓰는 복지관도 있지만
대다수가 1~2개월만 근무하는
단기 인력이어서
지속적인 교육이 어렵습니다.
YONHAP NEWS AGENCY

## 4 스마트폰 활용 몇 번 반복해서 해보시면 어렵지 않게 하실 수 있습니다.

어르신들의 경우 처음에 수업을 받으실 때 다들 어려워하십니다. 어려워하는 게 당연한 일일 것입니다. 60~70년 이상을 기계와 별로 친하지 않게 살아왔고 스마트폰 용어는 생소한 단어라 어려워 하는 게 당연한 일입니다.

하지만, 몇 번 반복해서 하다 보면 기본적인 스마트폰 활용은 어렵지 않게 하시게 됩니다.

실례로 2017년 6월 16일부터 하루에 2시간씩 15회를 서울 노원구에 있는 한 노인복지관에서 스마트폰 기초 교육을 시행하였습니다. 14분이 수강을 하시는데 평균연령 74세였습니다.

처음에는 문자 보내는 것도 힘들어하시고 카카오톡에서 사진 보내는 것도 잘 모르시던 분들이 6개월 정도 기간이 지나니까 자판 사용하는 게 어려워 문자도 안 보내고 하시던 분들이 지금은 음성으로 문자도 보내시고 카카오톡 채팅도 즐겁게 잘하십니다.

카카오페이를 간단히 등록해서 카카오톡에서 손주나 자식들에게 용돈도 보내고 선물도 간단하게 보내니 가족분들이나 주변 친구분들이 놀라워한다고 합니다.

단체방에서도 직접 촬영한 사진 위에 좋은 글이나 명언들을 입력해서 보내고, 친구들과 촬영한 사진으로 이미지 합성을 멋지게 하셔서 친구들과 공유하시고 영상 편지도 직접 만들어서 가족 및 지인들과 공유하고 즐거움을 나눠 갖고 있습니다.

현재 전국 노인복지관 등 공공기관에서 스마트폰 활용 교육을 받으시는 70대 80대 노인분 들도 몇 번 반복해서 실습해보시면 어느 정도 따라와 주시고 지금은 저희 스마트폰 활용지도사 선생님들한테 즐거운 인생을 살게 해줘서 고맙다고 볼 때마다 말씀해 주시고 카톡이나 문자로 "감사합니다""사랑합니다"를 보내주고 계십니다.

이처럼 스마트폰 활용은 처음에 뭐가 뭔지 잘 몰라서 스마트폰 사용을 못 하지만 조금만 배우고 익히시면 혼자서도 충분히 궁금한 점을 찾아서 하실 수 있습니다.

앞으로의 부국(富國)은 자원이 많은 나라보다도 국민 개개인의 지식수준이 높은 나라가 부국이 된다고 합니다.

대한민국의 발전을 위해서, 가족 간의 소통을 위해서, 조직의 발전을 위해서라도 스마트폰 제대로 배우고 익히셔야 할 것입니다.

## 5 스마트폰 활용 몇 번 반복해서 해보시면 어렵지 않게 하실 수 있습니다.

앞으로 치명적인 병에 걸리지 않는 이상 누구나 100년을 사는 세상이 되었습니다.
그러나 우리는 100세의 삶이 어떤지, 어떤 미래가 도래할지 제대로 알지 못합니다.
과연 100세 시대는 우리에게 어떤 세상을 열어줄 것인가?
지금 나이가 70이어도 앞으로 최소 30년 이상을 더 사실 수 있습니다.
시니어 실버들이 스마트폰 제대로 배우고 익혀서 실생활에 활용해본다면 지금보다 더 즐겁고 행복한 인생을 살아가는 데 많은 도움이 될 것입니다.
아주 늦은 나이에 도전해 큰 성공을 이룬 사람들 영상을 보시고 현재의 삶에 만족하지 마시고 자신이 하고 싶은 일을 하시면서 인생 2막을 살아가시면 하는 바람입니다.
(QR-CODE를 스캔하시면 관련 영상을 보실 수 있습니다.)

CHECK 리스트

# 스마트폰 개요

1) **[ 스마트폰 ]**(SmartPhone) : 손안의 PC(모바일PC)로 시간과 공간의 제약 없는 지능형 스마트폰은 휴대폰 기능은 물론 TV, 동영상제작, 카메라, 팩스, 캠코더, MP3 기능까지 갖추고 있어 "다기능 지능형 복합 단말기"라고도 불립니다. 최근에는 AI 기능에 사물 인식 기능, 번역은 물론 다양한 앱을 통해서 비즈니스에도 상용되고 있습니다.

2) 컴퓨터[운영체제]와 비슷한 모바일[운영체제]가 설치되어 있으며, 다양한 프로그램 **[ 애플리케이션 ]**을 설치하여 사용할 수 있습니다.

※ **[ 운영체제 ]** : 컴퓨터의 하드웨어(기기)와 소프트웨어(프로그램)를 제어하여 사용자가 컴퓨터를 쓸 수 있게 만들어 주는 프로그램

※ **[ 애플리케이션 ]** : 앱 또는 어플이라고 말하기도 한다. 스마트폰이나 컴퓨터에서 특정한 기능을 이용할 수 있도록 만들어진 프로그램

3) 전화와 문자는 기본이고 음악, 카메라, 인터넷, 게임, 채팅, 사진, 영상, 메일, 날씨, 지도, 내비게이션, 일정표, 파일공유 등 인공지능 음성 서비스까지 수많은 기능을 사용할 수 있습니다.

## 2, [ 스마트폰 ]의 특징

1) 크기가 작아 휴대하기 편하다.
2) 사용법이 간단하다.
3) 언제 어디서나 인터넷을 연결할 수 있다.
4) 와이파이(Wi-Fi)를 사용하여 무료로 인터넷을 사용할 수 있다.
5) 생활에 편리한 프로그램이 많아서 유용하다.
6) 각자 분야에 맞는 앱을 사용하여 일상의 활용도가 높다.
7) 다양한 앱을 설치하고 삭제하기가 쉽다.
8) 화면구성을 원하는 대로 설정할 수 있다.
9) 데이터 사용량이 제한된 용량을 초과할 경우 추가 비용을 부담해야 한다.
10) 다양한 센서 기술(카메라, 가속도 센서, GPS, 조도센서, 근접센서...등 운영체제 및 앱을 쉽고 빠르게 업데이트 할 수 있다.

# 스마트폰 운영체제, 제조사, 통신사, 디바이스 정보 알아보기

1) 스마트폰의 운영체제 종류

| 종류 | 개발사 | 사용 | 점유율 (2021년기준) |
|---|---|---|---|
| 안드로이드(Android) | 구글 | 삼성 | 72.19%, |
| IOS | 애플 | 아이폰과 아이패드 | 26.99% |
| 윈도우 모바일 | MS(마이크로소프트) | MS의 윈도우폰 | 0.02% |

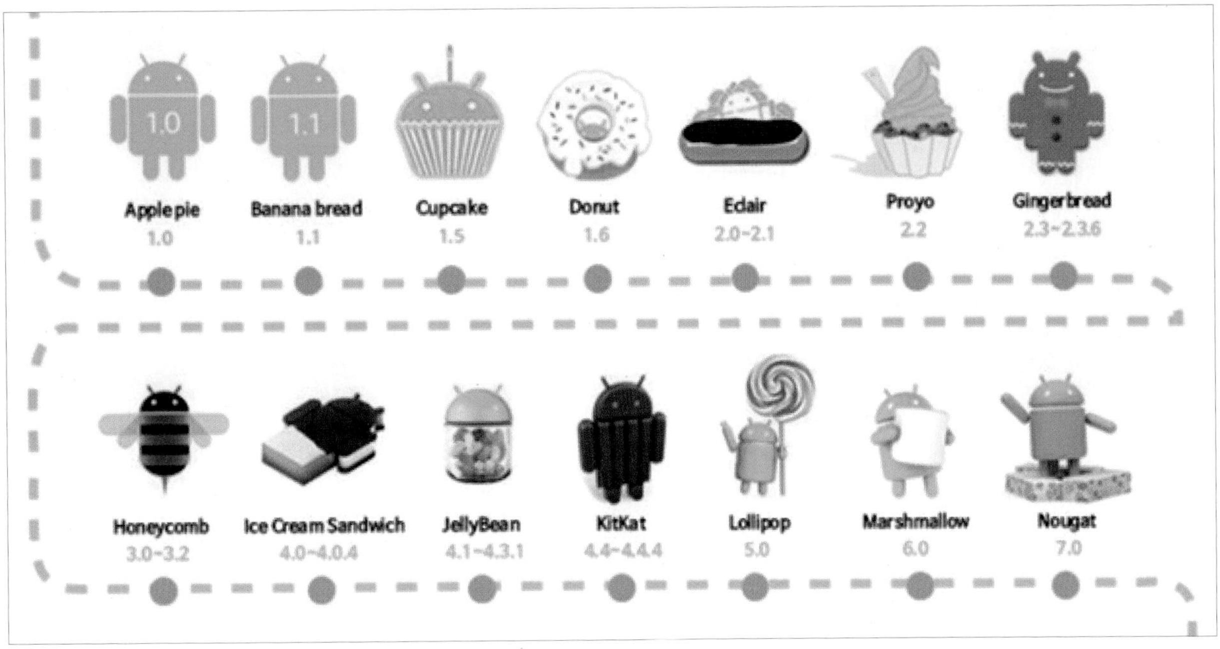


| 안드로이드 버전의 역사 | | | | | |
|---|---|---|---|---|---|
| 버 전 (Version) | 코드네임 (codename) | 릴리즈날짜 | 버 전 (Version) | 코드네임 (codename) | 릴리즈날짜 |
| 1.0 | Android 1.0 | 2008년9월 | 6.0 | 마시멜로 | 2015년 10월 |
| 1.5 | 컵케이크 | 2009년4월 | 7.0 | 누가 | 2016년 8월 |
| 2.2 | 프레오 | 2010년 5월 | 8.0 | 오레오 | 2017년 10월 |
| 3.0 | 허니콤 | 2011년 2월 | 9.0 | 파이 | 2018년 8월 |
| 4.4 | 킷캣 | 2013년 10월 | 10 | 안드로이드10 | 2019년 9월 |
| 5.0 | 롤팝 | 2014년11월 | 11 | 안드로이드11 | 2020년 9월 |

2) 제조사와 통신사 알아보기

①제조사  삼성,  애플, 샤오미, 화웨이 등(삼성전자 서비스:1588-3366)

②통신사 : SKT(SK텔레콤), KT(올레)

3) 본인 기기 알아보기

①제조사 :  ②통신사(요금제) :  ③디바이스(기기)이름 :  ④모델번호 :

⑤시리얼번호 :  ⑥IMEI :  ⑦안드로이드버전 :

4) 디바이스 정보 - 디바이스 이름, 모델번호, 안드로이드 버전 찾아보기

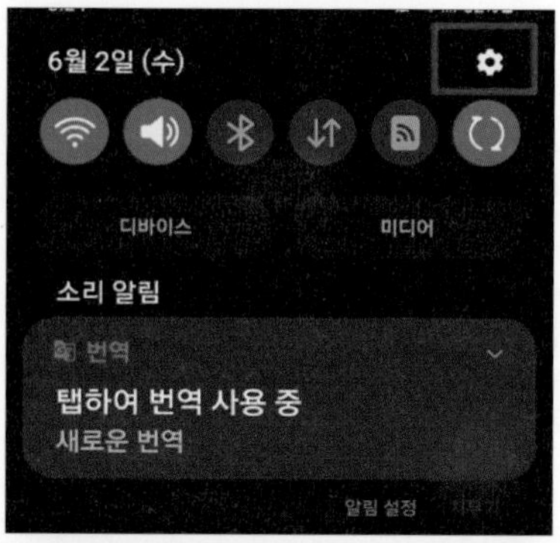


상단 알림바를
손가락으로 내려
[ **설정** ]을 터치한다.

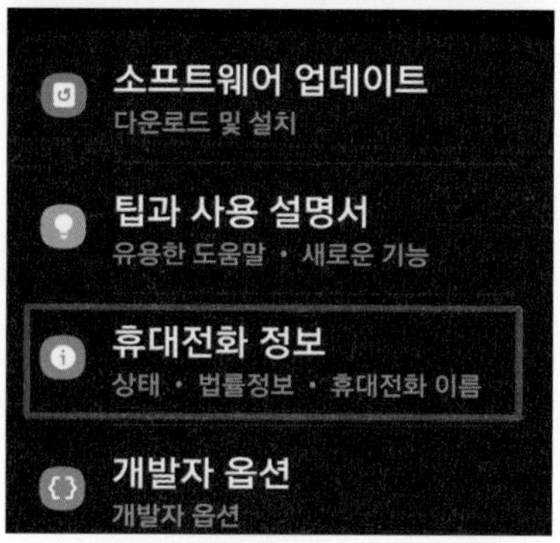


하단으로 드레그하여
[ **휴대전화정보** ]를
터치한다.

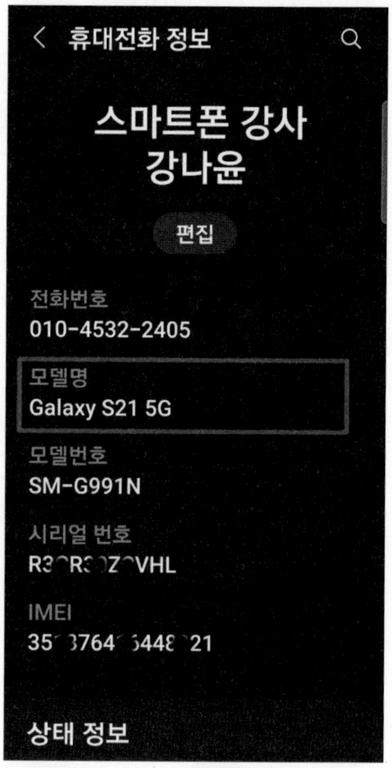


1 ①스마트폰 화면 상단 알림 바를 손가락으로 내려서 우측 상단에 톱니바퀴처럼 생긴 아이콘[ **설정** ]을 터치합니다. 2 ②목록의 가장 하단으로 이동하여 [ **휴대전화정보** ]를 터치합니다.
[ **디바이스 이름** ], [ **모델번호** ]를 확인합니다.

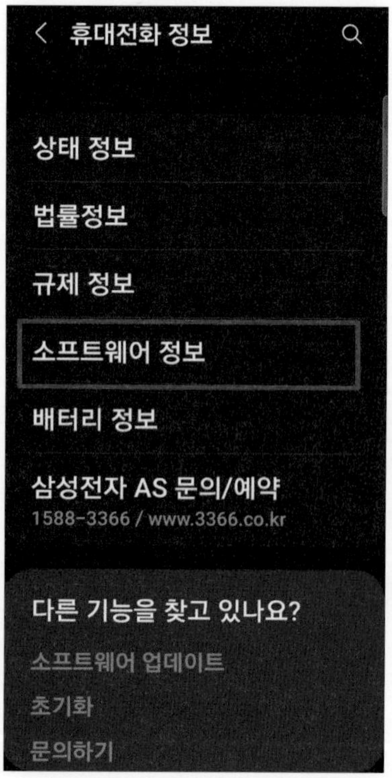


☜소프트웨어를 터치하여

안드로이드버전을 확인합니다.☞

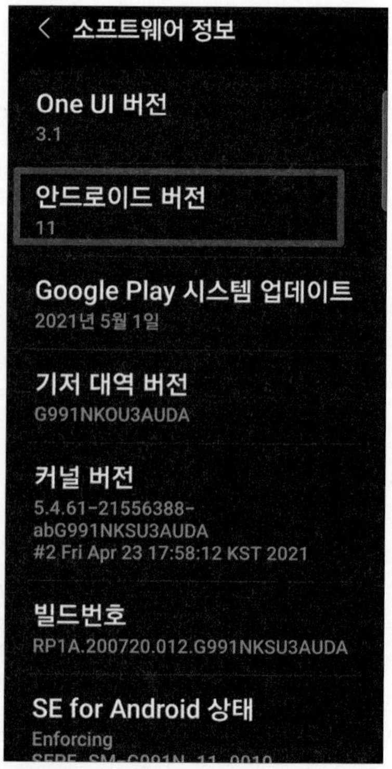


1 ①[ **휴대전화정보** ]에서 [ **소프트웨어 정보** ]를 터치합니다.
2 ②기기의 버전을 확인합니다.

# 스마트폰 화면 및 전원 켜고 끄기

1) 화면 켜고/끄기

①켜기 : “홈”버튼 또는 “전원” 버튼을 짧게 터치합니다.

▶ 잠금 미설정 시 : 화면을 드레그합니다. ▶ 잠금 설정 시 : 잠금을 해제합니다.

②끄기 : “전원” 버튼을 짧게 누릅니다.

2) 전원 켜기

① “전원” 버튼을 몇 초간 길게 누릅니다.

3) 전원 끄기

①[ **빅스비** ]가 탑재 되면서 전원 끄기가 다양한 방법이 있습니다.

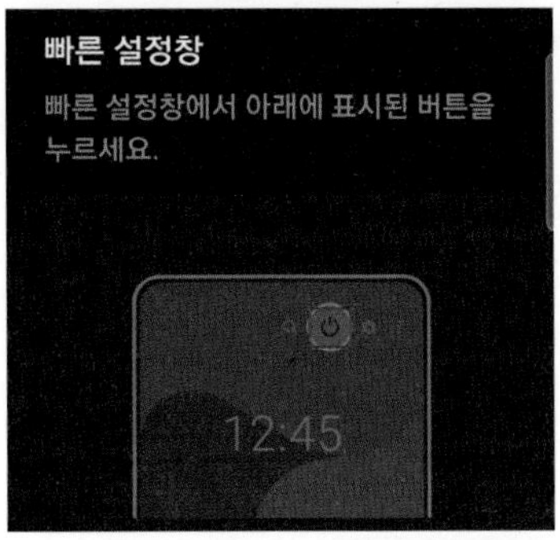
빠른 설정창
빠른 설정창에서 아래에 표시된 버튼을 누르세요.
12:45

[ **상태 표시줄** ]을 두 번 내리면 [ **전원** ] 버튼이 나옵니다

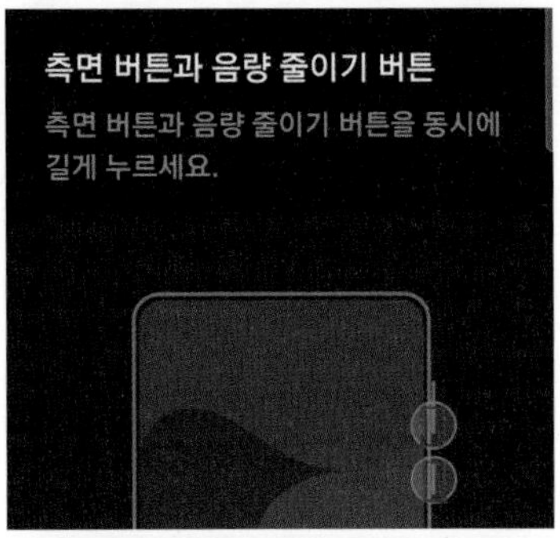
측면 버튼과 음량 줄이기 버튼
측면 버튼과 음량 줄이기 버튼을 동시에 길게 누르세요.

[ **음량줄이기 버튼** ]과 [ **측면 버튼** ]을 길게 눌러 줍니다.

측면 버튼을 길게 눌러 빅스비에게 말할 수 있습니다.

[ **빅스비** ]를 사용 하신 분은 [ **“헤이 빅스비”** ]를 불러 [ **“전원 꺼줘”** ]라고 말로 합니다

②예전처럼 [ **전원** ] 버튼을 사용하려면 설정 ➜ 유용한 기능 ➜ 측면 버튼 ➜ 길게 누르기 ➜ [ **전원 끄기 메뉴** ]를 터치합니다.

4) 다시 시작 (또는 재시작)

①[ **전원** ] 버튼을 길게 누릅니다. ②[ **다시 시작** ] (또는 [ **재시작** ])을 터치합니다.

CHECK 리스트

# 스마트폰 주요 버튼과 아이콘 모양 이해하기

1) [ 주요 버튼 ] 기능

※ 스마트폰 기종에 따라 모양이나 위치가 다를 수 있습니다.

| 버튼 | | 기능 |
|---|---|---|
| | 전원 | * 길게 누르면 전원을 켜거나 끔<br>* 짧게 누르면 화면이 켜지거나 잠김 |
| ||| | 최근 실행 앱 | * 짧게 누르면 최근에 실행한 애플리케이션 목록이 보임 |
| | 메뉴 | * 짧게 누르면 현재 화면에서 사용 가능한 메뉴가 나타남 |
| ▢ | 홈 | * 화면이 잠긴 상태에서 짧게 누르면 화면이 켜짐<br>* 짧게 누르면 홈 화면이 실행<br>* (길게 누르면 작업 관리자가 실행되는 스마트폰도 있다.) |
| < | 취소 | * 짧게 터치하면 이전 화면으로 전환 |

2) 주요 버튼 아이콘

최근실행앱 홈 취소

표시/숨김 최근실행앱 홈 취소

3) [ 아이콘 ] 모양

환경설정 검색 삭제 메뉴 즐겨찾기 공유 수정 더보기

# 스마트폰 각 부분의 이름

※ 스마트폰 기종이나 출시한 통신사에 따라 다를 수 있습니다. (삼성 갤럭시 노트 기준)

❶ 앞면

❷ 뒷면

# 스마트폰 조작 방법 알아보기

1) 터치, 탭 누르기

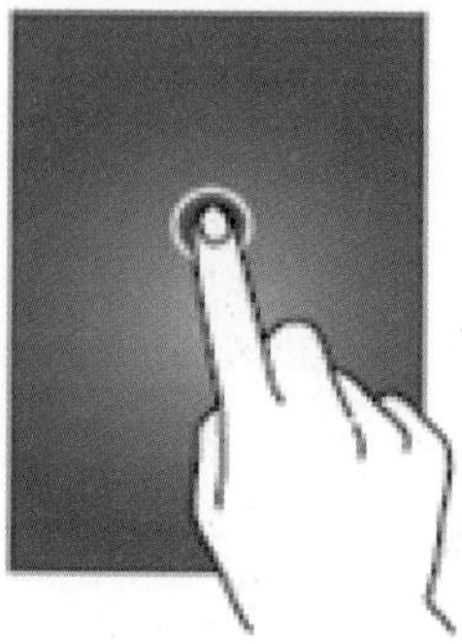

① 스마트폰 화면을 가볍고 짧게 눌렀다 떼는 작업이다.
② 앱을 실행하거나 메뉴 선택 등에 사용한다.
③ 키보드를 이용해서 문자를 입력할 때는 화면을 가볍게 누른다.

2) 롱 터치 (길게누르기)

① 스마트폰 화면을 길게 누른다.
(세게 누르지 않아도 된다.)
② 선택한 대상에 대해 가능한 작업 목록이 나온다.

3) 더블 터치 (두 번 두드리기)

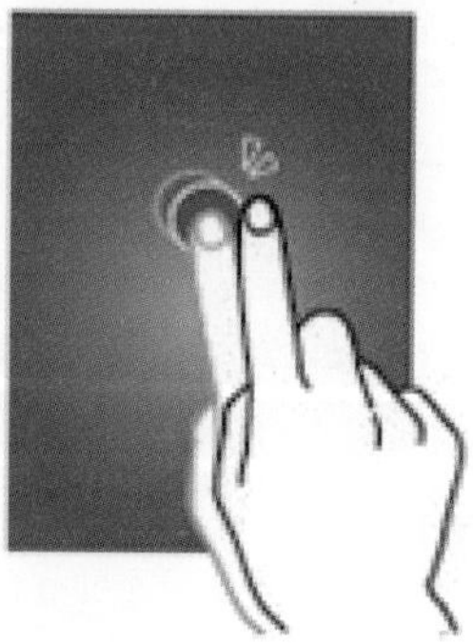

① 화면을 빠르게 두 번 누른다.
② 사진, 지도, 웹 페이지 등이 실행된 상태에서
일정 비율로 화면을 확대/축소할 수 있다.

4) 드레그 (끌기)

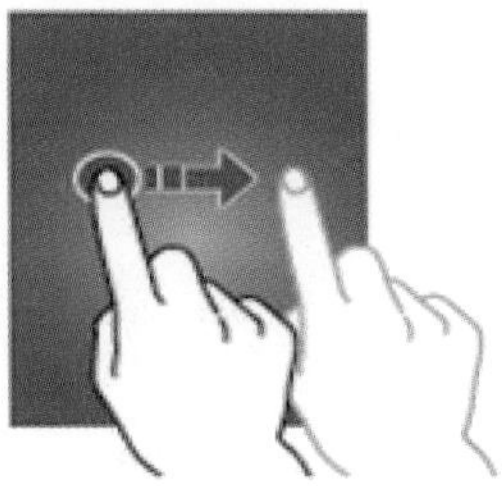

① 화면에 손가락을 터치 상태에서 손을 떼지 않고
원하는 위치로 이동한 후 손을 떼는 것
② 화면 이동할 때 사용한다.

5) 스크롤 하기 (위/아래로 올리기/내리기, 좌우로 밀기)

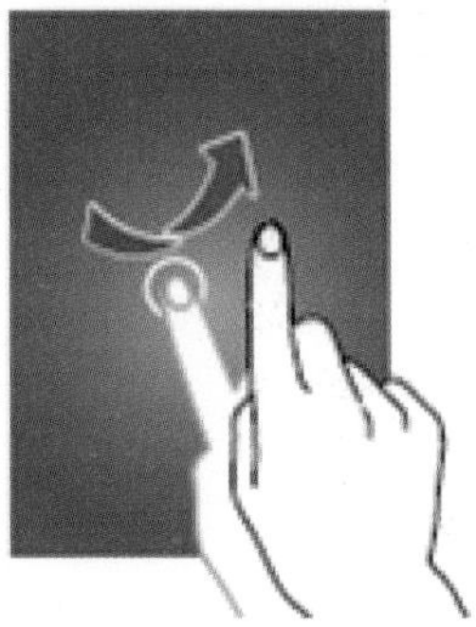

① 손가락을 위.아래, 좌.우로 스크롤한다.
② 홈화면 또는 앱스 화면에서 다른 페이지로 이동할 수 있다.
③ 웹 페이지나 목록 화면에서는 위.아래로 스크롤하여
내용을 확인할 수 있다.

6) 핑거 줌 실행 (오므리고 펼치기)

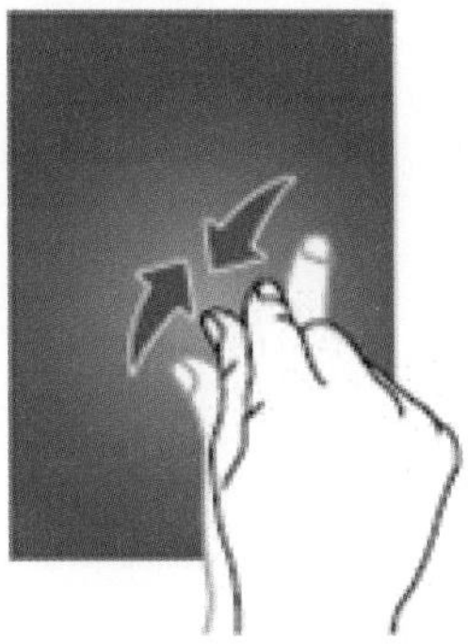

① 두 손가락으로 동시에 화면을 오므려서 축소하거나,
펼쳐서 확대해서 사용한다.
② 사진, 글자, 인터넷 화면을 확대/축소할 수 있다.

# 스마트폰 화면 구성 (3화면 : 잠금 화면, 홈 화면, 앱스 화면)

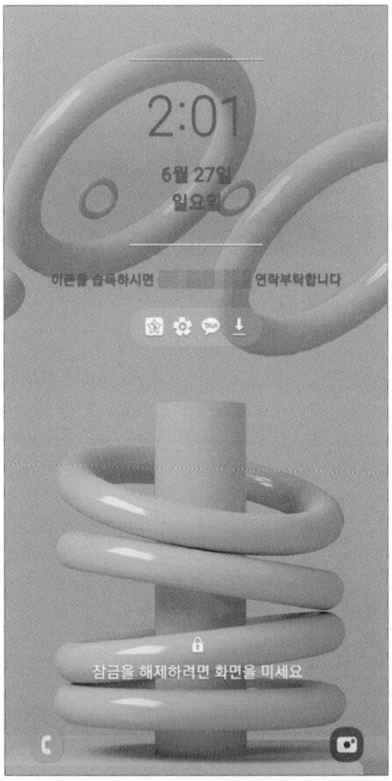


설정에 대해 알아보기

### 1. 잠금 화면

스마트폰의 화면을 켜서 나오는 첫 화면

①잠금 미설정 시 : 화면을 드래그합니다.

②잠금 설정 시 : 잠금을 해제합니다.

(화면 잠금 방식 : 패턴, 비밀번호, PIN)

### 2. 홈 화면

잠금 화면을 열면 나오는 시작 화면입니다.

①상태 알림 줄

홈 화면 상단에 위치한 부분을 말합니다.

알림 줄을 내리면 스마트폰에 알림 정보를 확인

②위젯 (날씨와 시계)

사용자가 바탕화면 상에서 곧바로 사용할 수 있도록 자주 사용하는 기능만을 모아 놓은 도구 모음입니다.

③앱 아이콘

자주 쓰는 앱 아이콘을 꺼내놓고 사용하며, 원하는 위치로 배치할 수 있습니다.

④고정 아이콘

홈화면에서 페이지를 변경해도 고정되며,자주 사용하는 앱들로 사용합니다.

CHECK 리스트

### 3. 앱스 화면

홈 화면의 아래에 있는 앱스를 터치하여 나오는 화면입니다.

①스마트폰에 설치된 모든 앱을 모아 보여 주는 곳입니다.

②사전에 설치된 내장(기본) 앱과 사용자가 필요하여 추가로 설치한 앱이 여러 페이지에 나열되어 있습니다.

③앱은 기본적으로 앱스 바탕에 설치됩니다.

④앱스 화면에서 (취소)버튼을 터치하면 홈 화면으로 전환됩니다.

## 상태 알림줄 - 아이콘 설명

①사용자의 사용 환경에 따라 화면 상단의 상태 표시줄에 아이콘이 나타나면서 스마트폰의 현재 상태를 알려줍니다.

②통신사, 새로 온 문자, 부재중 전화 등을 알려줍니다.

③와이파이 연결, 배터리 상태, 시간 등을 확인할 수 있습니다.

CHECK 리스트

# 알림창 살펴보기 - 기본적인 내용

1) (위쪽) 상태 알림 줄을 아래로 드래그해서 내리면 알림창 내용을 확인할 수 있습니다.

2) 빠른 설정 창, 밝기, 진행 중인 앱, 알림 목록 통신사 등을 확인할 수 있습니다.

3) 알림창 화면

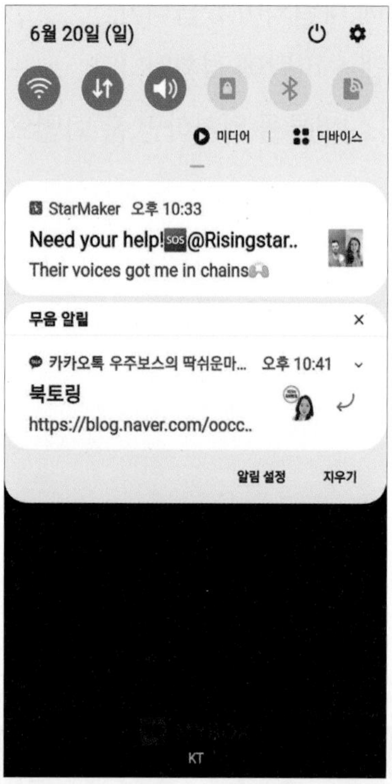

**상태 알림 줄 아이콘**

① 무료로 무선 인터넷을 사용/ 해제할 수 있습니다.

② 데이터를 사용/ 차단할 수 있는 기능입니다.

③ 소리/ 진동/ 무음으로 설정합니다.

④ 화면을 가로/ 세로로 회전합니다.

⑤ 블루투스 스피커나 장비들을 연결할 때 사용합니다.

⑥ 스마트폰의 데이터를 다른 기기와 공유할 때 사용합니다.

⑦ 손전등을 켜거나 끌 수 있습니다.

⑧ 비행기 탑승 모드입니다.

⑨ 전화나 문자 등 모든 통신을 차단합니다.

⑩ 배터리 사용 가능 시간을 늘릴 때 절전 모드를 켭니다.

⑪ 화면 녹화를 할 수 있습니다.

⑫ T-money, NFC등 모바일 결제 서비스에 사용됩니다.

⑬ 스마트폰과 PC를 연결합니다.

⑭ 편안하게 화면보기 입니다.

⑮ 큐알(QR) 코드 스캔입니다.

⑯ 스마트폰 화면을 스마트TV등에서 크게 볼 수 있습니다.

⑰ 스마트폰 화면 밝기 조절 기능입니다.

전원

설정

검색

더보기

# 소리/진동/무음 바꾸기

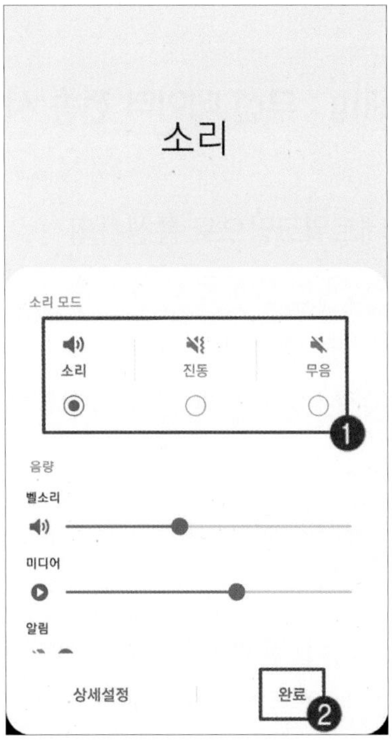


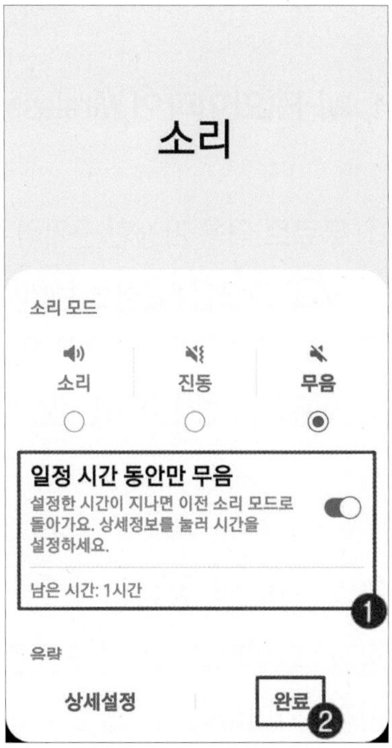


❶ 알림 줄을 끌어 내린 후에 (소리) 기능을 터치합니다. ❷ ①소리 / 진동 / 무음 중에 원하는 부분을 터치하고 ②[ **완료** ]를 터치합니다. ❸ ①[ **일정시간 무음** ]은 일정시간만 무음으로 지정하고자 할 때 터치합니다. 지정한 일정시간이 지나면 사용하던 모드로 다시 변경됩니다. ②[ **완료** ]를 터치합니다.

# 화면 자동 꺼짐 시간 조절하기

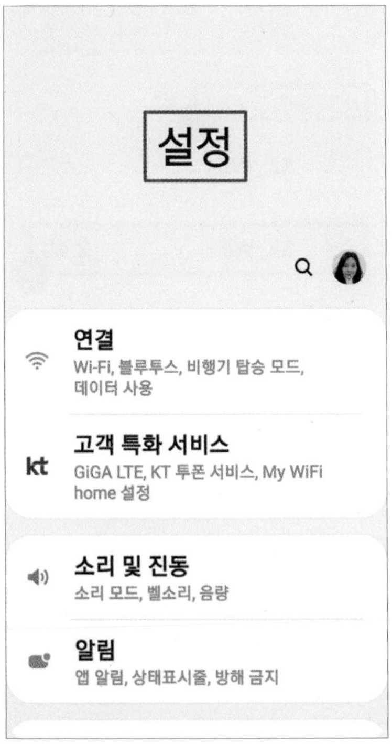

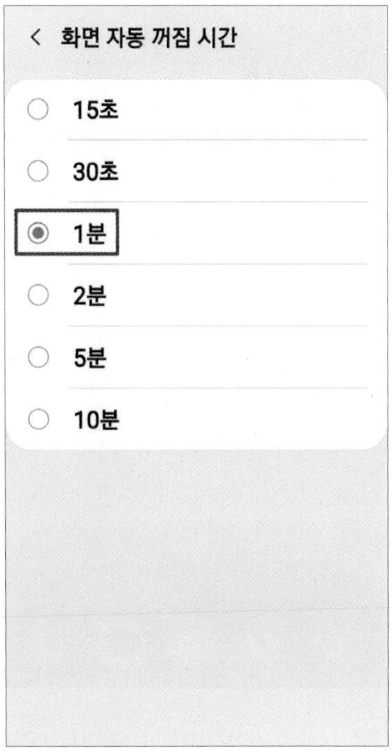


❶ [ **설정** ]에서 [ **디스플레이** ]로 이동합니다. ❷ [ **화면 자동 꺼짐 시간** ]을 터치해서 시간을 지정합니다. 조정 시간이 짧은경우 화면을 자주 켜야하는 불편함이 있으며 조정 시간이 길면 오랜 시간 사용하지 않는 채로 두면 배터리 소모가 크게 됩니다. ②조정 시간이 긴 경우 오랜 시간 사용하지 않는 채로 두면 배터리 소모 큼 ❸ [ **화면 자동 꺼짐 시간** ] 조절하기 : 1분~2분 정도

# WI-FI(와이파이)로 네트워크 연결하기

카페 와이파이 연결

## 1. Wi-Fi(와이파이,Wireless Fidelity : 무선 데이터 전송 시스템)란?

① 무료로 이용 가능한 근거리 무선 네트워크망으로 통신사의
요금제에서 제공하는 데이터 제공량과는 별도로 이용할 수 있습니다.
② 주로 가정집의 인터넷에 무선 공유기를 연결하여
사용하는 형태가 가장 많으며 공공장소에서는 통신사에서 무료로 제공하기도 합니다.

## 2. 와이파이 장점과 단점

장점 : 와이파이 사용량 요금은 무료입니다. 무제한으로 빠른 속도 이용 가능합니다.

단점 : 와이파이 지역을 벗어나면 인터넷이 끊깁니다. 이동 시 이용이 불편하고 해킹과 도청에 취약합니다.

## 3. Wi-Fi (와이파이) 설정하기

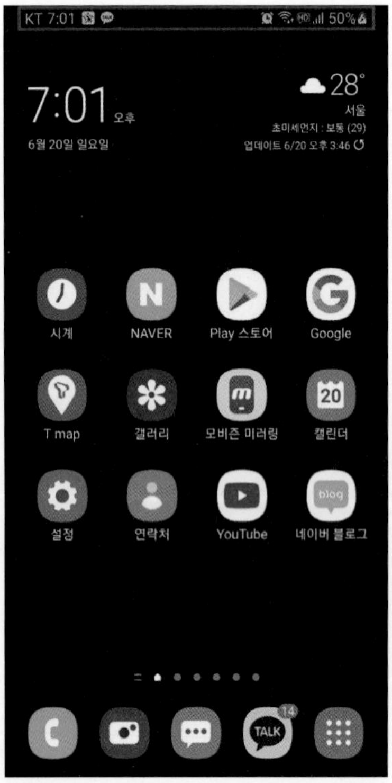


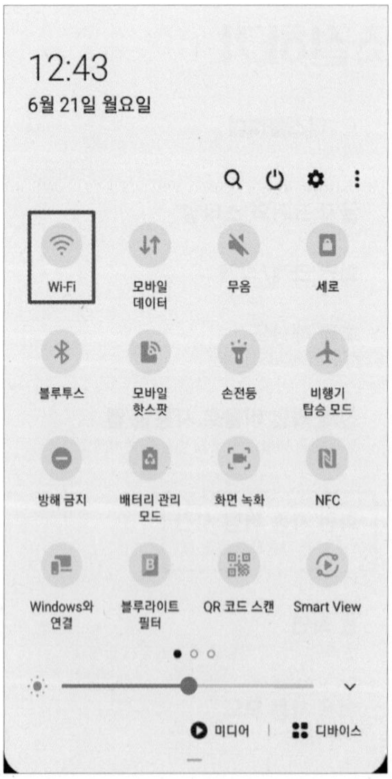

1 Wi-Fi(와이파이) 켜기- (위쪽) 상태 알림 줄을 끌어내린 후 터치합니다.

2 길게 누르거나 알림 한 번 더 아래로 내리면 Wi-Fi(와이파이) 이름 목록이 보입니다.

3 ①근처에 있는 Wi-Fi(와이파이) 목록 리스트가 영문으로 보입니다. ②원하는 Wi-Fi(와이파이)를 터치합니다. (예:SK, Public, Star_ , KT_GIGA, 상점명 등이 영문으로 보입니다.

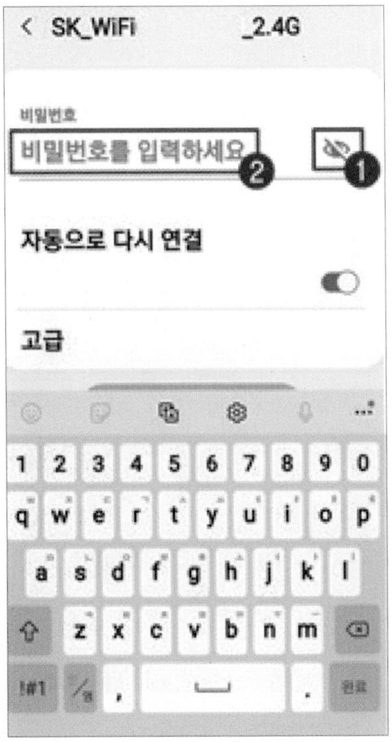

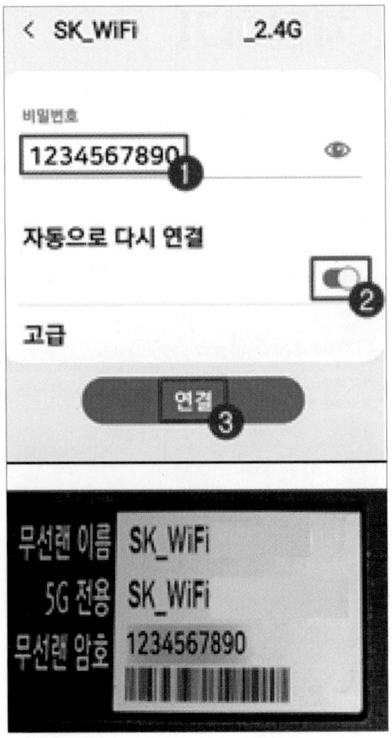

1 ①눈 표시를 터치하여 글자를 보이게 합니다. ②비밀번호(무선랜 암호)를 찾아 입력합니다.

2 ①비밀번호를 확인합니다. ②[ **자동으로 다시 연결** ]을 터치합니다. ③[ **연결** ]을 터치합니다.

3 현재 네트워크에 연결됩니다.



**CHECK 리스트**

# 모바일 데이터 사용 및 차단하기

## 1. 데이터 통신의 개요

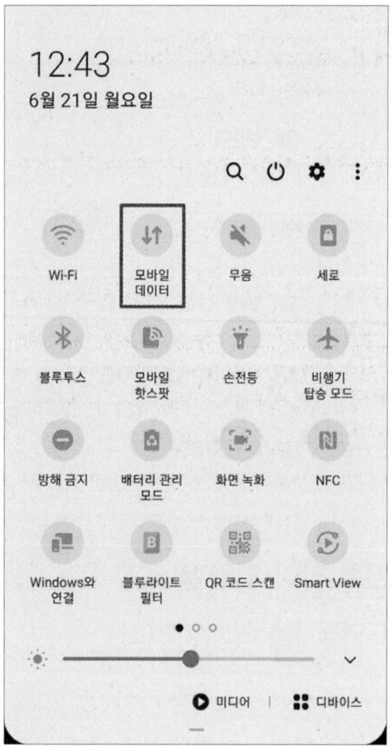

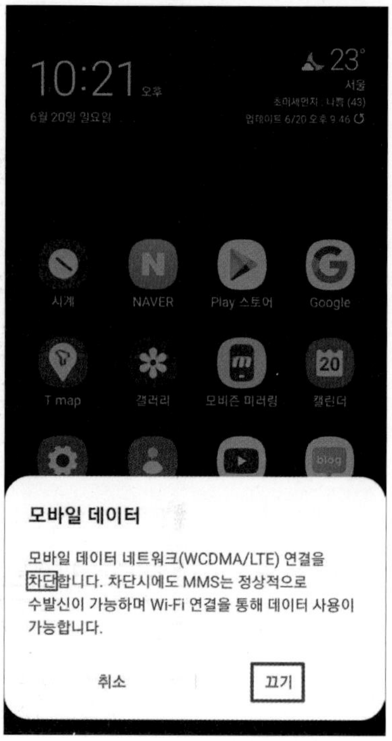


①LTE/ 5G 데이타 통신 서비스를 이용하면 Wi-Fi(와이파이)가 되지 않는 지역에서도 인터넷이 가능합니다.

②LTE/ 5G데이터 통신 서비스를 켜고 인터넷을 이용할 경우 유료 데이터 사용요금이 부과되므로 주의합니다.

## 2. 모바일 데이터 사용하기

①위쪽 알림 줄을 끌어내린 후에 (모바일 데이터)를 터치합니다.

②모바일 데이터 '허용' 묻는 창에서 확인을 터치합니다.

## 3. 모바일 데이터 차단하기

①위쪽 알림 줄을 끌어내린 후에 (모바일 데이터 네트워크)를 터치합니다. (또는 데이터 네트워크를 터치합니다.)

②모바일 데이터 '차단' 묻는 창에서 확인을 터치합니다.

CHECK 리스트

# 화면 밝기 조절하기

**[ 방법 1 ]**

**[ 방법 2 ]**

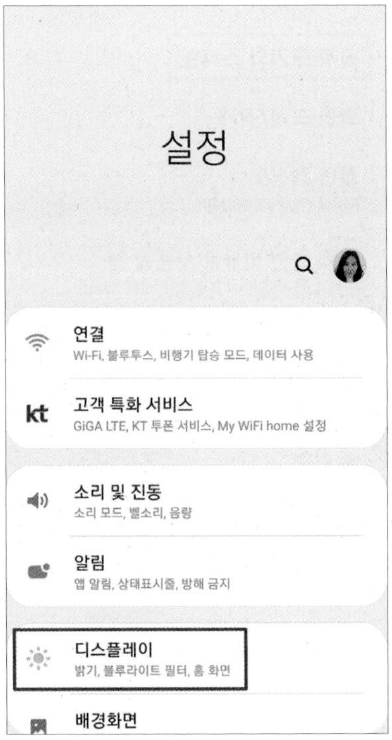


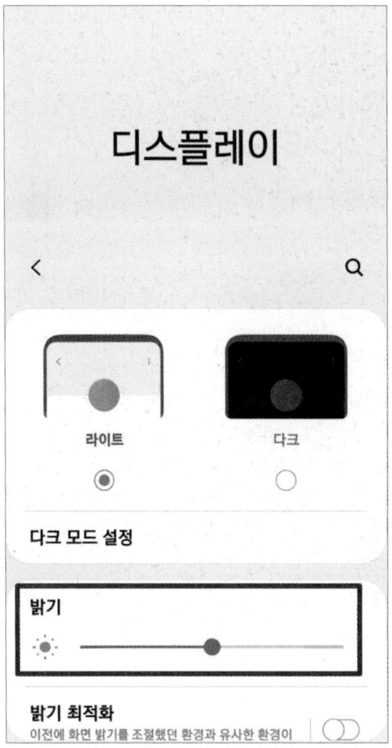


1 방법 1-①상태 알림 줄을 끌어내립니다. ②(아랫쪽) 밝기 조절 막대를 드래그하여 조절합니다.

2 방법 2-①상태 알림 줄을 끌어내립니다. ②설정(⚙)을 터치합니다. ②**[ 디스플레이 ]**를 터치합니다.

3 **[ 밝기 ]**에서 막대를 드래그하여 조절합니다.

CHECK 리스트

# 화면 글자 크기 조절하기

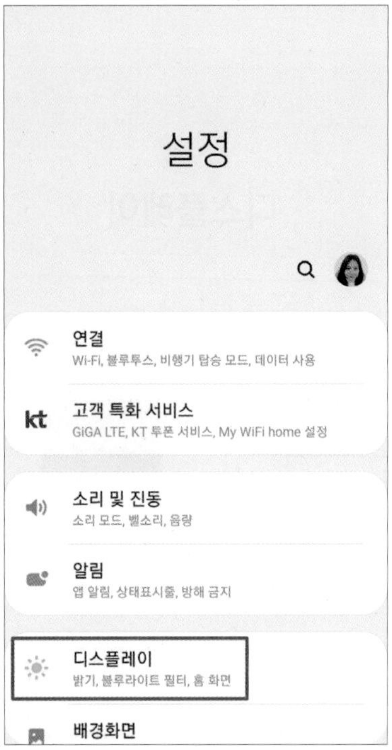

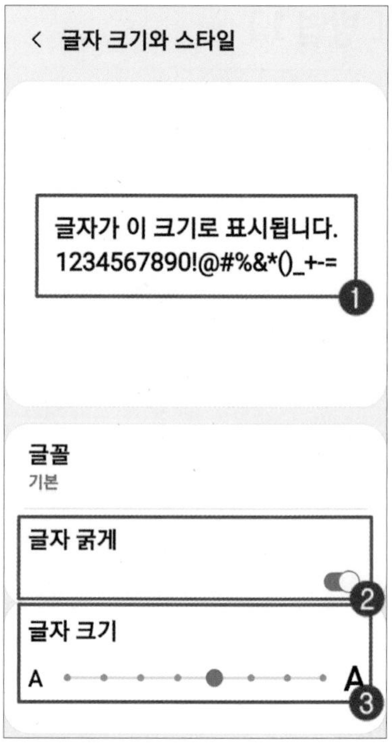


1 [ 설정 ]에서 [ 디스플레이 ]를 터치합니다. 2 [ 글자 크기와 스타일 ]을 터치합니다.

3 ①글자 크기 변화를 확인합니다. ②글자를 굵게 합니다. ③좌, 우로 조절합니다.

# 저장공간 확인 및 확보하기

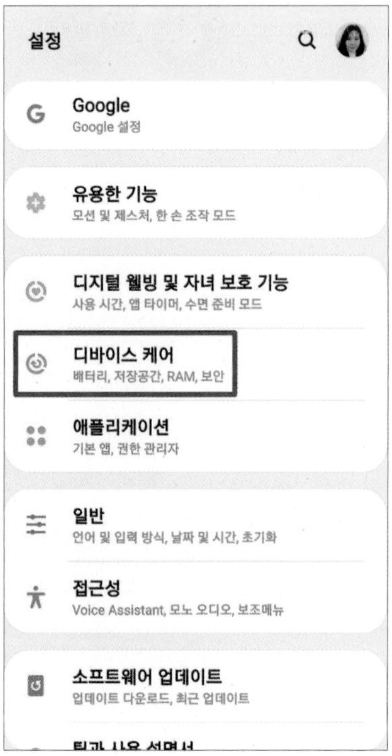


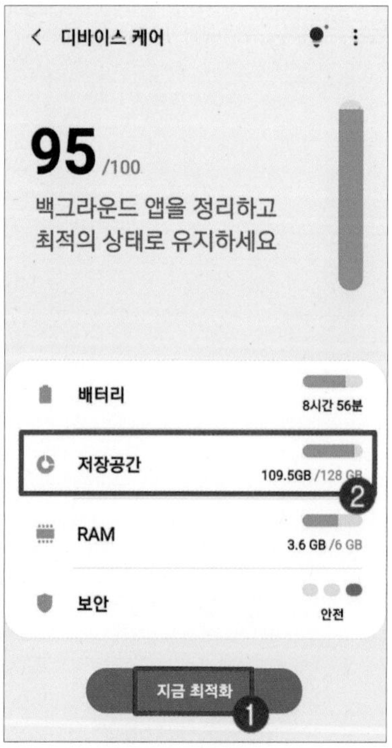


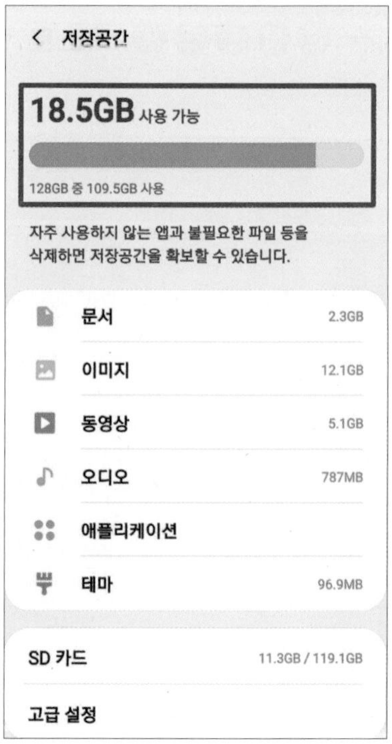


1 [ 디바이스 케어 ]를 터치합니다. 2 ①지금 최적화를 터치합니다. ②저장공간을 터치합니다.

3 저장공간을 확인할 수 있습니다.

## LG 폰

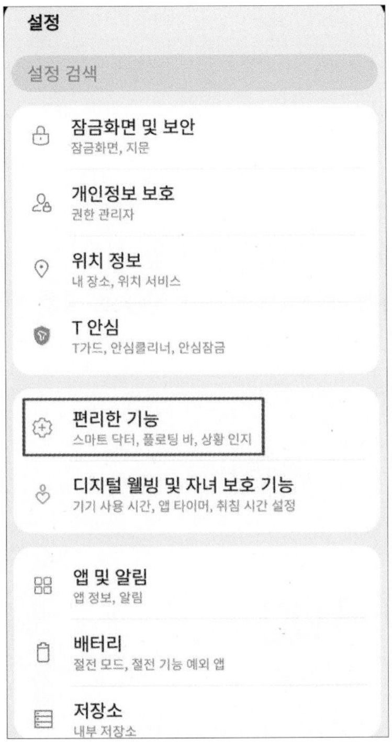

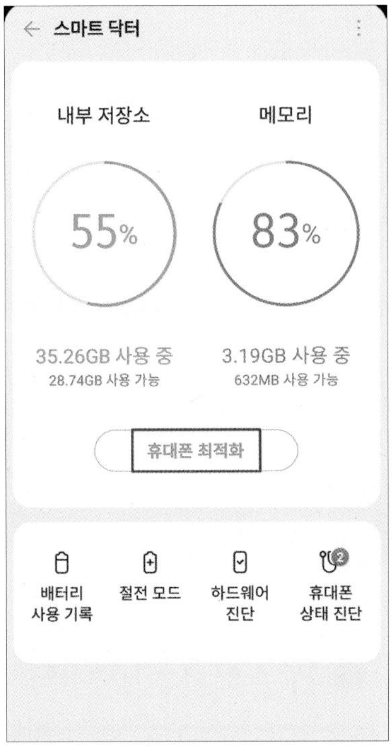


**1** [ **설정** ]을 터치합니다. **2** [ **스마트 닥터** ]를 터치합니다. **3** [ **휴대폰 최적화** ]를 터치하여 정리합니다.

# 최근 실행 앱 확인하기

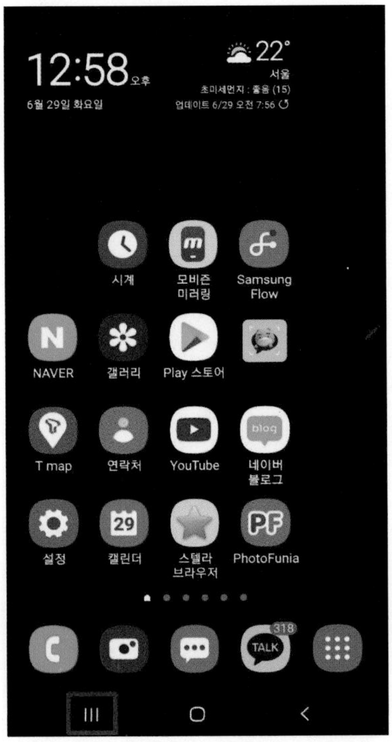

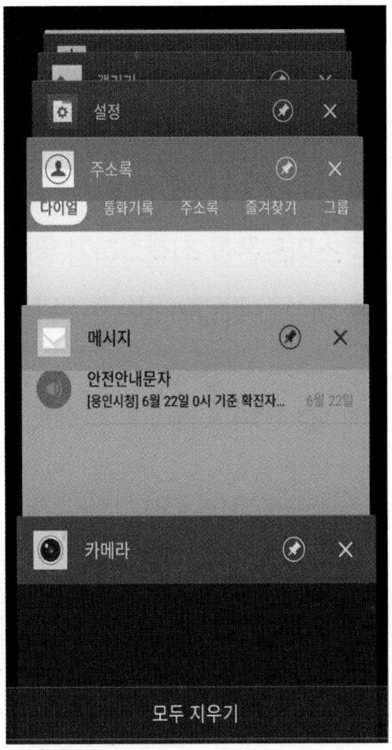


**1** 스마트폰 왼쪽 하단에 있는 [ **최근 실행 앱** ]을 터치합니다. 최근 실행했던 앱 목록이 나옵니다.

**2** 원하는 앱을 터치합니다. **3** LG폰 [ **최근 실행 앱** ]화면입니다. [ **최근 실행 앱** ]을 삭제하려면 [ **모두 지우기** ]를 터치합니다. 최근에 사용한 앱이 없습니다라는 문구가 보입니다.

# 디바이스 케어로 스마트폰 최적화하기

## (1) 스마트폰 기기 최적화하기 (삼성 노트10 기준)

디바이스 케어는 누구나 손쉽게 터치 한번으로 스마트폰을 최적의 상태로 유지 및 관리 할 수 있는 기능입니다. 그리고 사용자가 스마트폰을 장시간 사용할 수 있도록 절전 모드를 제공하며 RAM을 효율적으로 관리하고 여유 공간을 확보합니다.

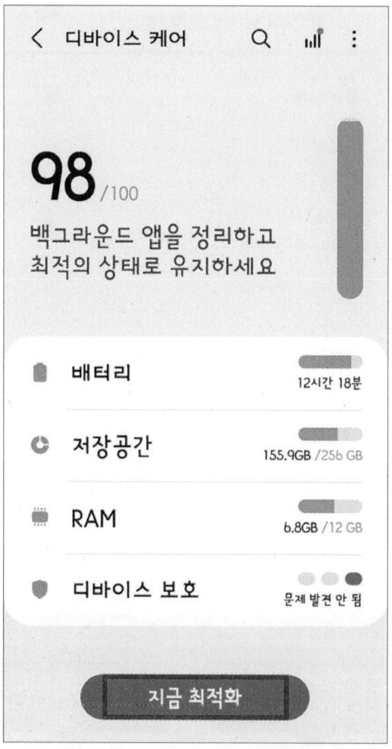


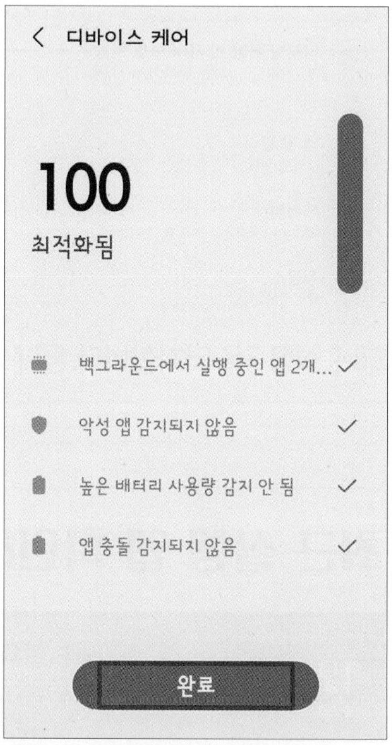


1 홈 화면의 [ 알림 줄 ] - [ ⚙ 설정 ] - [ 배터리 및 디바이스 케어 ]를 터치합니다.

2 스마트폰을 최적화하기 위해 [ 지금 최적화 ]를 터치합니다.

3 최적화 작업이 끝나면 [ 완료 ]를 터치합니다.

CHECK 리스트

## (2) 홈 화면에 디바이스 케어 위젯 추가하기

위젯 기능을 활용하여 홈 화면에 디바이스 케어 위젯을 추가하여 수시로 스마트폰을 최적화할 수 있습니다.

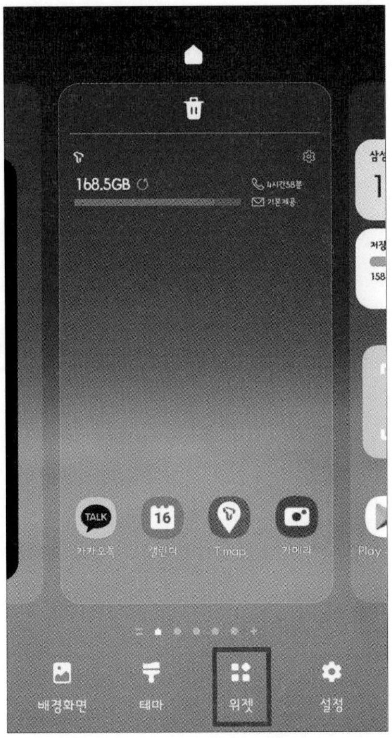


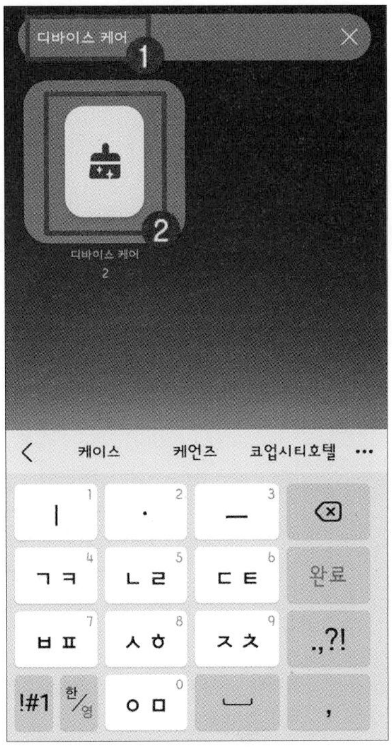


1 홈 화면 빈 곳을 길게 누르거나 엄지손가락과 검지손가락을 꼬집듯이 모아줍니다. 2 아래의 [ **위젯** ]을 터치합니다. 3 상단의 검색창에 ①[ **디바이스 케어** ]를 입력한 다음, ②[ **디바이스 케어 아이콘** ]을 터치합니다.

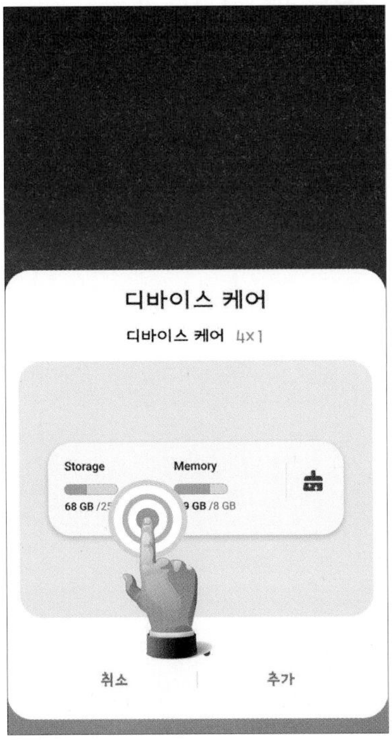


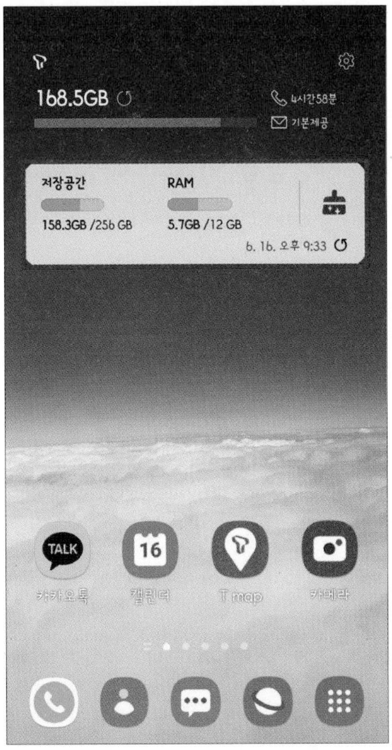


1 디바이스 케어 위젯 종류가 2가지입니다. [ **디바이스 케어 1x1** ] 화면을 검지로 왼쪽으로 밀어줍니다. 2 다음 페이지에 [ **디바이스 케어 4x1** ] 나타나면 손가락으로 길게 눌러 홈 화면 나올 때까지 기다립니다. 3 홈 화면의 원하는 위치에 가져다 놓고 손을 떼어줍니다.

**※ 스마트폰 버전에 따라 디바이스 케어의 최적화 모양 빗자루 모양** 혹은 **을 터치하여 최적화 하면 됩니다.**

## (3) 저장공간 확인하기

사용자의 전체 저장 공간과 사용량, 그리고 남은 용량을 확인할 수 있습니다.

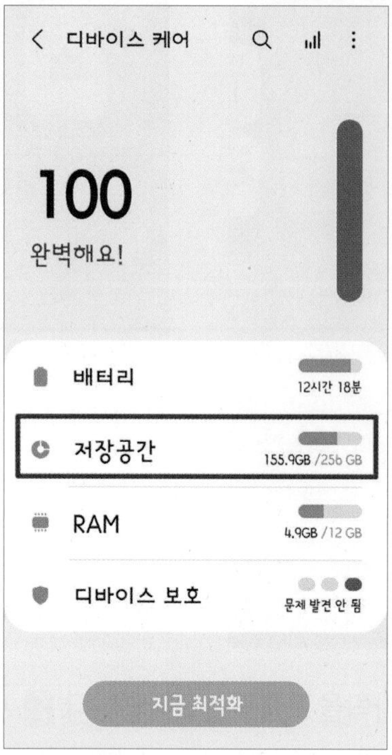


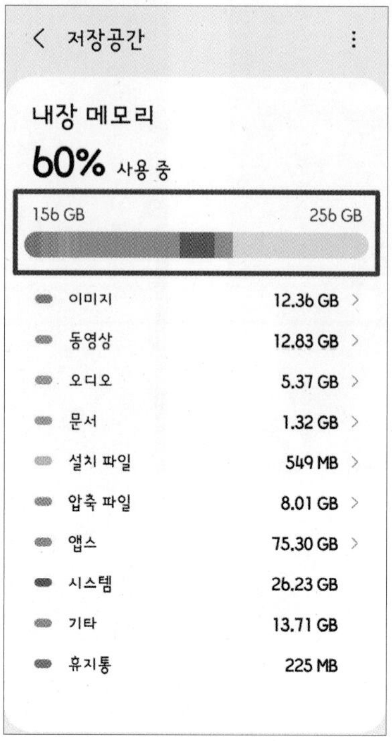


1 [ **배터리 및 디바이스 케어** ] - [ **저장공간** ]을 터치합니다.
2 본인 스마트폰의 [ **총 저장공간과 사용 중인 공간** ]을 확인할 수 있습니다.

※ **저장공간 아래의 내장 메모리 공간을 확인하고 나의 폰에 무엇이 용량을 많이 차지하고 있는지 확인할 수 있습니다.**

**CHECK 리스트**

# 최근 실행 앱 확인하기

스마트폰으로 최근에 실행했던 앱 목록들을 확인할 수 있으며, 사용하지않는 앱들은 모두 닫아주어야 배터리가 절약됩니다.

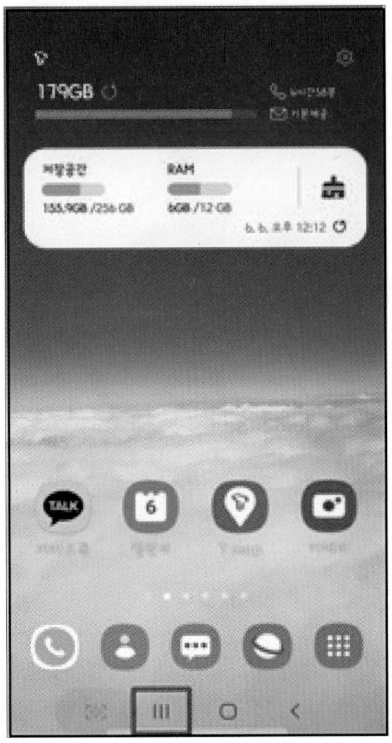


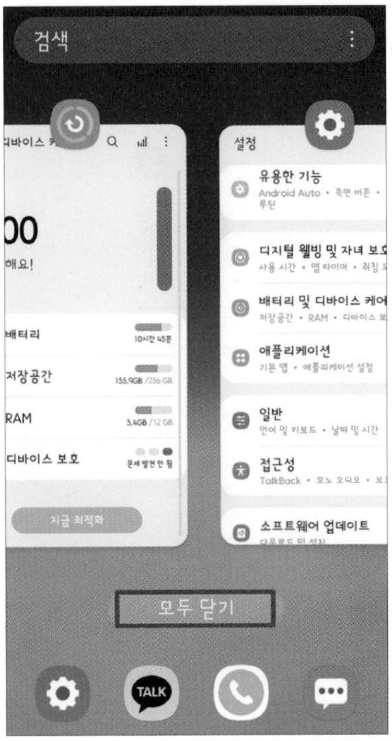

1 스마트폰 왼쪽 아래에 있는 [ Ⅲ ]를 터치합니다.

2 아래의 [ **모두 닫기** ]를 터치합니다. 그럼 실행했던 모든 앱들이 닫힙니다.

3 모두 닫은 다음 최근 실행 앱 버튼을 다시 터치하면 [ **최근에 사용한 앱이 없습니다** ]라는 문구가 보입니다.

CHECK 리스트

# 연락처 활용

## (1) 연락처 사용하기

### 1) 연락처 추가하기

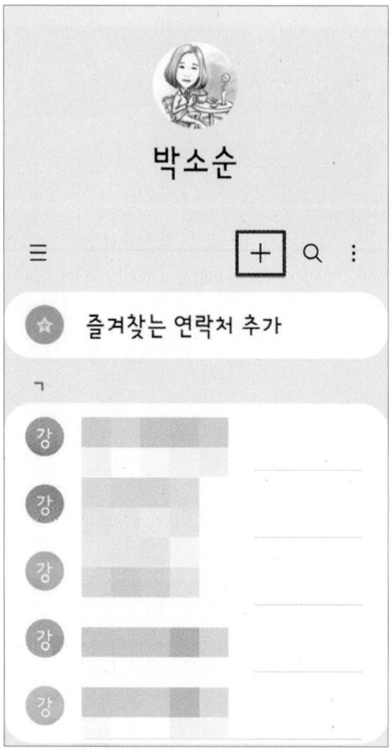


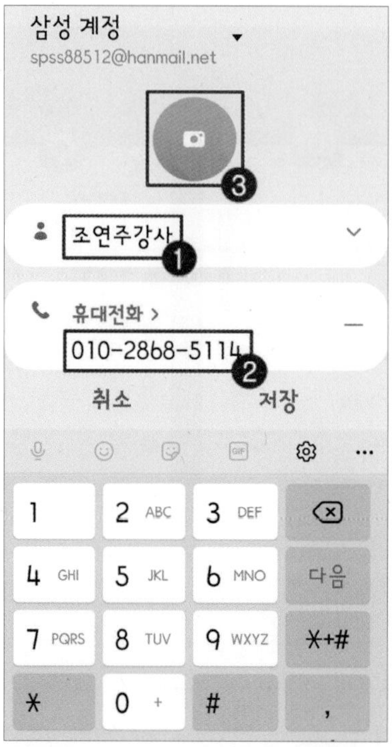

1 홈 화면에서 연락처를 터치하여 실행한 다음 오른쪽 위 **[ ✚ (연락처 추가) ]**를 터치합니다.

2 연락처 추가할 ①**[ 이름 ]**, ②**[ 핸드폰 번호 ]**을 입력한 다음, ③**[ 카메라 모양 ]**을 터치합니다.

3 원하는 ①**[ 이미지 ]**를 선택한 다음, ②**[ 저장 ]**을 터치합니다.

▶ 이미지가 추가된 연락처를 확인 할 수 있습니다.

**※ 연락처에 사진을 추가하고 싶을 때에는 이미지 아래의 [ 갤러리 ] 혹은 [ 카메라 ]를 터치한 다음 완료하면 됩니다.**

## 2) 즐겨찾기 사용하기

자주 연락하는 번호는 즐겨찾기를 이용하면 연락처 상단에 고정되어 신속하게 연락할 수 있습니다.

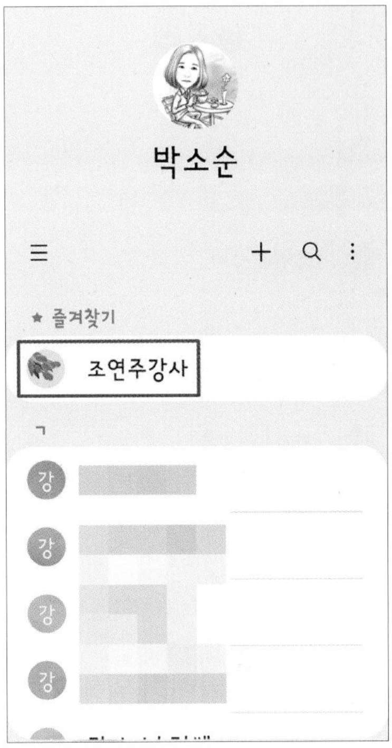


1 연락처에서 즐겨찾기 하고 싶은 사람의 이름을 터치한 다음 왼쪽 하단의 **[ 즐겨찾기 ]**를 터치합니다.

2 왼쪽 하단의 즐겨찾기 별 모양이 **[ 노란색 별 ]**로 변경된 걸 확인할 수 있습니다.

3 연락처 목록의 상단 즐겨찾기 아래에 추가된 이름을 확인할 수 있습니다.

CHECK 리스트

## 3) 그룹 사용하기

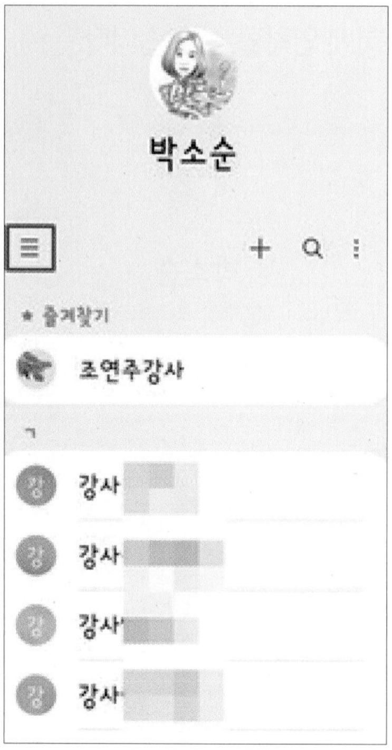


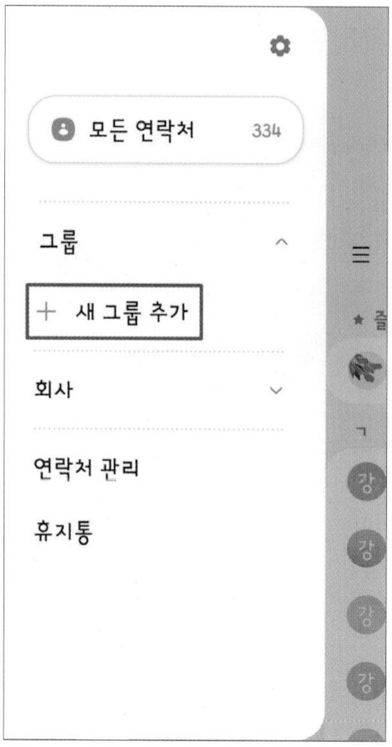


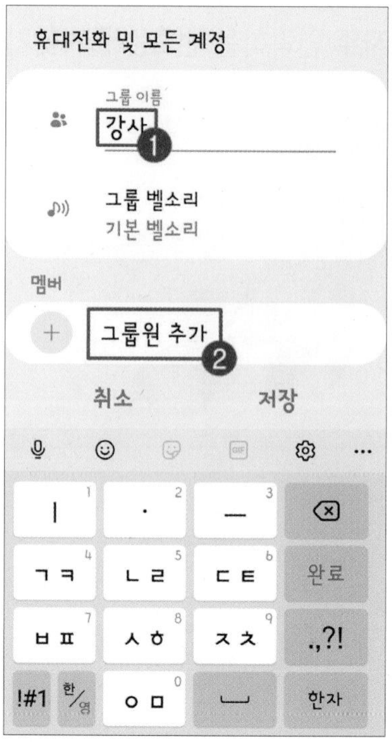


1 그룹을 추가하기 위해 연락처 화면 왼쪽의 [ **삼선** ]을 터치합니다.

2 연락처 메뉴 중에서 그룹 아래 [ ✚ **새 그룹 추가** ]를 터치합니다.

3 원하는 그룹 이름 ①[ **예 : 강사** ]를 입력한 다음, 멤버를 추가하기 위해 ②[ **그룹원 추가** ]를 터치합니다.

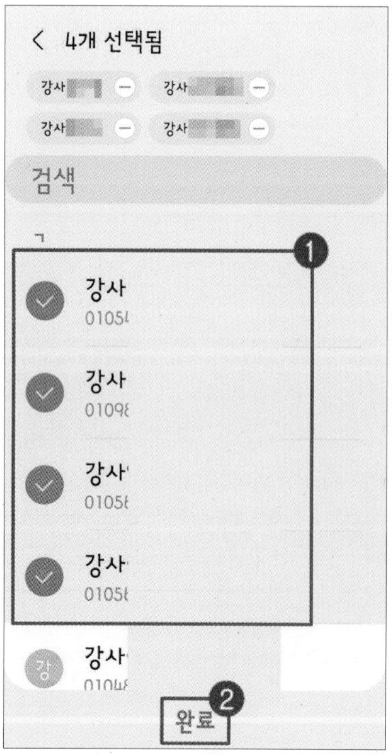


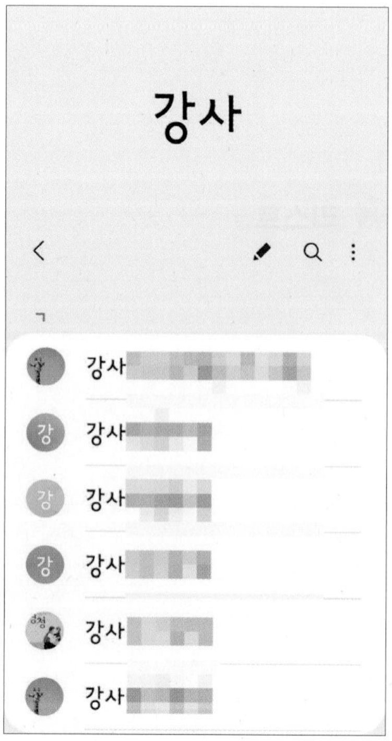


1 그룹에 추가할 ①[ **멤버 선택** ], ②[ **완료** ]를 터치합니다.

2 강사그룹에 추가된 멤버를 확인할 수 있습니다.

## 4) 최근 기록 사용하기

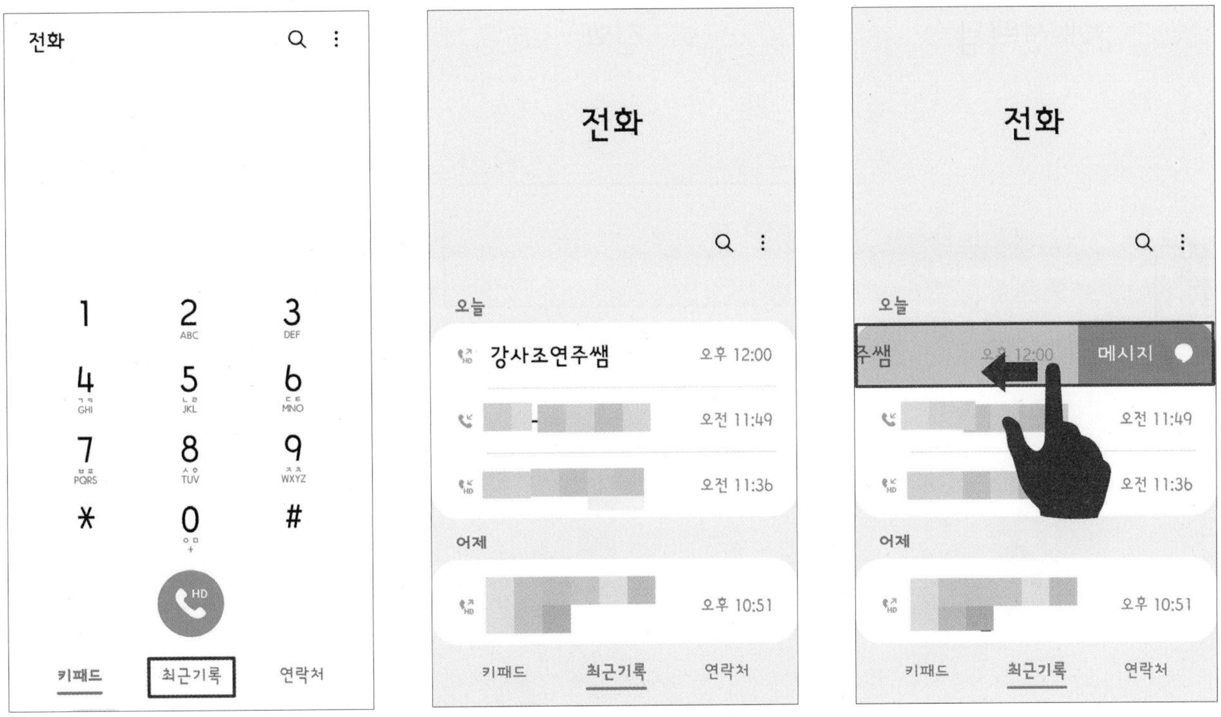


1 홈 화면의 [ **전화** ]를 실행한 다음, 하단의 [ **최근기록** ]을 터치합니다.

2 최근에 사용한 수신과 발신 목록을 확인할 수 있습니다.

3 전화번호를 [ **왼쪽으로 밀어주면 메시지** ]를 보낼 수 있습니다.

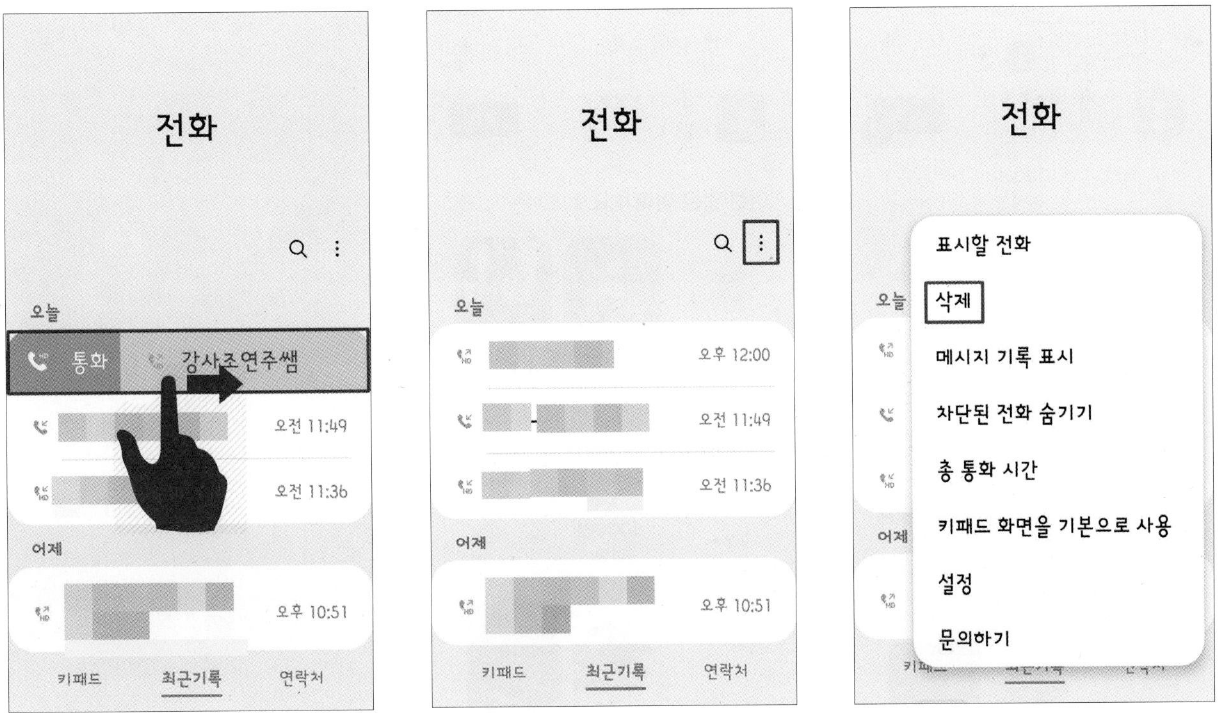


1 전화번호를 [ **오른쪽으로 밀어주면 통화** ]를 할 수 있습니다.

2 최근 기록을 삭제할 경우에는 오른쪽 위 [ **⋮ (더보기)** ]를 터치합니다.

3 더보기로 나온 메뉴 중에서 [ **삭제** ]를 터치합니다.

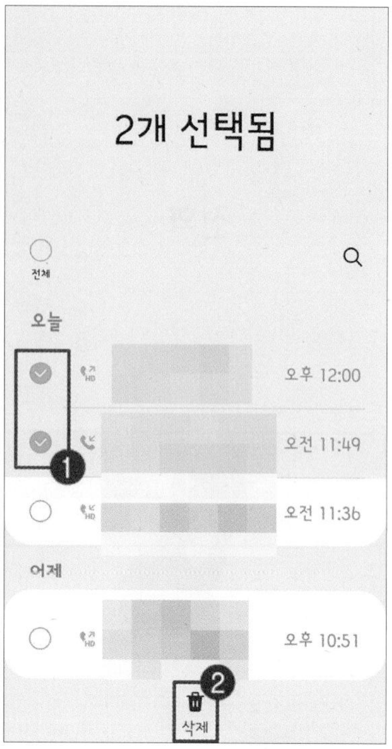


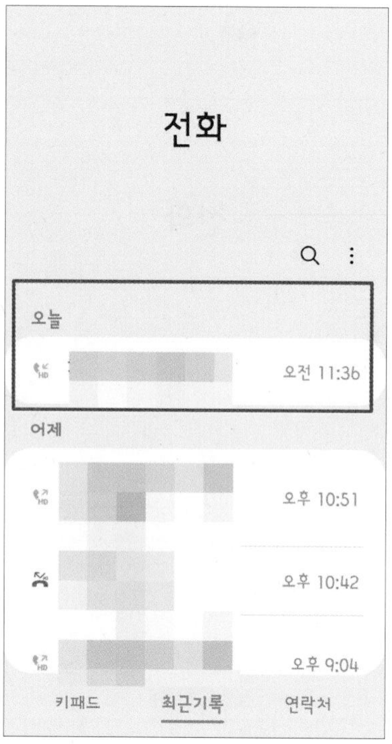


1 삭제하고자 하는 ①[ **최근기록을 체크** ]한 다음, 아래의 ② [ **삭제** ]를 터치합니다.

2 오늘 수신 및 발신목록이 삭제된 걸 확인할 수 있습니다.

## 5) 스마트폰 주소록 백업하기

네이버 주소록 앱은 단말기에 저장된 연락처를 가져올 수 있는 기능을 제공합니다.
연락처를 안전하게 백업하고 편리하게 관리할 수 있습니다.
안드로이드와 아이폰(ios) 앱에 따라 방법이 조금 다르지만 쉽게 옮길 수 있습니다.

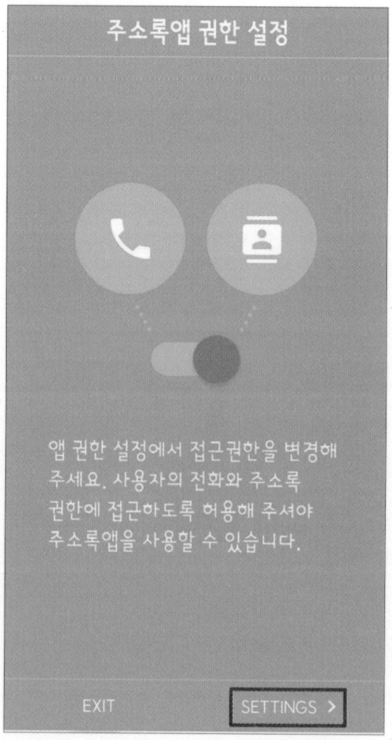


1 [ **play 스토어** ]에서 ①[ **네이버 주소록** ]을 검색한 다음 ②[ **설치** ]를 터치합니다.
2 설치가 완료되면 [ **열기** ]를 터치합니다.
3 네이버 주소록 앱을 사용하기 위해 오른쪽 아래 [ **SETTINGS** ]를 터치합니다.

주소록앱 권한 설정
네이버 주소록에서 전화를 걸고
관리하도록 허용하시겠습니까?
허용
거부

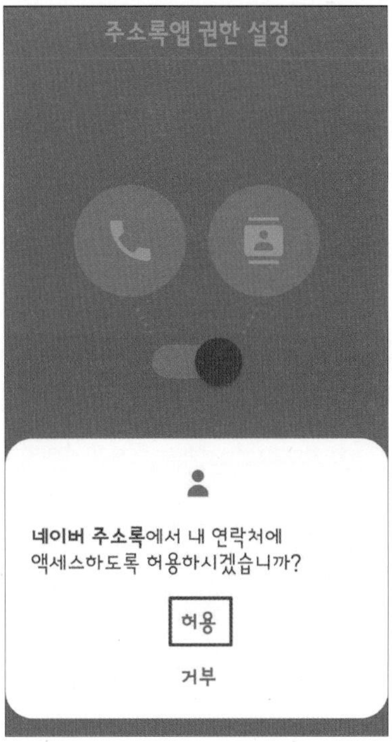
주소록앱 권한 설정
네이버 주소록에서 내 연락처에
액세스하도록 허용하시겠습니까?
허용
거부

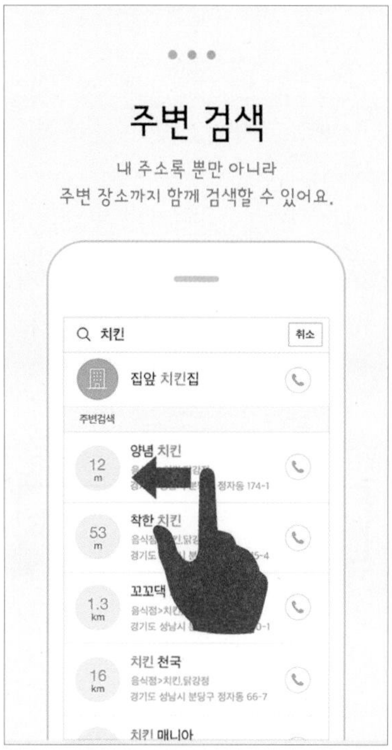
주변 검색
내 주소록 뿐만 아니라
주변 장소까지 함께 검색할 수 있어요.
치킨
취소
집앞 치킨집
주변검색
양념 치킨
착한 치킨
꼬꼬댁
치킨 천국
치킨 매니아

1 네이버 주소록에서 전화를 걸고 관리하도록 [ **허용** ]을 터치합니다.

2 네이버 주소록에서 내 연락처에 액세스하도록 [ **허용** ]을 터치합니다.

3 화면을 [ **왼쪽으로** ] 밀어줍니다.

백업
내 연락처를 더 쉽고 안전하게
백업할 수 있어요.
백업
NAVER
523
내보내기
폰 연락처
330

네이버 주소록
홈화면에 꺼내두고
더 편리하게 전화하세요!
시작하기

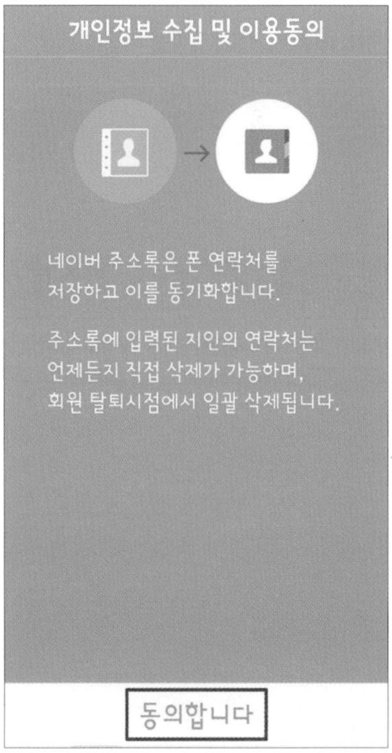
개인정보 수집 및 이용동의
네이버 주소록은 폰 연락처를
저장하고 이를 동기화합니다.
주소록에 입력된 지인의 연락처는
언제든지 직접 삭제가 가능하며,
회원 탈퇴시점에서 일괄 삭제됩니다.
동의합니다

1 화면을 [ **왼쪽으로** ] 밀어줍니다.

2 네이버 주소록을 사용하기 위해 아래의 [ **시작하기** ]를 터치합니다.

3 개인정보 수집 및 이용 동의란에 [ **동의합니다** ]를 터치합니다.

1 ①**[ 연락처가 저장되어 있는 계정 ]**을 선택한 다음, 아래의 **[ 확인 ]**을 터치합니다.

2 폰 연락처의 주소록을 네이버 주소록에 백업하기 위해 **[ 내보내기 ]**를 터치합니다.

3 네이버 주소록에 있던 기존 연락처를 유지하고 폰 연락처를 추가하기 위해 **[ 기존 연락처와 합치기 ]**를 터치합니다.

**※ 주의 사항 : 네이버 주소록 앱 설치 후 네이버 주소록 앱에 보이는 연락처는 기기와 동기화된 연락처가 아니라 기기의 연락처입니다.**

**연락처 내보내기를 하지 않고 삭제할 경우, 기기에서 연락처가 삭제되어 복구할 수 없습니다.**

**CHECK 리스트**

# 화면 페이지 편집

## 1) 홈페이지 추가

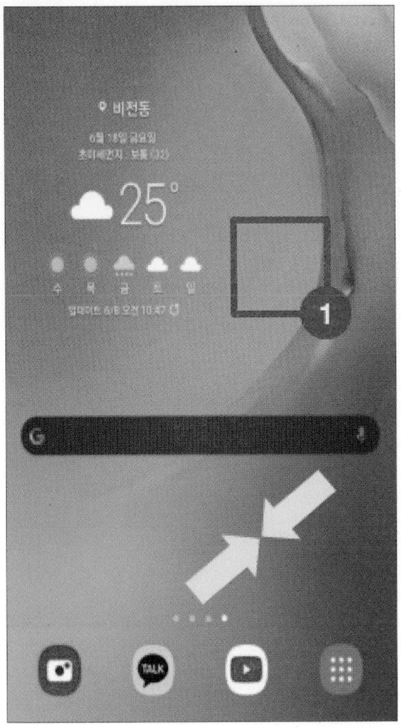


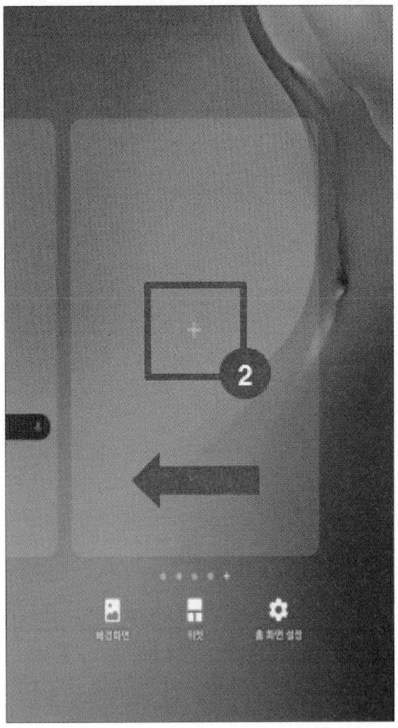


1 ①홈 화면 빈 곳을 3초 정도 길게 누릅니다. (또는 엄지와 검지를 이용하여 홈 화면을 대각선으로 꼬집듯 당겨줍니다.) 2 ②화면을 왼쪽으로 넘겨 +를 터치하면 새로운 페이지가 추가됩니다.

## 2) 홈페이지 삭제

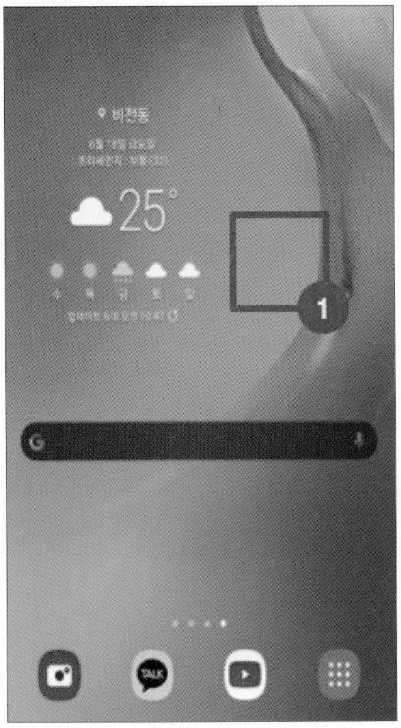


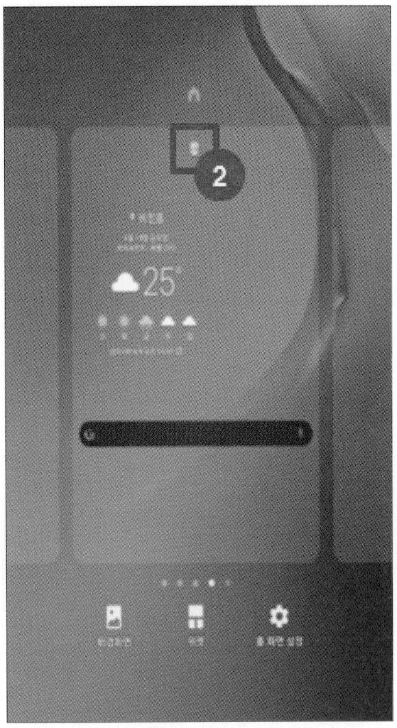


1 ①홈 화면 빈 곳을 3초 정도 길게 누릅니다.

2 ②이 상태에서 휴지통을 클릭하면 해당 페이지를 삭제할 수 있습니다.

### 3) 홈 화면 순서변경

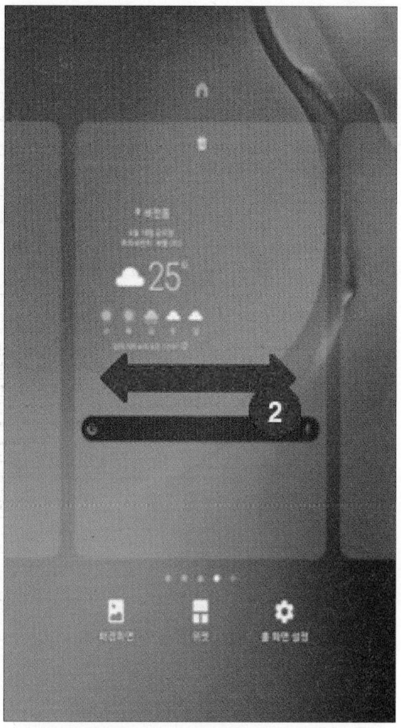


1 ①홈 화면 빈 곳을 3초 정도 길게 누릅니다.

2 ②누른 상태에서 밀면 앞뒤 페이지와 화면 순서를 바꿀 수가 있습니다.

### 4) 홈페이지 변경

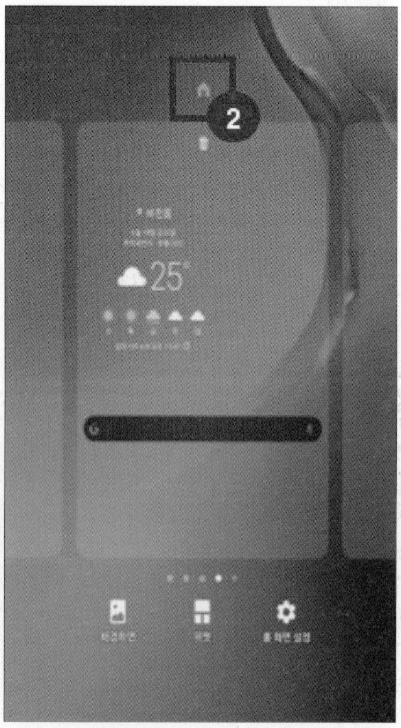


1 ①홈 화면 빈 곳을 3초 정도 길게 누릅니다. 2 ②페이지의 위쪽에 집 모양을 터치하면 해당 페이지가 홈페이지로 설정됩니다.

※ **홈페이지 : 휴대폰을 켰을 때 보이는 홈 화면의 첫 화면**

# 폴더 관리하기

## 1) 폴더 만들기

1 ①홈화면의 앱을 길게 누릅니다. (예 : 다음 메일)

2 ②다른 앱 위로 겹치게 드래그하여 놓습니다. (예 : 갤러리)

3 ③[ **폴더이름 입력** ]을 터치하여 원하는 폴더 이름을 입력합니다. (예 : 이것저것)

## 2) 폴더에 앱을 모으기

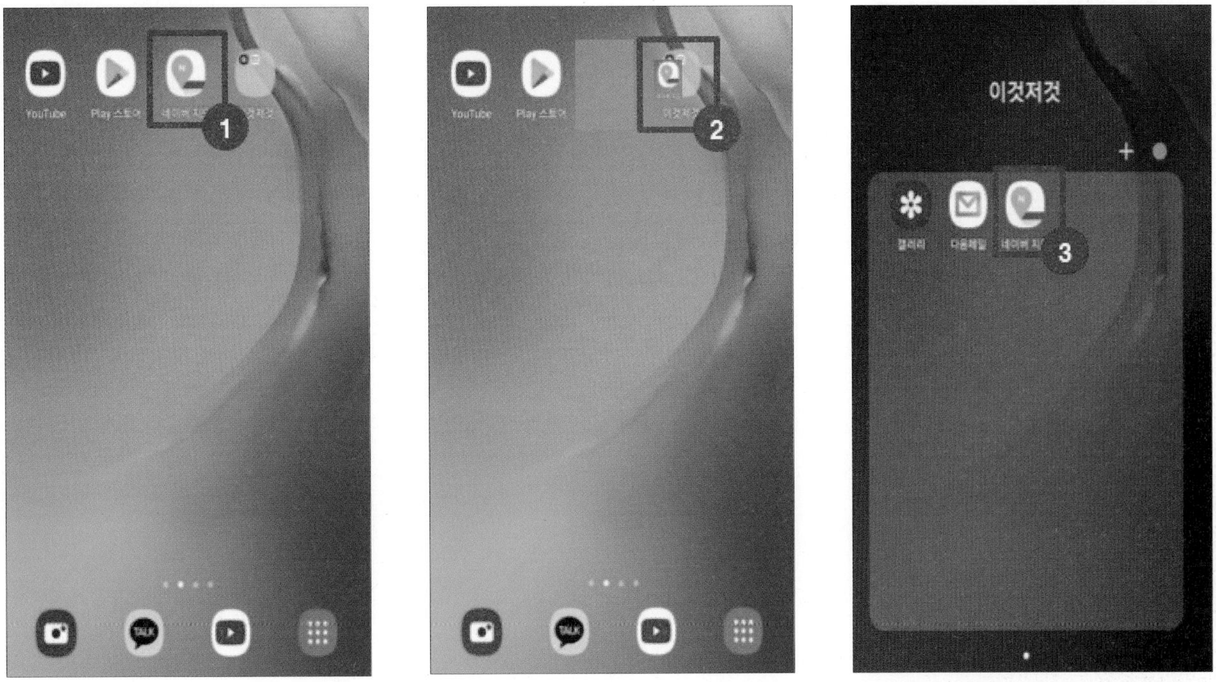


1 ①앱을 길게 누릅니다. 2 ②[ **이것저것** ] 폴더 위로 겹치게 앱을 드래그하여 놓습니다.

3 ③그러면 폴더 안으로 [ **네이버지도** ] 앱이 추가되며, 이와 같이 앱을 모을 수가 있습니다.

### 3) 홈 화면 어플 정리 하기

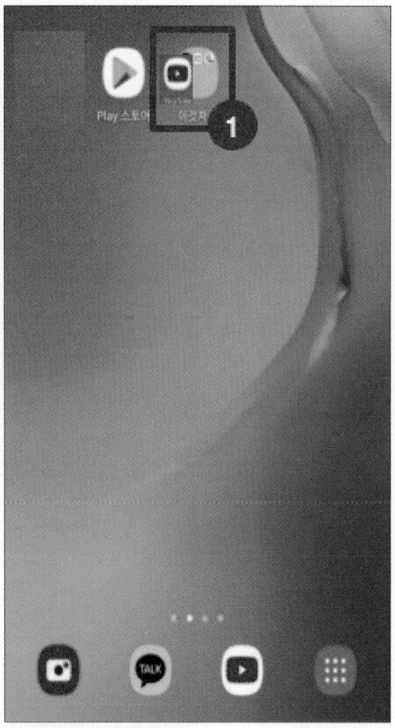

1 ①정리할 앱을 원하는 폴더 위로 겹치게 드래그하여 놓습니다.

2 ②그러면 폴더에 홈 화면 앱이 들어가게 됩니다. 이 방법을 반복하여 홈 화면의 앱들을 폴더에 끌어다가 정리할 수 있습니다.

CHECK 리스트

# 위젯(Widget) 활용하기

## 1) 바로(다이렉트) 전화걸기

1 ①홈 화면 빈 곳을 3초 정도 길게 누릅니다. 2 ②하단의 위젯을 터치합니다.

3 ③검색란에 연락처라고 입력합니다.

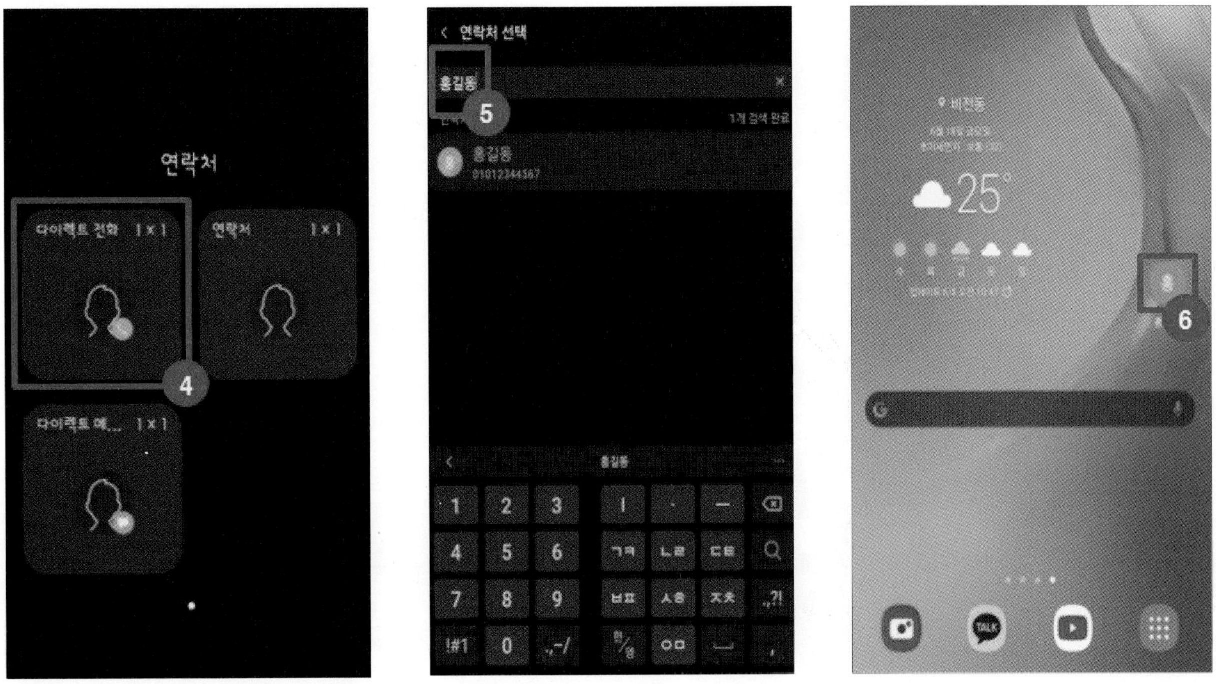


1 ④다이렉트 전화를 선택하여 길게 누릅니다.

2 ⑤검색란에 바로 전화 걸기 할 사람 이름을 입력하여 선택합니다.

3 ⑥홈 화면에 생성된 위젯을 터치하면 그 사람에게 바로 전화를 걸 수가 있습니다.

## 2) 돋보기

1 ①위젯에서 [ **위젯을 검색 하세요** ] 부분을 터치하여 [ **돋보기** ]라고 입력합니다.

2 ②검색된 돋보기 아이콘을 길게 눌러 홈 화면에 추가합니다.

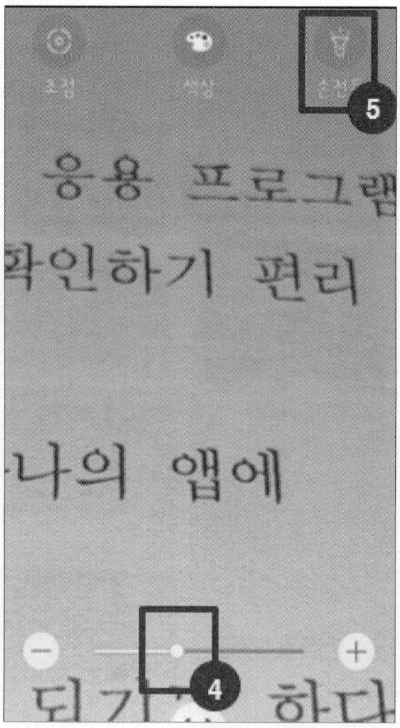


1 ③홈 화면에 추가된 돋보기 아이콘을 터치합니다.

2 ④확대하려는 그림이나 글자 위에 돋보기의 조절점을 이용하여 크기를 조절합니다.

⑤필요시 손전등을 터치하여 밝은 화면을 실행합니다.

### 3) 디바이스 관리

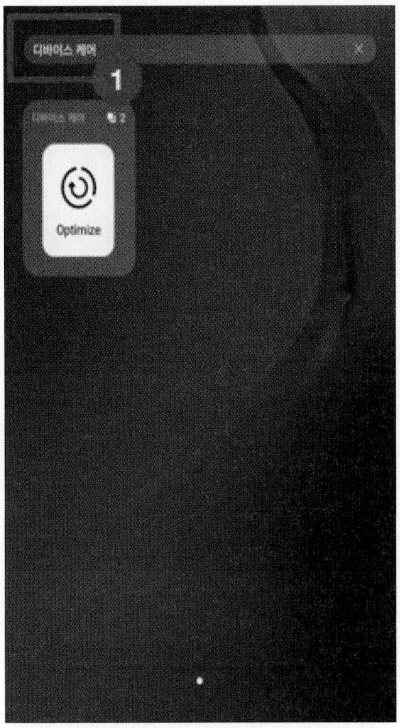


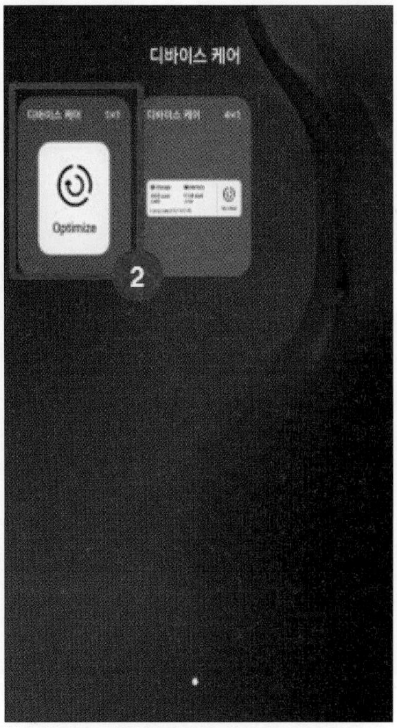


1 ①위젯에서 [ **위젯을 검색 하세요** ] 부분을 터치하여 [ **디바이스 케어** ]라고 입력합니다.

2 ②검색된 [ **디바이스 케어** 1x1 ]을 길게 눌러 홈 화면에 추가합니다.

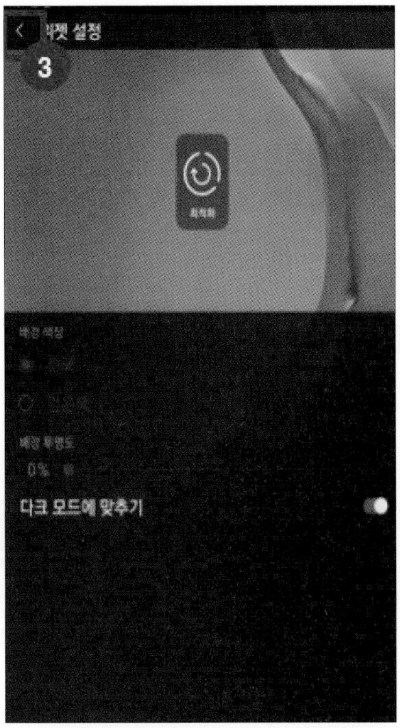

1 ③홈 화면에 추가 시 위젯 설정 화면이 나오면 투명도를 맞추어 설정합니다.

2 ④이제 스마트폰 속도가 느려질 경우 최적화를 터치하여 실행하면 속도가 향상됩니다.

### 4) 그 외 (날씨 및 시계, 카카오 큐알코드)

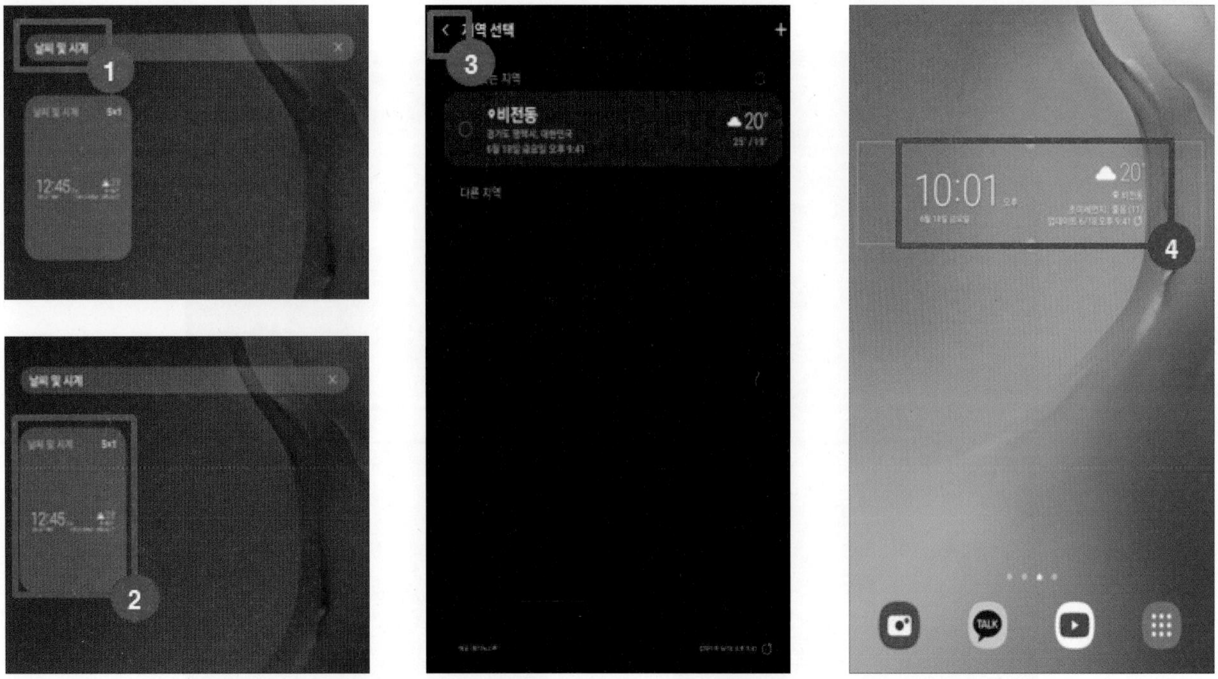


1 ①위젯에서 [ 위젯을 검색 하세요 ] 부분을 터치하여 [ 날씨 및 시계 ]라고 입력합니다.

2 ②[ 날씨 및 시계 5x1 ] 위젯을 길게 눌러 홈 화면에 추가합니다.

3 ③홈 화면에 추가 지역 선택 화면이 나오면 해당 지역을 터치하여 위젯을 추가합니다.

4 ④본 위젯을 통해 홈 화면에서 해당 지역의 날씨를 시시각각 알 수가 있습니다.

### 5) 카카오톡 QR 코드 발급

1 ①카카오톡을 실행하고 #을 터치합니다. 2 ②#코로나19를 누릅니다. ③QR 체크인을 누릅니다.

3 ④'모두 동의합니다' 체크 후, ⑤동의를 누릅니다.

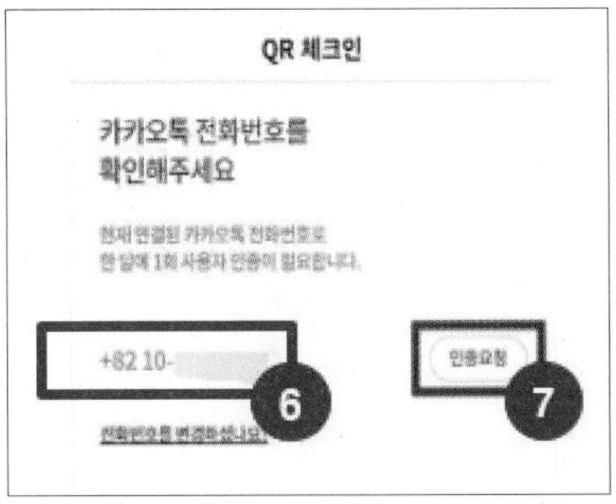


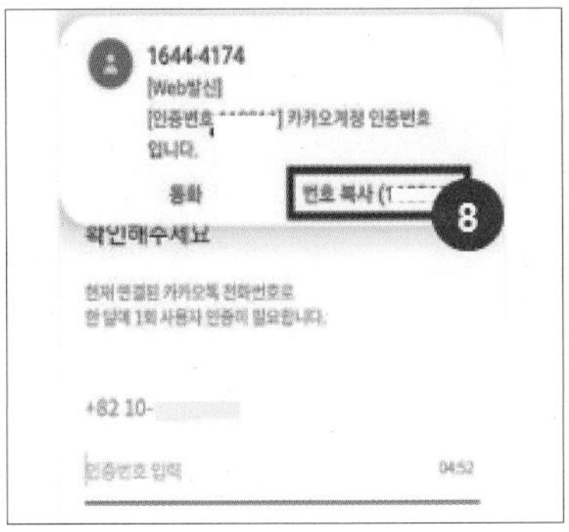


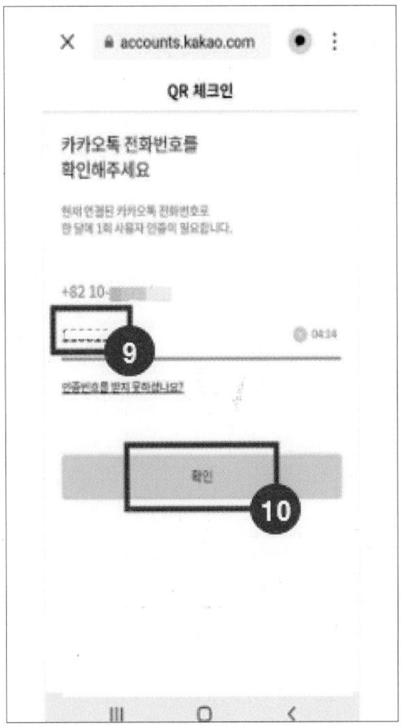

1 ⑥본인의 전화번호 확인 후, ⑦인증 요청을 누릅니다. ⑧문자로 발송된 인증번호를 기억 또는 적어 놓습니다. 2 ⑨인증번호를 입력하고, ⑩확인을 누르면, 3 ⑪QR코드가 만들어 집니다.

CHECK 리스트

## 6) 카카오톡 QR 코드 위젯 활용

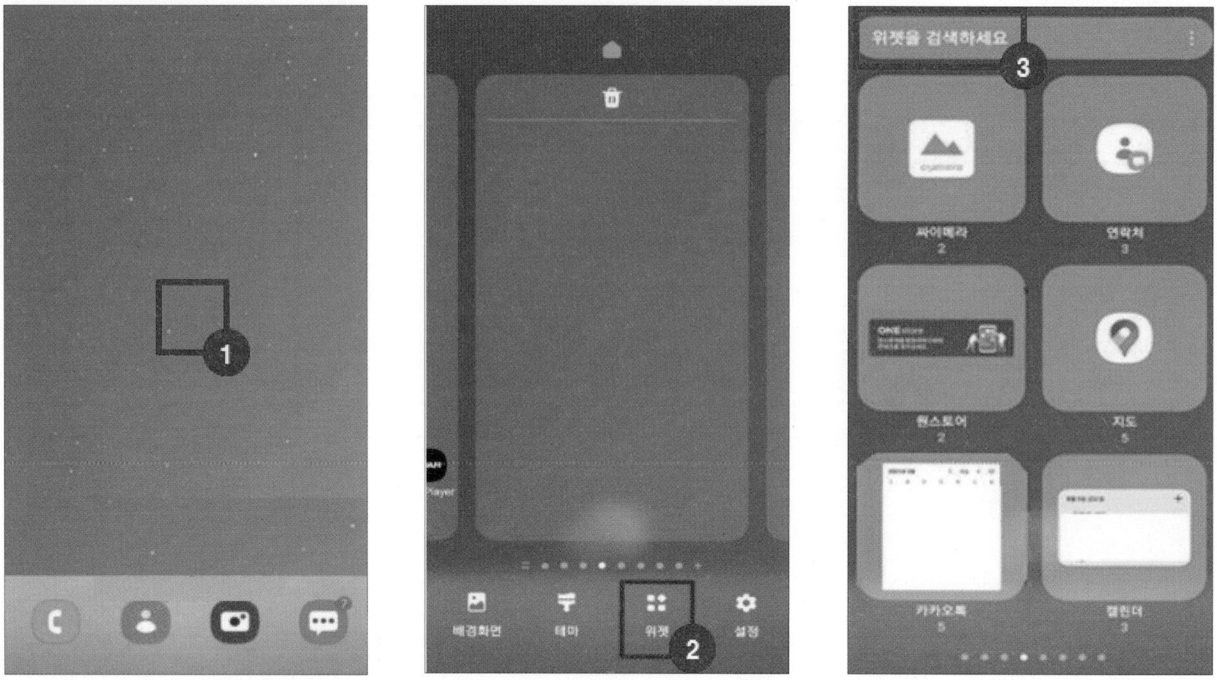


1 ①홈 화면 빈 곳을 3초 정도 길게 누릅니다. 2 ②하단의 위젯을 누릅니다.

3 ③[ **위젯을 검색하세요** ] 부분을 터치하여 [ **카카오톡** ]이라고 입력합니다.

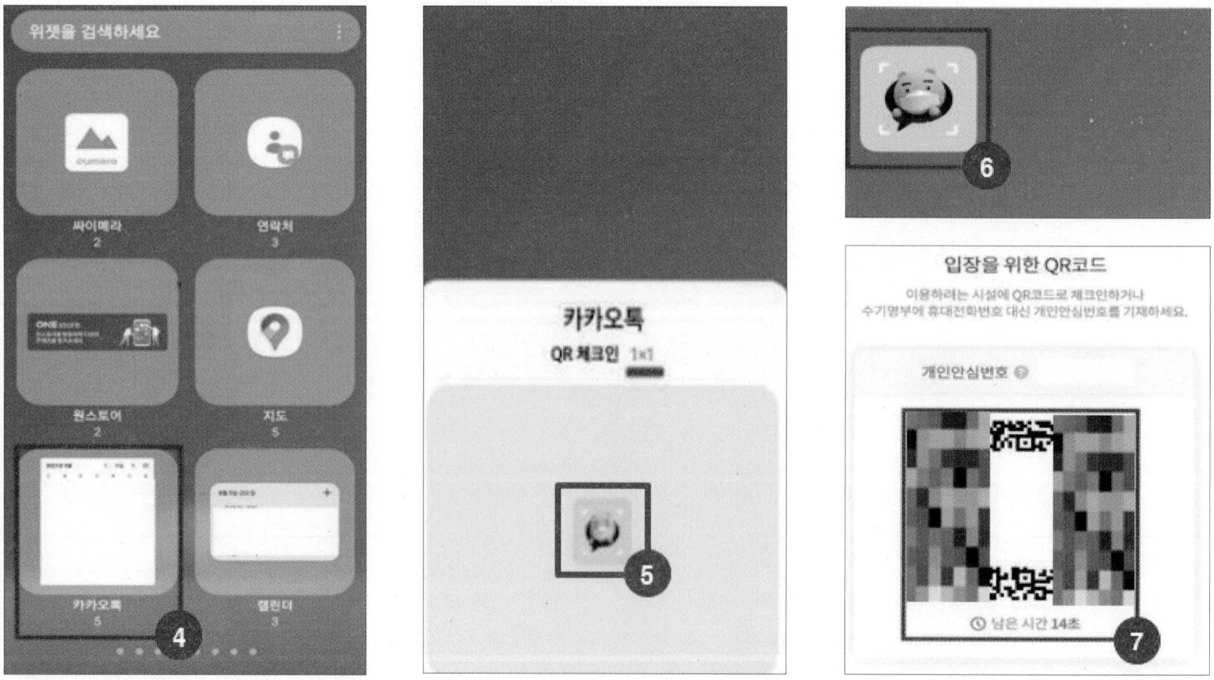


1 ④카카오톡을 누릅니다. 2 ⑤카카오톡 QR코드 위젯을 길게 눌러 홈 화면에 추가합니다.

3 ⑥홈 화면에 추가된 위젯을 눌러 실행시키면, ⑦입장을 위한 나의 QR 코드가 생성됩니다.

# 시계 앱 활용하기(알람)

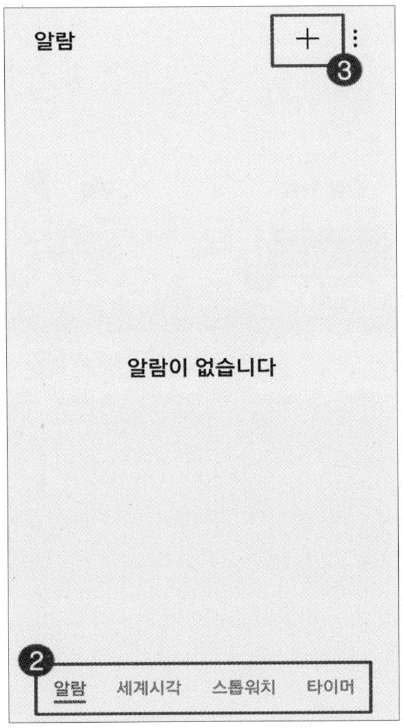


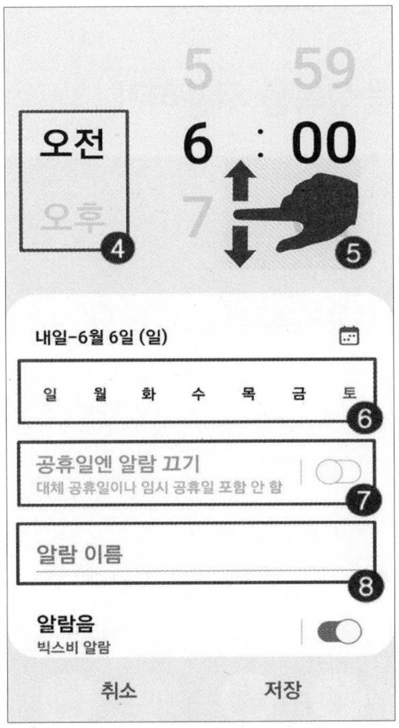


**1** ①홈 화면이나 앱스 화면에서 [ **시계** ]를 터치합니다. **2** ②하단 메뉴에서 [ **알람** ]을 터치하여 활성화합니다. [ **세계시각** ], [ **스톱워치** ], [ **타이머** ]도 활용할 수 있습니다. ③[ ✚ ]를 터치합니다. **3** ④[ **오전** ]이나 [ **오후** ]를 선택합니다. ⑤숫자를 위아래로 드래그하여 [ **시간** ]과 [ **분** ]을 맞춥니다. ⑥알람 음을 [ **요일** ] 또는 [ **날짜** ]를 선택합니다. ⑦[ **공휴일** ]엔 [ **알람 끄기** ]를 활성화하면 알람 음이 꺼집니다 ⑧[ **알람 이름** ]을 설정할 수도 있습니다.

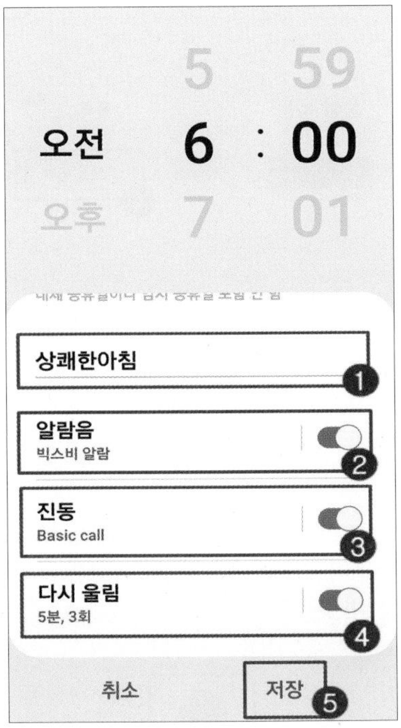


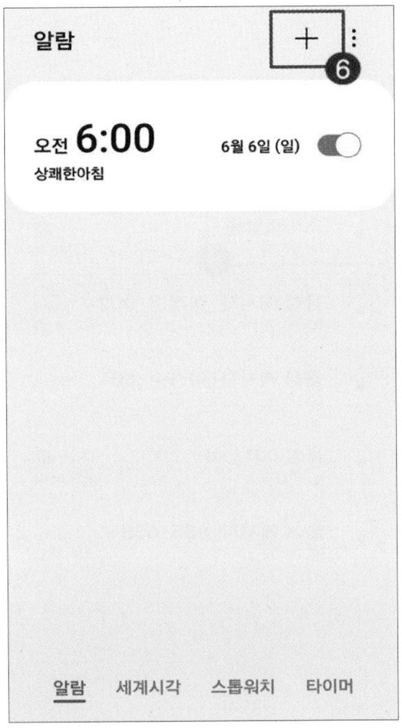

**1** ①[ **알람 이름** ]을 터치하여 [ **상쾌한 아침** ]이라고 설정했습니다. ②원하는 음악으로 [ **알람 음** ]을 설정할 수도 있고 ③[ **진동 패턴** ]을 설정할 수도 있습니다. ④[ **알람 간격** ]과 [ **반복 회수** ]를 정할 수 있습니다. ⑤[ **저장** ]을 터치합니다. [ **알람이 확정** ] 되었습니다. **2** ⑥[ ✚ ]를 터치하여 알람을 추가할 수 있습니다. **3** ⑦알람 [ **끄기** ] 또는 [ **삭제** ]할 경우는 알람을 길게 누른 후 ⑧[ **끄기** ] 또는 [ **삭제** ]를 터치하면 됩니다.

# 문자메시지

## 음성녹음 사용하기

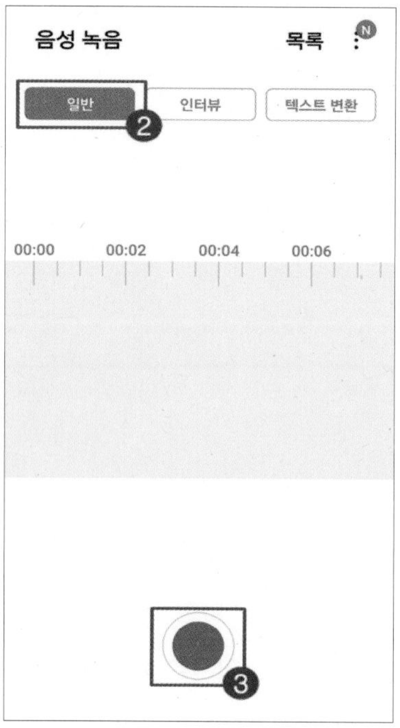


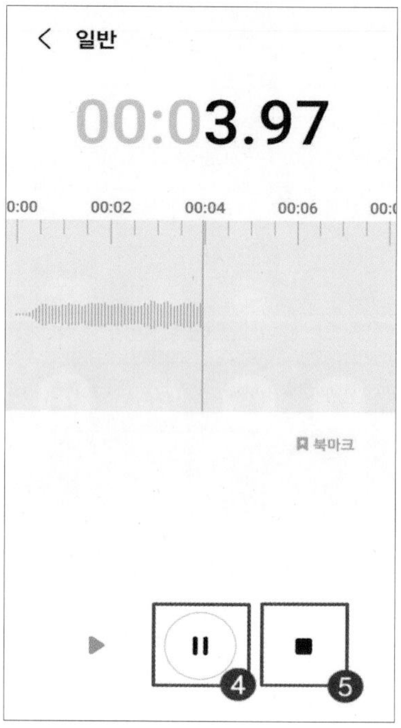


1 ①홈 화면이나 앱스 화면에서 [ **음성녹음** ]을 터치합니다. 2 ②[ **일반** ]을 터치한 후 ③[ **녹음 시작** ] 버튼을 터치합니다. 3 ④녹음 중에는 [ **일시 정지** ] 버튼 터치합니다. ⑤녹음이 끝나면 [ **정지 버튼** ]을 터치합니다.

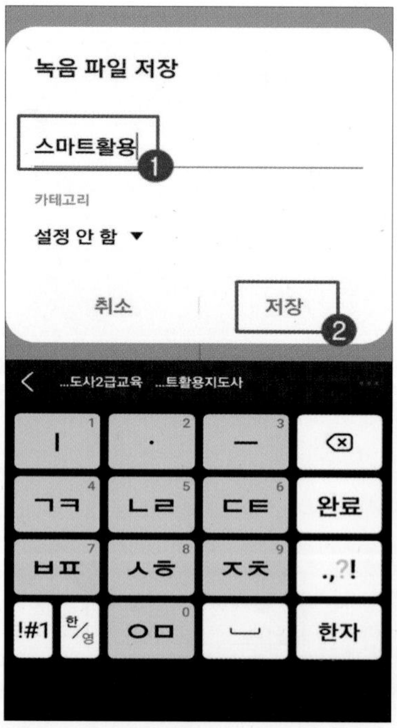


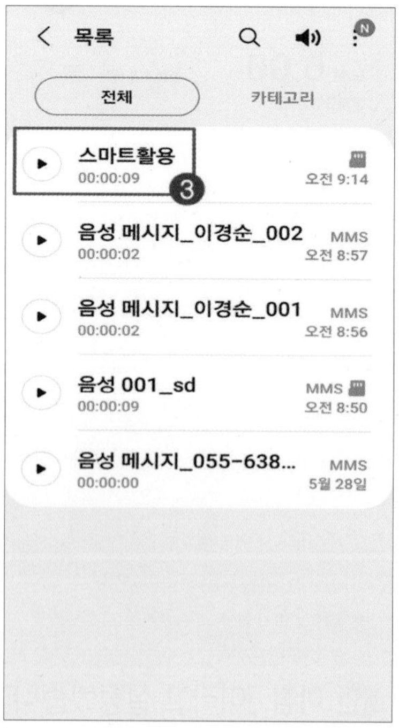


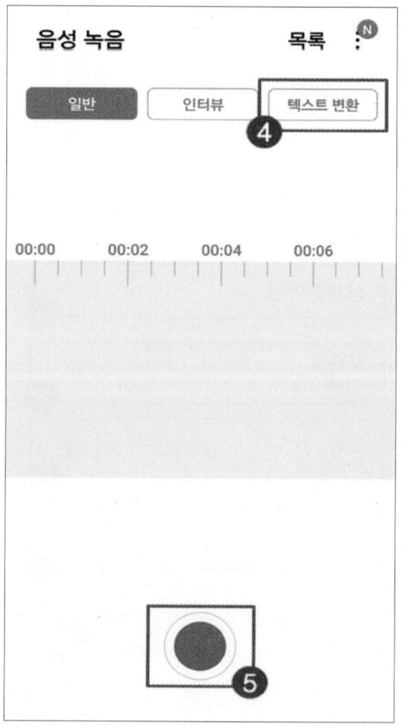


1 ①녹음 파일 저장에서 [ **스마트 활용** ] 이름변경 입력한 후 ② [ **저장** ]을 터치합니다. 2 ③[ **스마트 활용** ] 파일명으로 저장되었습니다. 3 ④[ **텍스트 변환** ]은 음성과 동시에 텍스트로 변환됩니다. ⑤[ **녹음** ] 버튼을 터치하여 녹음을 시작합니다.

## 음성녹음 확인하기

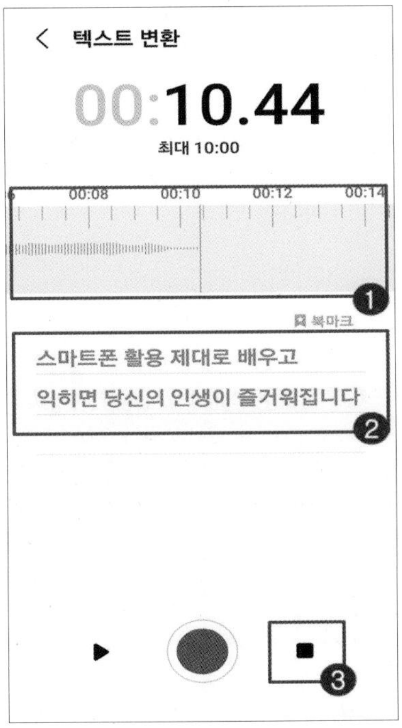


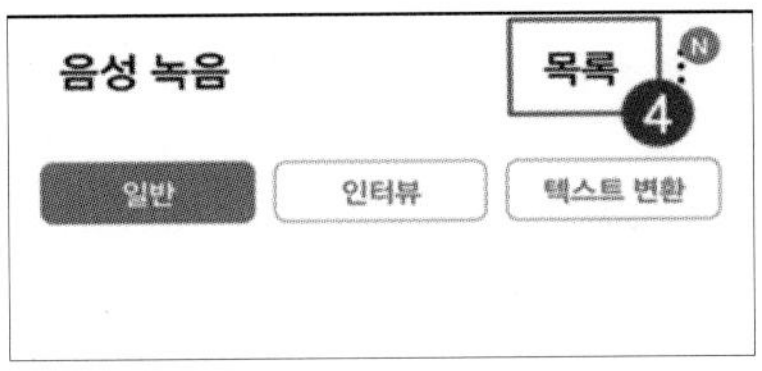


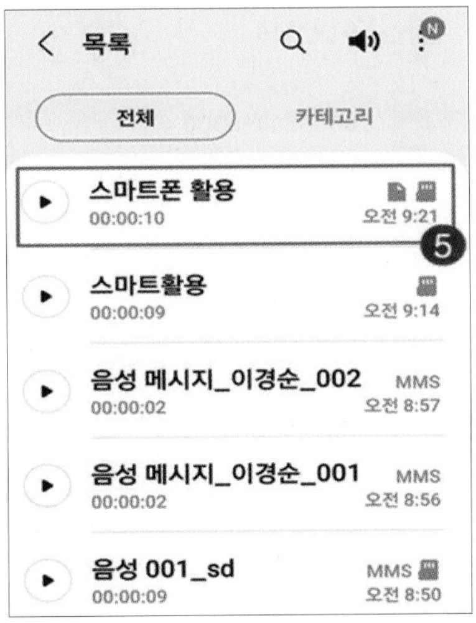


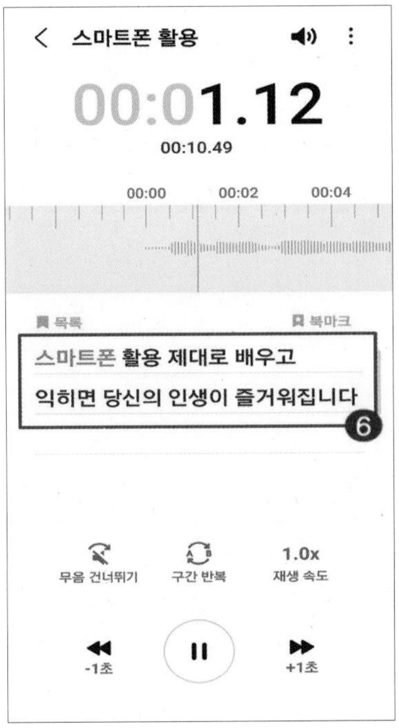


1 ①음성이 [ **녹음** ]되면서 ②[ **텍스트로 변환** ]이 됩니다. ③끝나면 [ **정지** ] 버튼을 눌러 저장합니다. 2 녹음한 내용을 듣기 위해 홈 화면이나 앱스화면에서 [ **음성녹음** ]을 터치합니다. ④[ **목록** ]을 터치합니다. ⑤재생하고자 하는 목록을 터치합니다. 3 ⑥재생과 동시에 텍스트로 변환됩니다.

## 음성 녹음 파일 이름 변경하기

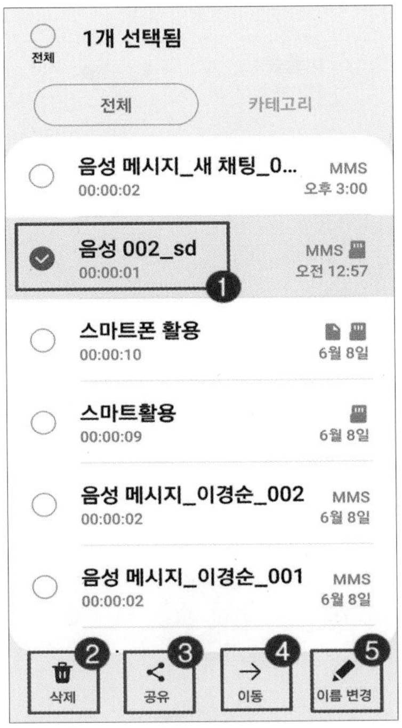


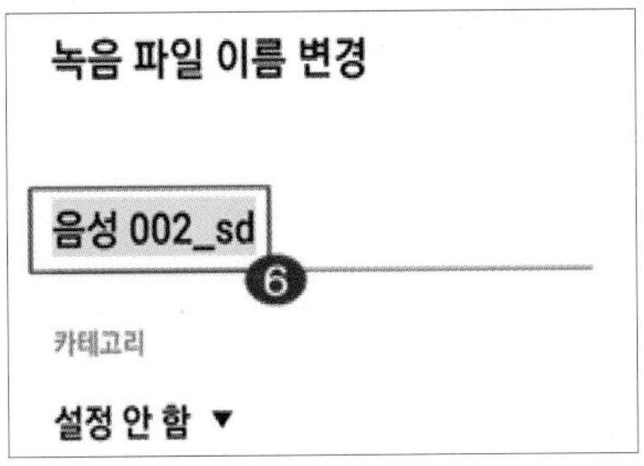


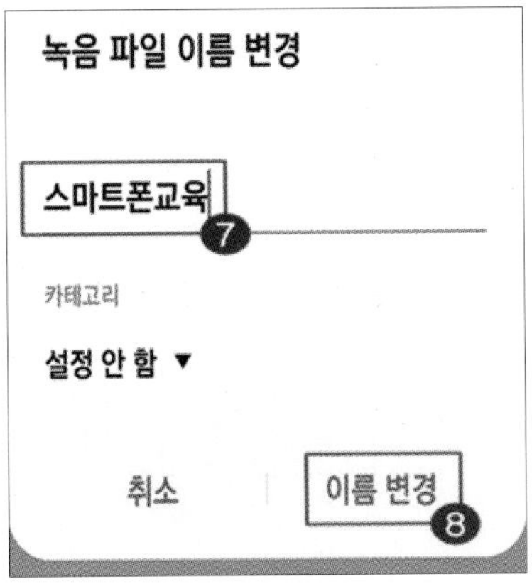

◈ 파일 이름을 변경해 보겠습니다.

1 [ **음성 목록** ]에서 ①[ **변경할 파일** ]을 길게 누릅니다. 하단 메뉴에서 ②[ **파일 삭제** ], [ **파일 공유** ] ④[ **파일 이동** ] ⑤[ **이름변경** ]을 터치합니다. 2 ⑥[ **파일명** ]을 터치하여 ⑦파일 이름 [ **스마트폰 교육** ] 변경하고 ⑧[ **이름변경** ]을 터치합니다. 3 ⑨[ **스마트폰 교육** ]으로 파일 이름이 변경되었습니다.

## 말로 문자 보내기

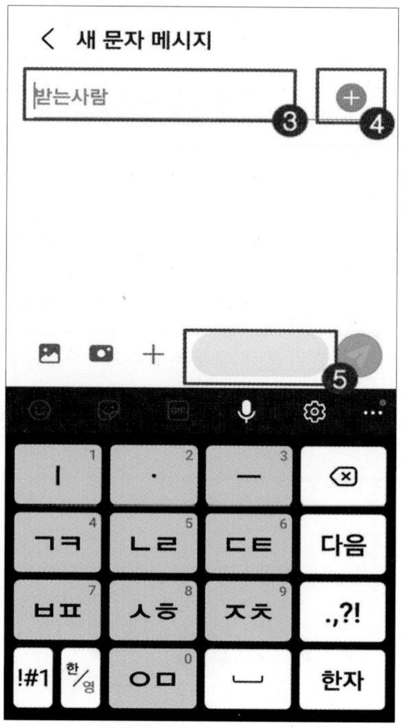


**1** ①홈 화면에서 **[ 메시지 ]**을 터치합니다. **2** ②**[ 대화 ]** 말풍선을 터치합니다.
**3** ③**[ 받는 사람 ]**을 터치하여 전화번호를 입력하거나 ④**[ ✚ ]**를 터치하여 연락처에서 보낼 사람을 선택합니다. ⑤**[ 대화창 ]**을 터치합니다

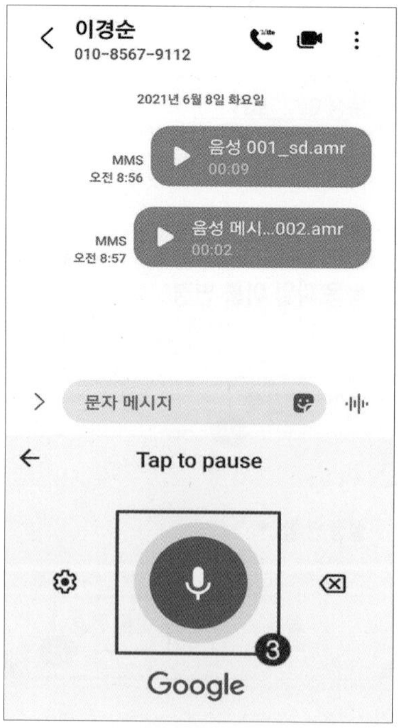


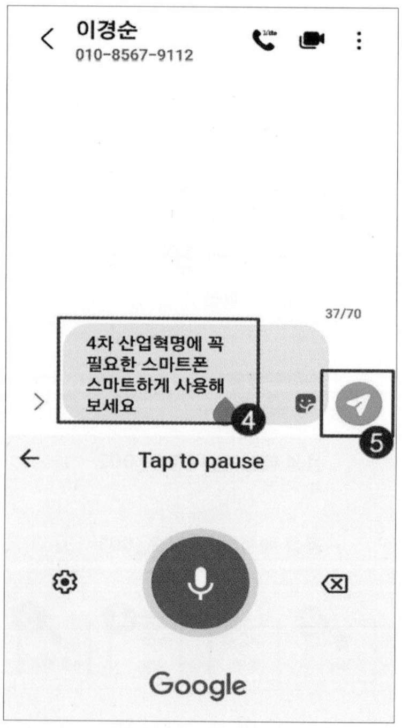


**1** ①**[ 문자 메시지 ]**를 터치하여 자판에서 문자를 입력할 수 있는데 여기서는 ②**[ 마이크 ]**를 터치하여 **[ 음성 ]**으로 입력하겠습니다. **2** ③마이크를 터치하면 마이크가 **[ 진동 ]** 할 때 음성으로 말합니다.
**3** ④음성이 **[ 텍스트로 변환 ]**이 됩니다. ⑤**[ 보내기 ]**를 터치하면 전송됩니다.

## 음성으로 문자 보내기(인터넷이 안되는 경우)

1 ①[ **전화번호** ]를 입력하거나 [ **연락처** ]에서 가져옵니다. ②[ ✚ ]를 터치합니다.

2 ③[ **음성녹음** ]을 터치합니다. 3 ④[ **음성녹음 시작** ] 버튼을 누르고 녹음을 시작합니다.

1 ①녹음이 끝나면 [ **정지** ]를 터치하고 ②[ **완료** ]를 터치합니다.

2 ③[ **음성녹음** ]이 첨부되었습니다. 전송하기 전에 플레이 버튼 [ ▶ ]을 터치하여 미리 들어보거나 삭제 [ ━ ] 할 수 있습니다.

④[ **보내기** ]를 터치합니다. 3 ⑤ [ **음성녹음** ]이 전송되었습니다

## 빠른 음성 보내기(인터넷이 안되는 경우)

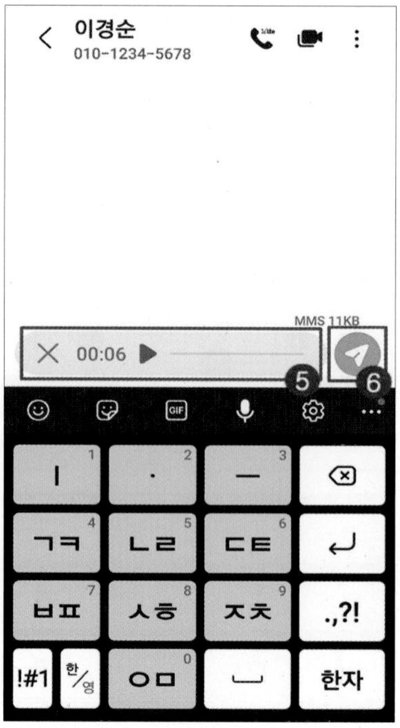


**1** ①[ **전화번호** ]를 입력하거나 [ **연락처** ]에서 가져옵니다.

②메시지 입력창 오른쪽에 있는 [ **음성녹음** ] 버튼을 길게 누릅니다.

**2** ③누른 상태로 녹음을 하고 녹음이 끝나면 손가락을 뗍니다.

④음성을 인식하고 있습니다. **3** ⑤ [ **음성녹음** ]이 되었습니다.

**4** ⑤플레이 버튼 [ ▶ ]을 터치하여 미리 들을 수 있고 [ ✖ ]를 터치하면 삭제됩니다.

⑥[ **보내기** ] 버튼을 터치하면 음성녹음이 [ **전송** ]이 됩니다.

**CHECK 리스트**

# 카메라 설정법

## 카메라의 빠른 실행

사진

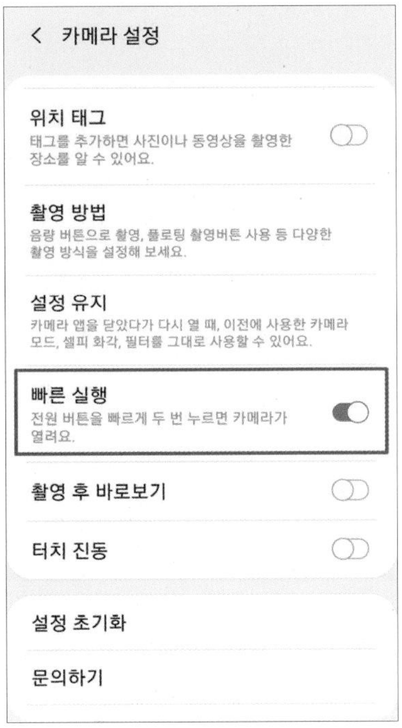
카메라 설정
위치 태그
태그를 추가하면 사진이나 동영상을 촬영한 장소를 알 수 있어요.
촬영 방법
음량 버튼으로 촬영, 플로팅 촬영버튼 사용 등 다양한 촬영 방식을 설정해 보세요.
설정 유지
카메라 앱을 닫았다가 다시 열 때, 이전에 사용한 카메라 모드, 셀피 화각, 필터를 그대로 사용할 수 있어요.
빠른 실행
전원 버튼을 빠르게 두 번 누르면 카메라가 열려요.
촬영 후 바로보기
터치 진동
설정 초기화
문의하기

1 순간적인 장면을 촬영하고자 할 때 [ **카메라의 빠른 실행** ]을 설정하기 위해 카메라의 촬영화면에서 톱니 모양 [ **설정** ]아이콘을 터치합니다. 2 [ **빠른 실행** ]을 터치하여 설정합니다.

3 스마트폰의 [ **전원 버튼** ]을 빠르게 [ **두 번** ] 누르면 카메라 앱이 실행합니다.

싱글테이크
라이브 포커스
사진
동영상
더보기

1 사진을 찍기 전 화면을 톡하고 터치하여 [ **초점과 밝기** ]를 조절하세요. 한결 선명한 사진이 됩니다.

2 사진을 잘 못 찍는다면 [ **최대한 밝은 곳** ]에서 촬영하세요.

## 화이트밸런스로 색감 맞추기

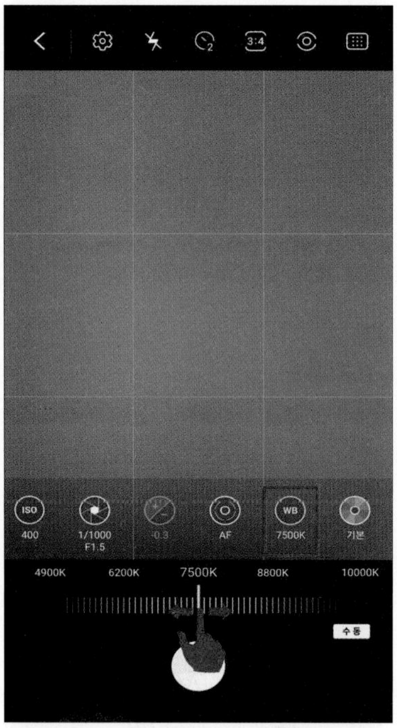

❶ [ **화이트밸런스** ]를 터치하여 아래 [ **색온도 k값** ]을 좌, 우로 움직여 색감을 조절하세요.
❷ 화이트밸런스를 [ **오토** ]로 촬영한 사진입니다. ❸ [ **K값** ]을 낮춰서 촬영한 사진입니다.

## 카메라 모드별 촬영 방법(갤럭시폰 기준, 카메라 기종에 따라 이름과 기능이 다를 수 있습니다)

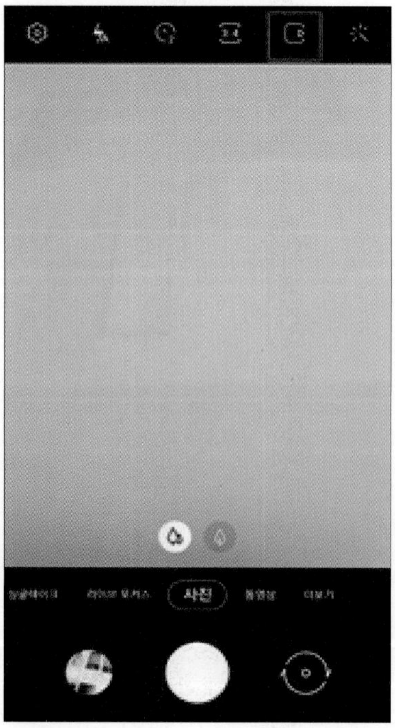

[ **싱글테이크** ] 피사체를 짧은 시간 동안 움직이며 찍으면 8개정도의 다양한 사진과 동영상이 만들어집니다. 그중에서 맘에 드는 것을 선택하여 사용합니다.

[ **라이브포커스** ] 중심 피사체는 돋보이고 배경은 흐리게 찍을수 있습니다.

[ **모션포토** ] 촬영시점 전후 동영상이 3초 정도 담깁니다. (최적장면을 선택 할 수 있습니다.)

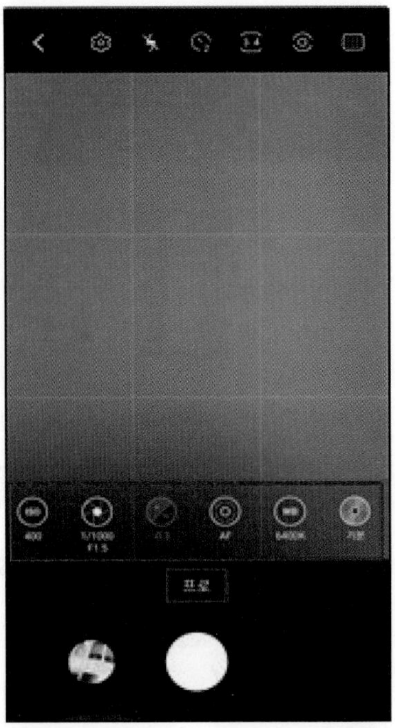

1 **[ 더보기 ]** 메뉴를 터치하면 다양한 촬영 모드가 나옵니다. 2 **[ 프로모드 ]** DSLR 카메라처럼 ISO 감도, 노출 값, 초점, 화이트밸런스 등을 수동으로 조절해 촬영합니다. 3 **[ 파노라마 ]** 넓은 범위의 장면을 한 장의 사진으로 촬영합니다. 산이나 바다와 같은 넓은 지역, 풍경 사진을 촬영할 때 사용하세요.
(주의할 점) 카메라를 한 방향으로만 천천히 움직인다. 안내선 밖으로 나가지 않도록 촬영합니다.

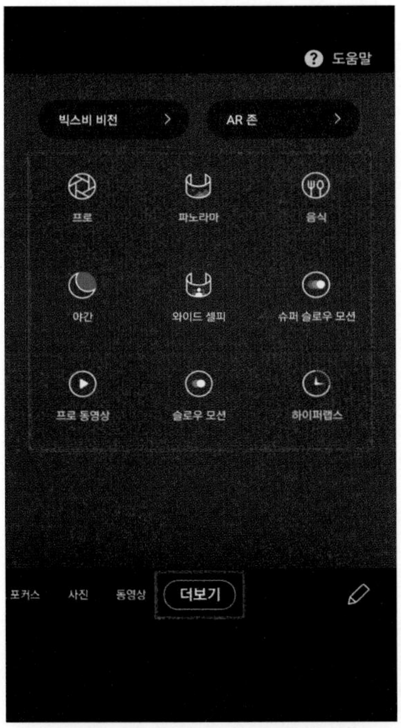


**[ 음식모드 ]** 음식을 더 선명하게 촬영합니다.

**[ 야간모드 ]** 어두워서 촬영이 어려운 곳에서 야간모드를 설정하면 화면이 밝아져 촬영이 가능합니다.

**[ 슬로우모션 ]** 실제보다 느리게 움직이는 영상으로 촬영하는 방법입니다.

**[ 하이퍼랩스 ]** 실제보다 빠르게 움직이는 역동적인 영상을 촬영합니다. 일출 모습, 구름이 지나는 모습, 꽃이 피어나는 모습 등 촬영에 이용됩니다.

**CHECK 리스트**

## 스마트폰 카메라의 기본설정

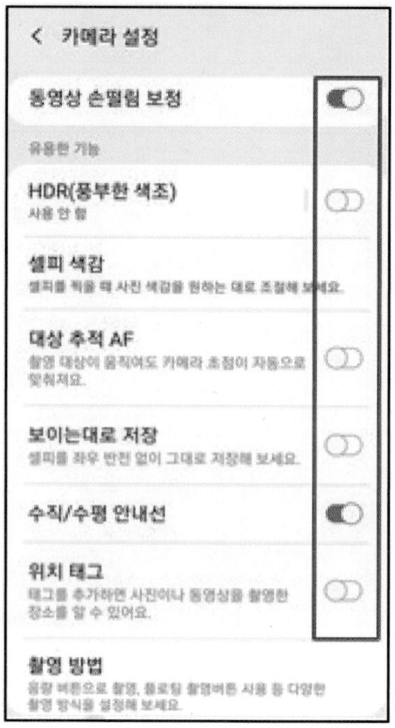


1 스마트폰 홈 화면 하단의 [ **카메라** ] 아이콘을 터치합니다. 2 카메라가 열리면 상단 왼쪽 톱니모양 [ **설정** ]아이콘을 터치합니다. 3 꼭 설정해야 할 기능들입니다.

[ **동영상 손떨림 보정** ] 초점이 흔들리는 것을 방지, 선명한 사진을 찍는 데 중요합니다.

[ **수직/수평 안내선** ] 안정적인 구도를 잡는데 매우 중요합니다. (황금분할선으로 활용)

[ **촬영 방법** ] 음성버튼, 플로팅 촬영버튼, 손바닥내밀기 ( 셀피 촬영시) 설정합니다.

[ **위치태그** ] 사진을 찍은 시점의 위치가 나타납니다.

### 사진의 상세정보 찾아보기

①해당사진 상단 오른쪽 더보기를 누르면 상세정보가 나옵니다. 촬영일자가 보입니다.

②사진의 용량과 크기를 알 수 있습니다.

③촬영장소

④F값, 화각, 촬영시간, ISO등 촬영정보를 알 수 있습니다.

## 사진편집 - 포토에디터 사진 보정(갤럭시 노트9 기준)

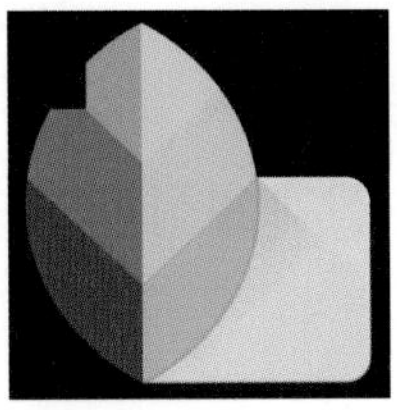

보정은 촬영된 스마트폰 사진을 한 번 더 업그레이드 하는 과정입니다. 디지털 사진에 있어서 보정은 필수과정입니다. 터치 한 두 번만으로 사진이 확 달라지는 비법을 알아봅니다.
갤럭시폰 갤러리의 [ **포토에디터** ]와 전문보정앱 [ **스냅시드** ] 활용하는 방법을 소개합니다.



1.포토에디터 사진 보정
포토에디터의 기능이 계속 업그레이드 되어서 최근 포토에디터는 전문 보정앱 못지않은 기능들을 탑재하고 있습니다.

1) 보정순서는 회전(필요한 경우만) ➜ 기울기 조정 ➜ 프레임 크기 조절 순입니다.

1 [ **포토에디터 사진 보정** ]은 사진 하단에 있는 [ **연필 모양** ] 버튼을 누릅니다.
2 ①[ **프레임 크기** ]는 1:1, 3:4, 9:16, Full, Free 선택이 있습니다. 어떤 크기의 프레임을 선택하느냐에 따라 사진의 분위기가 달라집니다. 또한 프레임을 선택해서 불필요한 부분이나 또는 어지러운 배경을 잘라낼 수 있습니다. 프레임 크기를 결정한 후 두 손가락으로 사진 크기를 맞추어 조정하면 됩니다.
3 ②[ **기울기 조정** ] 사진에 건물이나 나무, 수평선 등이 수직, 수평이 맞지 않는 경우가 의외로 많습니다. 이 경우 [ **기울기 막대** ]를 이용해 [ **좌우, 상하 조절** ]을 해줍니다.

2) 색 보정

색 조절은 보정 작업의 핵심입니다. 포토에디터에는 다양한 색 보정 기능이 있습니다. 크게 필터를 이용한 조정과 밝기, 음영, 하이라이트, 채도를 원하는 만큼만 보정하는 상세 보정이 있습니다.

(1) 필터 보정

이미 만들어져 있는 필터를 사진에 적용하는 보정 법입니다. 스마트폰의 종류에 따라 필터의 이름과 색상이 차이가 납니다. 필터를 하나씩 적용해보면서 맘에 드는 색상을 선택합니다.

1 [ **포토에디터 사진 보정** ]은 사진 하단에 있는 [ **연필모양** ] 버튼을 누릅니다.
2 [ **필터** ]아이콘을 터치합니다. 3 여러 가지 [ **필터** ] 중 하나를 선택하시고 필터 아래의 [ **조절 막대** ]로 필터의 강도를 조절하면 됩니다. 보통은 첫 번째 필터인 [ **자동필터** ]만 선택해도 한결 산뜻하게 보정이 됩니다. 음식 사진은 노란빛이 나는 필터 따뜻한 필터를 선택하면 음식이 맛있어 보입니다.
필터 끝에 [ **다운로드** ] 아이콘을 터치하면 더 많은 필터를 설치할 수 있습니다.

CHECK 리스트

2) 상세보정

필터보정만으로 부족할 땐 색의 각 부분을 조정할 수 있는 상세보정을 해보세요.

1 **[ 상세 버튼 ]**을 터치하면 밝기, 노출, 대비, 채도, 색조, 화이트밸런스(WB)의 메뉴가 있습니다.

2 사진이 어두울 경우 **[ 밝기 ]**를 선택하고 아래 **[ 조절 막대 ]**로 강도를 조절합니다.

3 **[ 노출 ]**은 사진 전체의 밝기를 조절해 줍니다.

1 **[ 대비 ]** 밝고 어두운 색상의 차이를 작거나 크게 만듭니다, 2 **[ 채도 ]** 사진의 색상을 더 화사하게 만듭니다. 3 **[ 색조 ]** 색의 강약과 농담으로 분위기를 줍니다. 왼쪽으로 움직이면 Magenta가 들어오고요, 오른쪽으로 움직이면 그 보색인 Green 색이 들어옵니다. **[ 조절 막대 ]**를 조금씩 움직여서 사진의 분위기를 바꿔보세요. **[ WB(화이트밸런스) ]**는 색상의 온도를 나타내는 캘빈 값을(K) 조절해서 색상을 표현하는 것입니다. K값이 낮으면(왼쪽) 푸른색, 높으면(오른쪽) 노란빛이 납니다.

1 상세 보정 마지막 **[ WB ]**를 누르면 ②번**[ K ]** 메뉴를 터치합니다.

2 **[ K값 조절 막대 ]**를 왼쪽으로 이동하면 **[ 푸른빛 ]** 사진을 볼 수 있습니다.

3 **[ K값 조절 막대 ]**를 오른쪽으로 이동하면 **[ 노란빛 ]** 사진을 볼 수 있습니다.

4 화이트밸런스는 음식 사진, 밤하늘 색을 보정할 때 활용하면 좋습니다. 별이 있는 붉은 밤하늘을 푸른빛이 도는 동화 같은 밤하늘로 만들 수 있습니다.

**CHECK 리스트**

## 스냅시드 - 스마트폰 사진 보정의 끝판 왕

다운로드하기 Google Play

- 스냅시드는 구글이 무료로 제공하는 사진 보정 앱입니다.
- 플레이스토어에서 다운로드해 설치하면 됩니다. 무료 앱이고 광고도 없습니다.
- 성능이 포토샵급으로 다양하고 섬세합니다.
- 보정 법이 상당히 직관적이며 프리셋 보정이 많아 이용이 쉽습니다.
- 보정 도구를 손가락으로 터치한 후 좌우로 이동시키는 것만으로도 조절이 가능합니다.
- 28가지 기본 도구들 중 몇 가지만 활용해도 한 층 업그레이드된 사진을 만들 수 있습니다.

## 스냅시드 사진보정

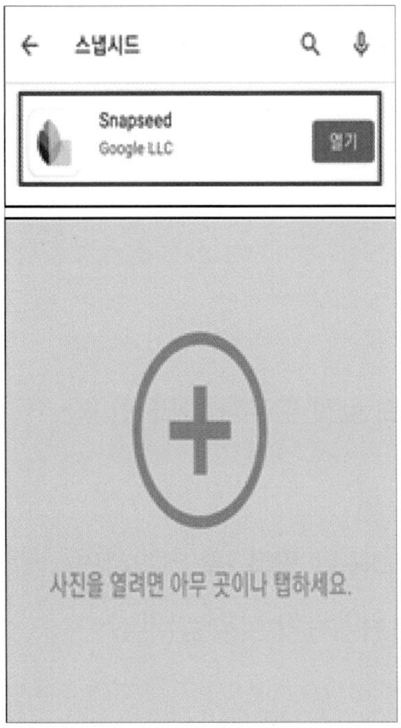


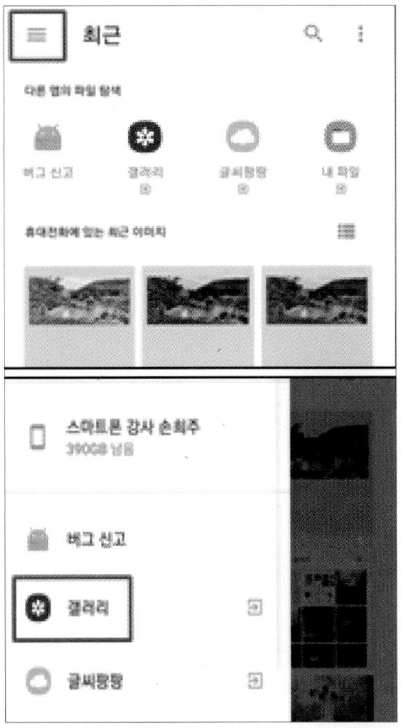

1 구글 [ **플레이스토어** ]에서 [ **스냅시드** ]를 설치하여 열기를 터치합니다.
2 스냅시드 [ **화면** ]을 터치합니다. 3 화면 상단 왼쪽 [ **더보기** ]를 터치하면 갤러리 메뉴가 나옵니다.
[ **갤러리** ] 메뉴를 터치합니다. 4 [ **사진 하나** ]를 선택하여 터치합니다.

**CHECK 리스트**

## 1. 스타일적용

1 사진을 열면 사진 하단에 **[ 스타일 ]** 필터들이 있습니다. 사진에 적용해 본 후 맘에 드는 필터를 선택하여 사용하면 됩니다. 2 필터를 선택한 다음 **[ 체크 ]**를 해주세요. 인물사진은 Portrait, 풍경 사진은 Pop이나 Accenturate를 선택해보세요. 스타일 선택 후 원본과 비교해 보려면 사진을 손가락으로 꾹 눌러보세요. 어느 정도 바뀌었는지를 눈으로 확인할 수 있습니다.

## 2. 스냅시드의 보정 도구 사용법

보정할 사진을 선택한 후 하단 가운데 있는 ①**[ 도구 ]**를 선택하면 28개의 보정 도구가 나타납니다. ②**[ 기본 보정 ]** 도구를 터치하세요.

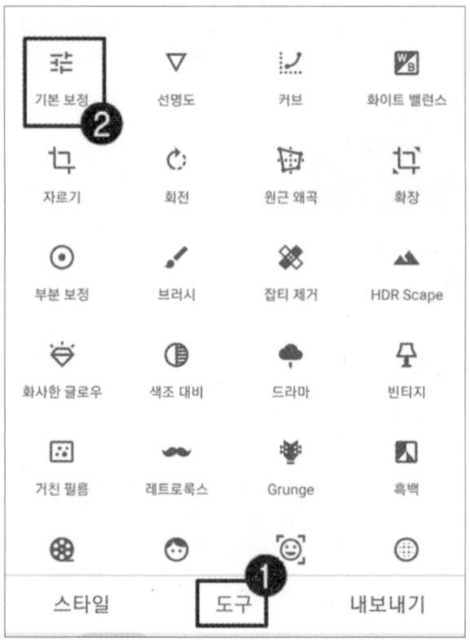


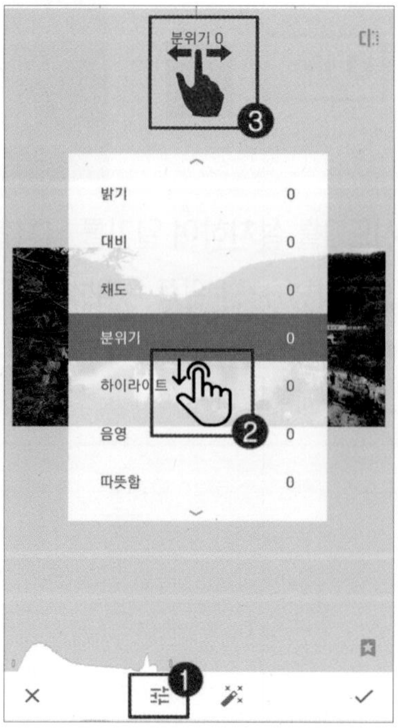


①하단 **[ 필터 ]**를 터치하면 하위메뉴가 나타납니다.

②손가락을 떼지 않은 채 아래 위로 움직여 메뉴를 선택한 후 손가락을 떼세요.

③보정의 강도는 위쪽의 슬라이드를 좌우로 움직여서 결정하면 됩니다.

1) 기본 보정 : 밝기, 대비, 채도, 하이라이트, 분위기, 음영, 따뜻함을 설정할 수 있습니다.
기본 보정의 순서

밝기
↓
대비
↓
채도
↓
분위기
↓
하리라이트
↓
음영
↓
따뜻함

①밝기 : 사진의 모든 톤의 밝기 조정 ②대비 : 밝은 부분과 어두운 부분의 차이 조절
③채도 : 색이 선명해짐 ④분위기 : 채도 + 하이라이트 + 음영 보정
⑤하이라이트 : 밝은 부분 보정
⑥음영 : 어두운 부분 보정 (중간 정도의 밝기에서 약간 어두운 부분)
⑦따뜻함 : 색의 온도, 노란 필터를 씌워준 느낌
모든 단계를 다 할 필요 없고 맘에 드는 사진이 만들어질 때까지 하면 됩니다.

2) 선명도 : 흐릿한 사진을 쨍하게 만들어 줍니다.
하위 메뉴 ①구조 : 굵은 선을 선명하게 ②선명하게 : 가는 선과 면을 선명하게 합니다.

3) 커브 : 사진의 밝은 부분과 어두운 부분을 개별적으로 보정할 때 사용합니다.

1 첫 번째 사진은 원본 사진입니다. 사진 앞쪽 부분은 밝은 부분, 사진 뒤쪽 부분은 어두운 부분을 나타냅니다. **[ 각 부분의 점 ]**을 위로 올리면 밝게, 아래로 내리면 어두워집니다.

2 어두운 쪽은 더 어둡게 내리고 밝은 부분도 살짝 어둡게 조정합니다.

3 이미 만들어진 **[ 프리셋 ]**을 터치하면 ②여러 가지 프리셋을 이용할 수 있습니다.

4) 화이트밸런스 : 이미지가 가지고 있는 색상을 바꿀 때 사용합니다.

CHECK 리스트

하위 메뉴인 색온도와 틴트를 혼합해서 사용하면 다양한 색상의 변화를 만들 수 있습니다.

5) 부분보정 : 사진에서 원하는 특정 부분만 밝기, 대비, 채도, 구조(선명도)를 조절할 수 있습니다. 얼굴만 환하게 하거나 특정 꽃의 색깔을 환하게 할 때 사용하면 좋습니다.

사진 선택 ➜ 도구 ➜ 부분 보정 ➜ 원하는 부분을 손가락으로 터치하면 **[ 하위 메뉴 ]**가 나옵니다. 메뉴를 선택 후 상단 **[ 조절 바 ]**를 움직이면서 강도를 조절합니다. 밝기 메뉴 아래쪽을 손가락으로 밀어서 **[ 대비, 채도, 구조 ]**를 선택하고 조절 바를 통해 강도를 조절합니다.

**CHECK 리스트**

6) 보정후 사진 저장

**[ 저장방법 ]**

사진 보정이 끝난 후 우측 하단 **[ 내보내기 ]**를 누르면 사진 저장방법들이 나타납니다.

- 공유 : SNS로 사진을 보냄
- 저장 : jpg 95% 저장
- 내보내기 : 설정값대로 저장
- 다른 폴더로 내보내기 : 스냅시드 자동 폴더가 아닌 지정한 폴더에 저장

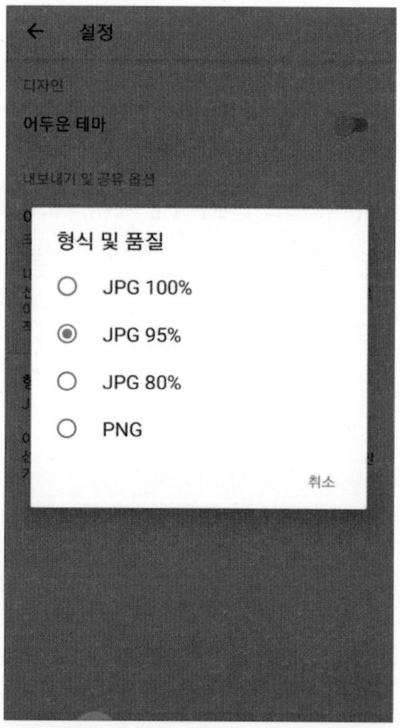


**[ 내보내기 설정 ]**

사진 저장의 형식과 품질은 스냅시드 열기를 한 후 오른쪽 상단 **[ 더보기 ]**을 누르면 **[ 설정 ]**이 나옵니다.

여기서 **[ 형식과 품질 ]**을 지정할 수 있습니다.

CHECK 리스트

## 푸른 하늘을 멋지게 촬영하는 방법

풍경 사진하면 가장 먼저 떠오른 것이 눈이 시리도록 푸른 하늘입니다. 잘 찍고 싶지만 의외로 잘 안찍히는 것이 풍경이기도 하지요, 하늘을 파랗게 찍고 싶다면 해의 방향만 기억하면 됩니다. 사진사가 해를 등지고 섰을 때 마주 보는 하늘이 가장 파랗습니다.

해가 어느 방향에 있든 해를 등지고 서면 언제나 푸른 하늘을 찍을 수 있습니다.

## 꽃 사진 잘 촬영하는 방법

보기만 해도 감동을 주는 아름다운 꽃은 누구나 즐겨찍는 피사체입니다.

감성적인 꽃 사진을 찍는 방법을 소개합니다.

1 꽃의 배치는 3분할선이 겹치는 구도가 기본입니다. 2 꽃 여러 송이 보다는 꽃 한 송이를 강조해서 찍는 것이 눈길을 끕니다. 3 나비와 함께 찍으면 생동감이 있습니다.

4 배경이 어지러운 꽃밭에서는 하늘을 배경으로 찍으세요.

## 음식 사진을 더 맛깔나게 찍는 방법

▶ 세로 구도로 찍자 : 식탁 위가 지저분하다면 세로 구도로 찍자. 한결 깔끔한 사진을 얻을 수 있습니다.

1 가로 구도는 배경이 많아서 식탁 위의 불필요한 것들을 모두 보여줍니다.

2 같은 음식을 세로 구도로 찍었음.

주변 풍경이 사라지면서 훨씬 깔끔한 사진이 되었습니다.

1 **[ 주연과 조연 ]** 메인 요리를 돋보이게 할 조연이 필요하다. 메인 요리 주변에 메인 요리와 어울리는 와인이나 포크와 나이프, 물 잔, 음료수를 주변에 함께 두면 식탁의 분위기가 달라 집니다. 색깔이나 무늬를 맞추거나 대조가 되도록 설정한다면 더욱 세련된 사진이 됩니다.

2 **[ 한입 샷 ]**은 음식과 어울리는 한입 샷은 음식 사진에 생기를 불어넣습니다.

3 **[ 대각선 구도 ]** 옆으로 나란히 앞뒤 일렬 배치보다도 대각선으로 배치하면 세련된 사진이 됩니다.

# 갤러리에서 사진 및 동영상 확인하기

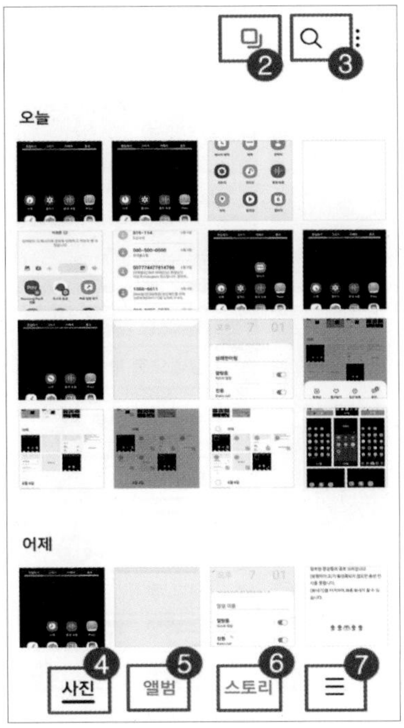


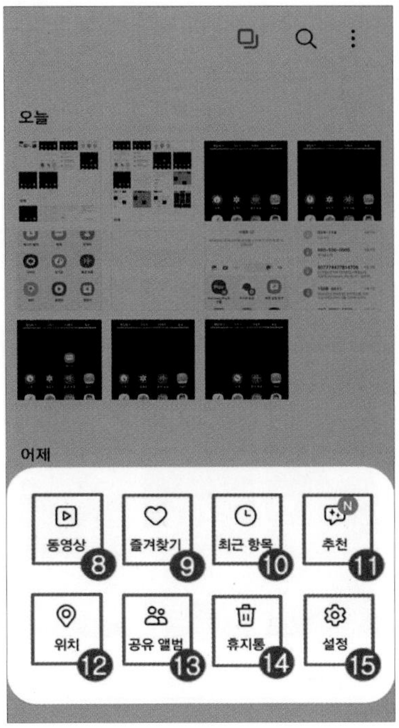


갤러리에 저장된 사진 및 동영상을 확인하고 편집을 할 수 있으며 폴더를 만들어 앨범으로 분류 할 수 있습니다.

1 ①[ **갤러리** ] 앱을 터치하여 실행합니다

2 ②[ ▢ ]터치하면 비슷한 이미지들이 한데 묶어 모아서 보여줍니다.

③[ Q ]는 터치하면 사람 위치 풍경 등 다양하게 사진을 분류하여 보여줍니다.

④[ **사진** ]에서는 사진과 동영상이 분류 없이 모든 사진이 시간순으로 보입니다.

⑤[ **앨범** ]은 사진과 동영상이 분류해서 정리되어 있습니다.

⑥[ **설정** ]에서 [ **자동으로 만들기** ]를 활성화하면 [ **스토리** ]를 만들어 줍니다.

⑦[ **삼선** ]을 터치합니다.

3 ⑧[ **동영상** ]이 저장되어 있습니다.

⑨[ **즐겨찾기** ] 사진에서 즐겨찾기 [ ♥ ]를 터치하면 즐겨찾기에서 볼 수 있습니다.

⑩[ **최근 항목** ] 최근 순으로 사진 동영상들이 보입니다.

⑪[ **추천** ] **리**마스터 된 사진 보기는 AI를 통해 자동으로 진행되는 것만 가능합니다.

⑫[ **위치** ] 각 도시에서 촬영한 사진을 분류해서 보여줍니다.

⑬[ **공유 앨범** ]은 사진이나 동영상을 가족이나 친구에게 공유합니다.

⑭[ **휴지통** ]은 사진을 삭제하면 휴지통에 30일간 보관합니다.

⑮[ **설정** ] 갤러리에 대한 설정입니다.

# 갤러리에서 폴더 만들고 관리하기

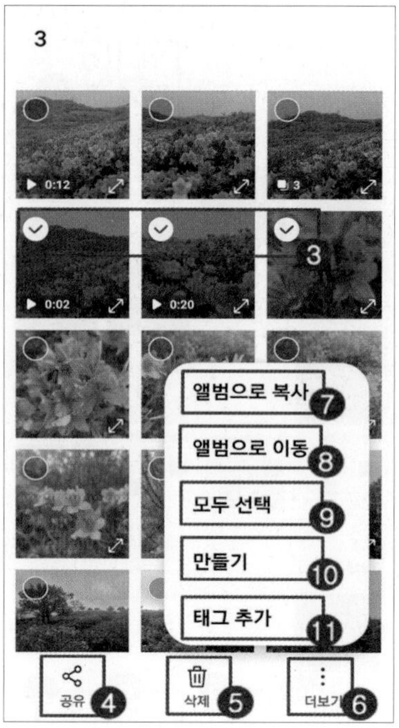

1 ①[ **더 보기** ]를 터치합니다. ②[ **편집** ]을 터치합니다.

2 ③[ **사진** ]을 선택하면 체크 표시가 됩니다.

④[ **공유** ]는 사진 및 동영상 공유합니다. ⑤[ **사진** ]을 불필요한 사진을 삭제합니다.

⑥[ **더 보기** ]를 터치합니다.

⑦[ **앨범으로 복사** ]는 원본은 그대로 두고 [ **앨범** ]에 복사합니다.

⑧[ **앨범으로 이동** ]은 [ **사진** ] 항목의 원본이 그대로 [ **앨범** ]으로 이동됩니다.

⑨[ **모두 선택** ]은 사진이 전체 선택이 됩니다.

⑩[ **만들기** ]를 터치하면 하이라이트 영상 영화, GIF 콜라주 등을 선택해서 만들기 합니다.

⑪[ **태그추가** ]는 선택한 사진을 태그 해서 모아둡니다.

◈ **폴더를 만들려면 ⑧[ 앨범으로 이동 ]을 터치합니다.**

3 ⑫[ **기존 앨범** ]에 추가할 경우 앨범을 찾아 터치하여 추가하고, 앨범을 새로 만들 때 ⑬[ **만들기** ]를 터치합니다.

**CHECK 리스트**

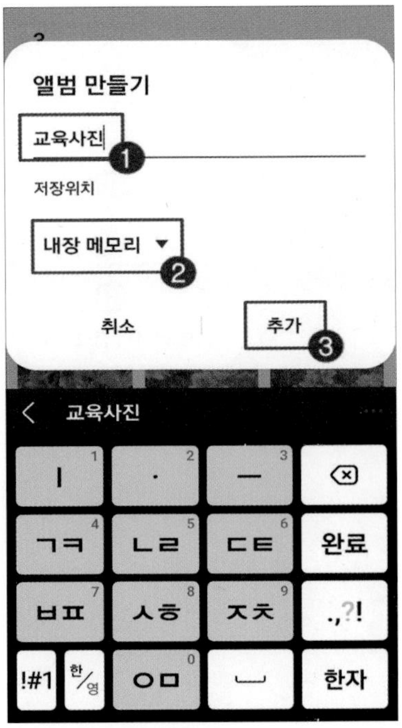


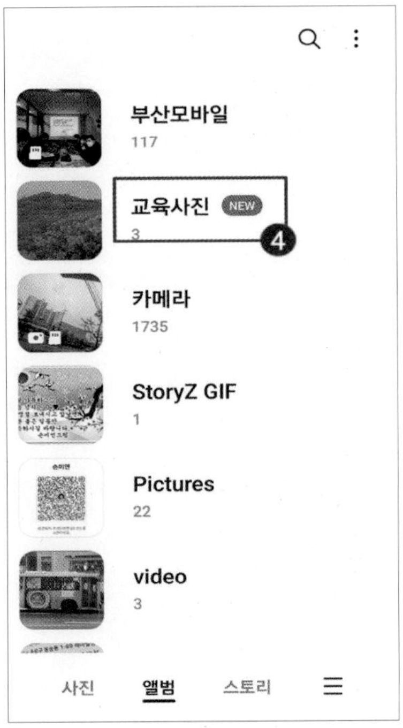

**1** ①[ **앨범 제목** ]에 [ **교육 사진** ] 입력하고

②[ **저장 위치** ] 내장 메모리, SD카드를 선택하여 저장할 곳을 터치합니다.

③[ **추가** ]를 터치합니다.

**2** ④ [ **앨범** ] 항목에 [ **교육 사진** ]이라는 폴더가 만들어지고 선택한 사진이 이동저장되었고, 교육 사진 [ **더보기** ]를 터치합니다.

**3** ⑤[ **편집** ]에서 사진을 추가하거나 삭제할 수 있습니다.

⑥[ **만들기** ]에서 하이라이트 영상 영화 GIF 콜라주 등을 만들기 합니다.

⑦앨범 [ **이름변경** ]을 할 수 있습니다.

⑧[ **대표 이미지 변경** ]은 이미지를 대표 이미지로 변경합니다.

⑨[ **홈 화면에 추가** ] 할 수도 있습니다.

⑩[ **정렬** ] 앨범을 시간이나 이름순으로 정렬합니다.

⑪[ **슬라이드쇼** ]를 교육 사진을 슬라이드 쇼로 만들면 됩니다.

**CHECK 리스트**

# 갤러리에서 사진 편집하기

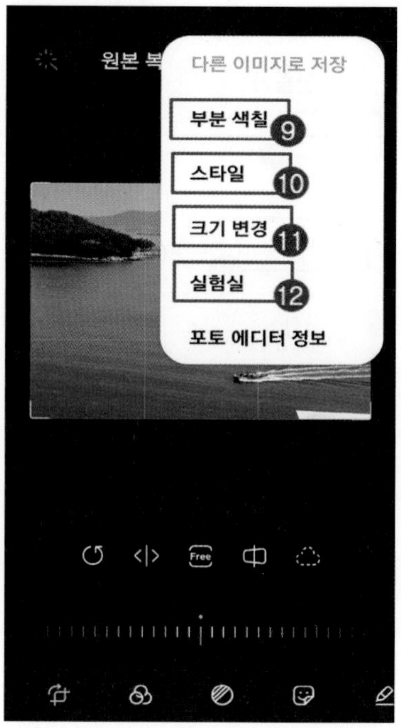


1 ①[ **즐겨찾기** ] 하려면 ♥를 터치합니다.

②[ **편집** ]은 사진 편집합니다.

③[ **공유** ]는 사진을 공유합니다.

④[ **삭제** ]는 사진을 삭제합니다.

⑤[ **빅스비 비전** ]으로 유사한 이미지를 찾을 수 있습니다.

2 ⑥[ **자르기** ], [ **필터** ], [ **이모티콘** ], [ **텍스트** ], [ **색깔** ], [ **밝기** ] 등을 편집할 수 있습니다.

⑦[ **사진 편집** ] [ **화면 방향** ], [ **전환 수평** ]. [ **배경지 우기** ] 등 편집할 수 있습니다.

⑧[ **⋮** ] 더 보기를 터치합니다.

3 ⑨[ **부분 색칠** ]은 부분적으로 색칠할 때 사용합니다.

⑩[ **스타일** ]은 필터를 선택해서 사용합니다.

⑪[ **크기변경** ]은 이미지 크기 변경 선택합니다.

⑫[ **실험실** ]은 사람이나 물체를 지울 수 있도록 활성화합니다.

CHECK 리스트

# 휴지통 기능

◈ 사진을 삭제하면 휴지통에서 30일간 보관됩니다.

1 ①하단에 [ **삼선** ] 더 보기를 터치하고

②[ **휴지통** ]을 터치합니다.

2 ③[ **편집** ]을 터치합니다.

④[ **전체** ]를 [ ✔ ]하거나 [ **각 사진** ]을 [ ✔ ] 합니다.

⑤[ **복원** ]을 터치하면 사진이 원상태로 됩니다.

⑥[ **모두 삭제** ]를 터치합니다.

3 ⑦[ **취소** ]를 터치하면 다시 [ **휴지통** ]으로 보관됩니다.

⑧[ **휴지통 비우기** ]를 터치하면 사진이 [ **완전히 삭제** ] 되며 복원할 수 없습니다.

CHECK 리스트

# 즐겨찾기 기능

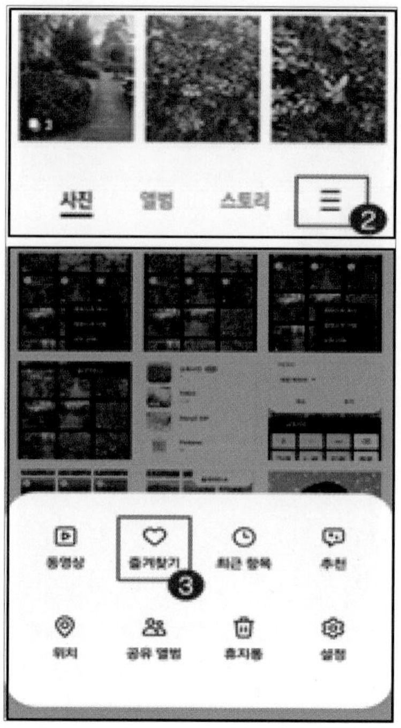

1 ①각 사진을 즐겨찾기 하려면 [ ♥ ]를 터치합니다.

2 ②[ **즐겨찾기 한 사진** ]을 보려면 [ **삼선** ]를 터치하고
③[ **즐겨찾기** ]를 터치하면

4 ④[ **즐겨찾기 폴더** ]에 즐겨찾기 [ ♥ ]가 표시된 사진들이 보입니다.

CHECK 리스트

# 지메일 계정 설정하기

구글 계정(Google Account)은 구글의 온라인 서비스에 접근 인증과 허가를 제공하는 사용자 계정입니다.

스마트폰(구글 안드로이드 스마트폰)을 사용하기 위해서는 지메일(g-mail) 계정이 있어야 합니다. 스마트폰에서 지메일 계정을 새로 만들거나, 이미 사용하고 있는 지메일 계정의 비밀번호를 변경하는 방법에 대해서 알아보겠습니다.

1 구글을 실행합니다. 오른쪽 하단의 [ **더보기** ]를 터치합니다. 2 상단의 이름과 계정 주소가 있는 부분을 터치합니다. 3 [ **다른 계정 추가** ]를 터치합니다. 4 ①[ **계정 만들기** ]를 터치합니다. ②[ **다음** ]을 터치합니다.

1 ①[ **본인 계정** ]을 터치합니다. ②[ **다음** ]을 터치합니다. 2 ①자신의 성과 ②이름을 입력하고 ③[ **다음** ]을 터치합니다. 3 ①출생연도를 입력한 후 ②역삼각형을 터치하여 태어난 달을 선택합니다. ③태어난 날짜를 입력하고 ④역삼각형을 터치하여 성별을 선택한 후 ⑤[ **다음** ]을 터치합니다.

1 ①[ **사용자 이름** ]에 사용할 이름을 영문으로 입력한 후 ②[ **다음** ]을 터치합니다.

2 ①방금 입력한 이름이 이미 사용되고 있어서 비슷한 다른 이름을 추천해 줍니다. ②추천해 준 이름이나 다른 이름을 입력합니다. ③[ **다음** ]을 터치합니다.

3 ①앞으로 사용할 비밀번호를 입력합니다. 한 번더 입력하는 창이 있는 경우도 있습니다. ②[ **다음** ]을 터치합니다.

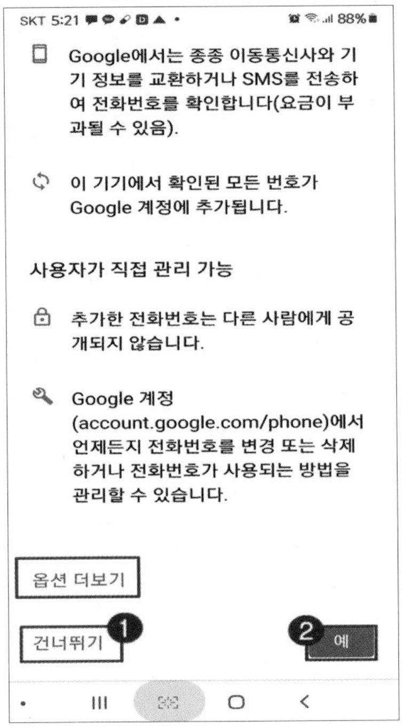
SKT 5:21 88%
Google에서는 종종 이동통신사와 기기 정보를 교환하거나 SMS를 전송하여 전화번호를 확인합니다(요금이 부과될 수 있음).
이 기기에서 확인된 모든 번호가 Google 계정에 추가됩니다.
사용자가 직접 관리 가능
추가한 전화번호는 다른 사람에게 공개되지 않습니다.
Google 계정 (account.google.com/phone)에서 언제든지 전화번호를 변경 또는 삭제하거나 전화번호가 사용되는 방법을 관리할 수 있습니다.
옵션 더보기
건너뛰기
1
2
예

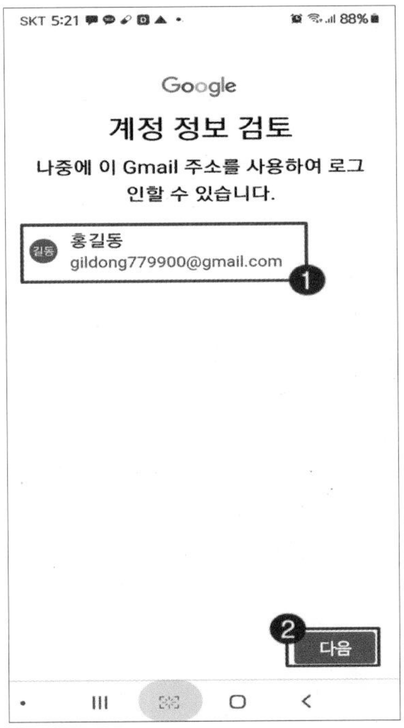
SKT 5:21 88%
Google
계정 정보 검토
나중에 이 Gmail 주소를 사용하여 로그인할 수 있습니다.
홍길동
gildong779900@gmail.com
1
2
다음

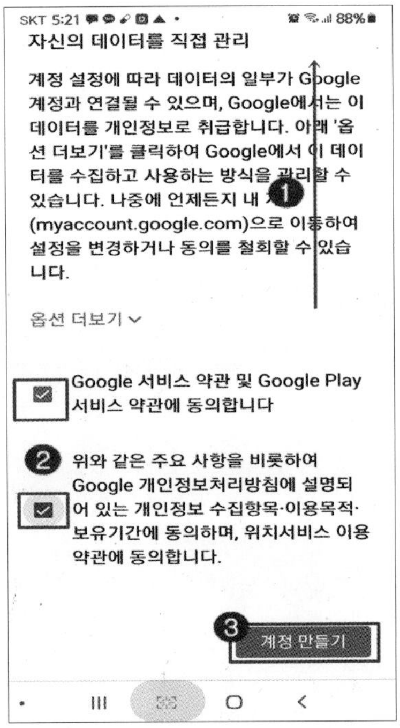
SKT 5:21 88%
자신의 데이터를 직접 관리
계정 설정에 따라 데이터의 일부가 Google 계정과 연결될 수 있으며, Google에서는 이 데이터를 개인정보로 취급합니다. 아래 '옵션 더보기'를 클릭하여 Google에서 이 데이터를 수집하고 사용하는 방식을 관리할 수 있습니다. 나중에 언제든지 내 계정 (myaccount.google.com)으로 이동하여 설정을 변경하거나 동의를 철회할 수 있습니다.
1
옵션 더보기
Google 서비스 약관 및 Google Play 서비스 약관에 동의합니다
2
위와 같은 주요 사항을 비롯하여 Google 개인정보처리방침에 설명되어 있는 개인정보 수집항목·이용목적·보유기간에 동의하며, 위치서비스 이용약관에 동의합니다.
3
계정 만들기

1 자신의 전화번호를 구글 서비스에 전반적으로 사용할 옵션 사항입니다. ①사용하지 않을 경우 [ **건너뛰기** ]를 선택하고 ②사용할 경우 [ **예** ]를 선택합니다. 2 ①새로운 계정을 확인하고 ②[ **다음** ]을 터치합니다. 3 ①[ **개인정보 보호 및 약관** ]을 확인하고 ②동의 시항을 확인하고 체크합니다. ③[ **계정 만들기** ]를 터치합니다.

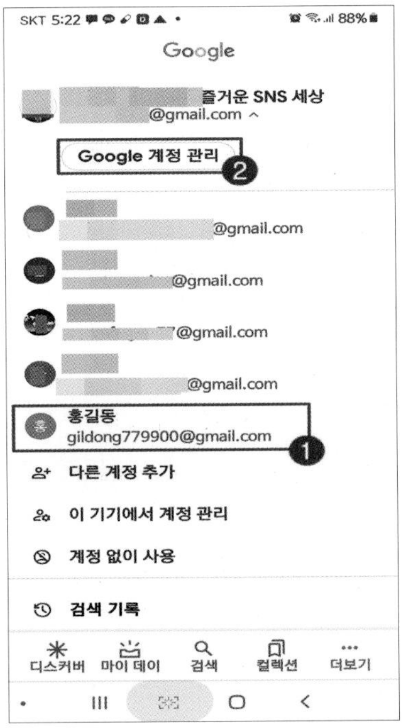
SKT 5:22 88%
Google
즐거운 SNS 세상
@gmail.com
Google 계정 관리
2
@gmail.com
@gmail.com
@gmail.com
@gmail.com
홍길동
gildong779900@gmail.com
1
다른 계정 추가
이 기기에서 계정 관리
계정 없이 사용
검색 기록
디스커버 마이 데이 검색 컬렉션 더보기

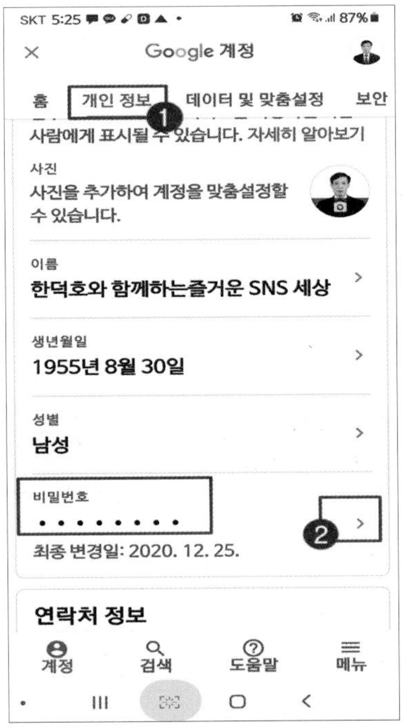
SKT 5:25 87%
Google 계정
홈 개인 정보 데이터 및 맞춤설정 보안
1
사람에게 표시될 수 있습니다. 자세히 알아보기
사진
사진을 추가하여 계정을 맞춤설정할 수 있습니다.
이름
한덕호와 함께하는즐거운 SNS 세상
생년월일
1955년 8월 30일
성별
남성
비밀번호
••••••••
2
최종 변경일: 2020. 12. 25.
연락처 정보
계정 검색 도움말 메뉴

SKT 5:25 87%
Google 계정
Google
시작하기
Google에서는 보안을 위해 본인 확인을 진행합니다.
dhhan5830@gmail.com
화면 잠금 사용
계정에 액세스하려면 화면 잠금을 확인하여 본인임을 인증하세요.
기타 로그인 방법
계속

1 ①새로운 계정이 생성되었습니다. 이제는 기존 계정을 그대로 사용하며 비밀번호를 변경하는 방법을 알아보겠습니다. ②상단의 [ **Google 계정관리** ]를 터치합니다. 2 ①[ **개인 정보** ]를 터치합니다. 비밀번호 변경을 위해서 ②터치합니다. 3 보안을 위해 본인 확인을 진행합니다. [ **계속** ]을 터치합니다. 이후에 새 비밀번호를 두 번 입력하고 [ **비밀번호 변경** ]을 터치하면 완료됩니다.

# 구글 Play 스토어 활용하기

**1** [ Play 스토어 ]의 다양한 메뉴들을 알아 보겠습니다. [ Play 스토어 ]를 터치합니다.

**2** ①[ **영화** ]에서는 영화를 테마별로 검색하여 유료로 구매할 수 있습니다. ②[ **도서** ]에서는 전자책(e-book)과 오디오 북을 검색하여 유료 및 무료로 구매할 수 있습니다. ③[ **앱** ]에서는 스마트폰에서 필요한 앱을 유료 또는 무료로 설치하여 사용할 수 있습니다. ④상단의 [ **추천** ]에서는 구글에서 추천해 주는 앱을 ⑤위로 드래그하며 테마별로 검색할 수 있습니다.

**3** ①[ **인기 차트** ]에서는 인기 있는 앱들을 검색할 수 있습니다. ②[ **인기 앱/게임** ]을 터치합니다.

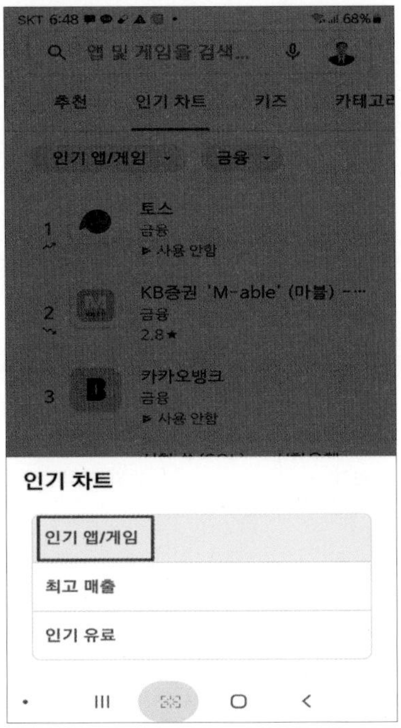

**1** 인기 차트에서 인기 앱, 최고 매출, 인기 유료를 구분해서 검색할 수 있습니다. [ **인기 앱** ]을 터치합니다.

**2** 순위별로 어플들을 보여줍니다. [ **카테고리** ]를 터치합니다.

**3** 테마별로 보여 줍니다. [ **동영상 플레이어/편집기** ]를 터치하면 세부내용을 보여주며 선택할 수 있습니다.

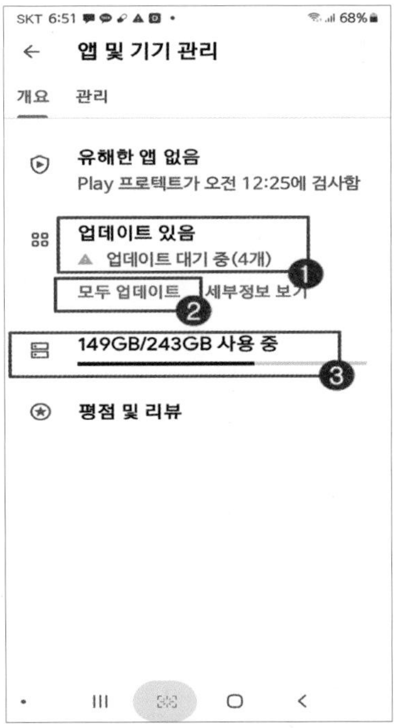


**1** ①[ **에디터 추천** ]을 터치합니다. ②위로 드레그 하면서 테마별로 검색할 수 있습니다. ③[ **영상 편집 편집을 위한 앱** ]을 선택하면 세부내용을 보여줍니다. **2** ①상단의 로그인 마크를 터치합니다. 앱들을 관리할 수 있고, [ **결제 및 정기 결제** ]에서는 정기 구매한 내역을 취소할 수 있으며, [ **설정** ]에서는 다운로드 환경을 설정할 수 있습니다. ②먼저 [ **앱 및 기기 관리** ]를 터치합니다.

**3** ①업데이트할 앱이 있음을 알려줍니다. ②[ **모두 업데이트** ]를 선택하면 바로 업데이트를 할 수 있습니다. ③총 저장용량 중 현재 저장된 용량을 보여줍니다. 저장공간 관리를 위해 터치합니다.

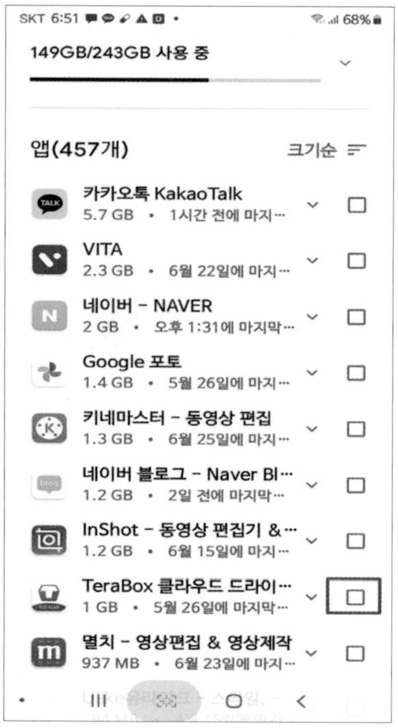


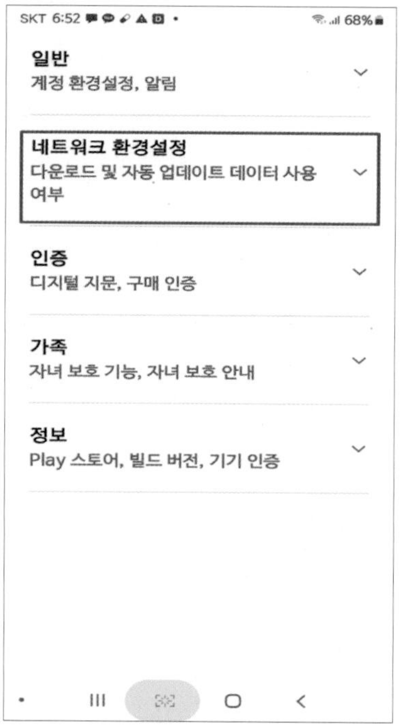


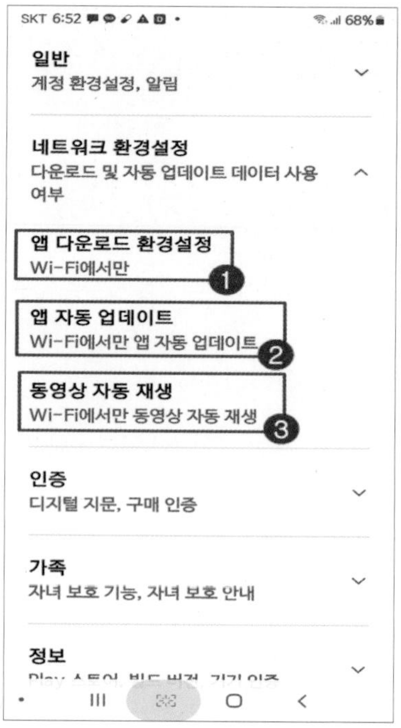


1 불필요한 앱들을 체크해서 삭제하면 저장공간을 확보할 수 있습니다. 2 다운로드 및 업데이트 시에 데이터 사용 절감을 위해서 [ **네트워크 환경설정** ]을 터치합니다. 3 ①[ **앱 다운로드 환경설정** ]을 터치해서 [ Wi-Fi에서만 ]을 선택하고 ②[ **앱 자동 업데이트** ]를 터치해서 [ Wi-Fi에서만 ]을 선택하고 ③[ **동영상 자동 재생** ]을 터치해서 [ Wi-Fi에서만 ]을 선택합니다.

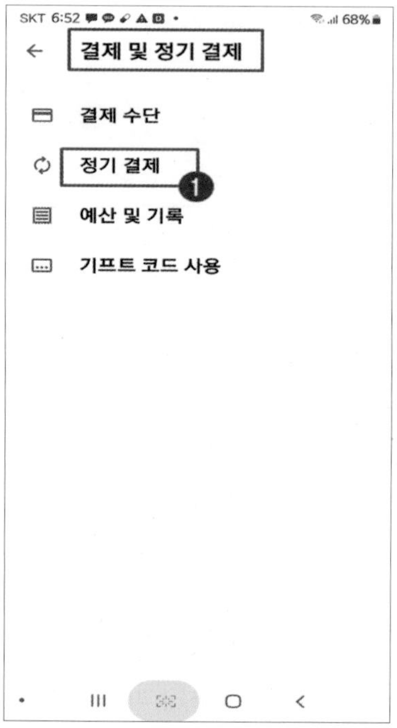

1 구매 취소를 위해 [ **결제 및 정기 결제** ]를 터치합니다. ①[ **정기 결제** ]를 터치합니다. 2 구매 내역 중 취소할 내역을 터치합니다. 3 하단의 [ **구독 취소** ]를 터치합니다.

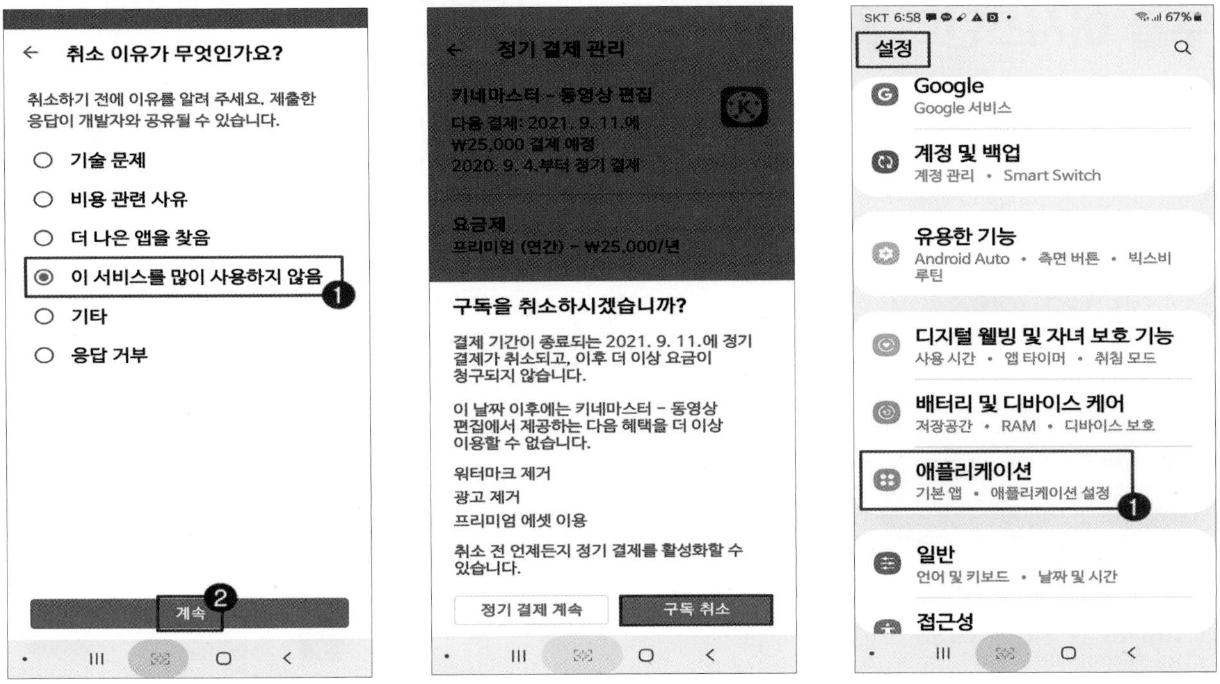


**1** ①취소 이유를 선택하고 ②[ **계속** ]을 터치합니다. **2** [ **구독 취소** ]를 터치하면 구매가 취소됩니다.

**3** 다음에는 [ **설정** ]에서 저장공간을 확보하는 방법을 알아보겠습니다.

스마트폰의 [ **설정** ] 메뉴에서 ①[ **애플리케이션** ]을 터치해서 [ **Google Play 스토어** ]를 검색합니다.

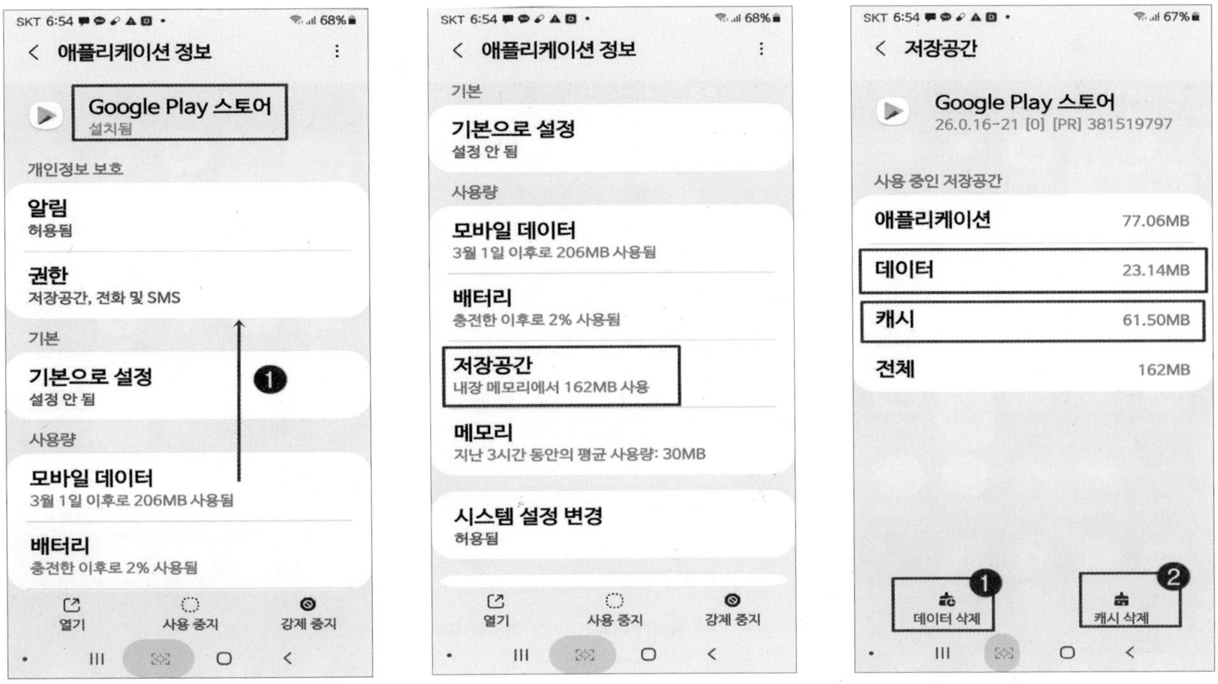


**1** ①화면을 위로 드래그합니다. **2** [ **저장공간** ]을 터치합니다.

**3** 표시되고 있는 [ **데이터** ]와 [ **캐시** ]의 저장용량을 삭제하고 저장공간을 확보하기위해서 ①[ **데이터 삭제** ]를 터치하고 ②[ **캐시삭제** ]를 터치합니다.

# 구글 어시스턴트 활용하기

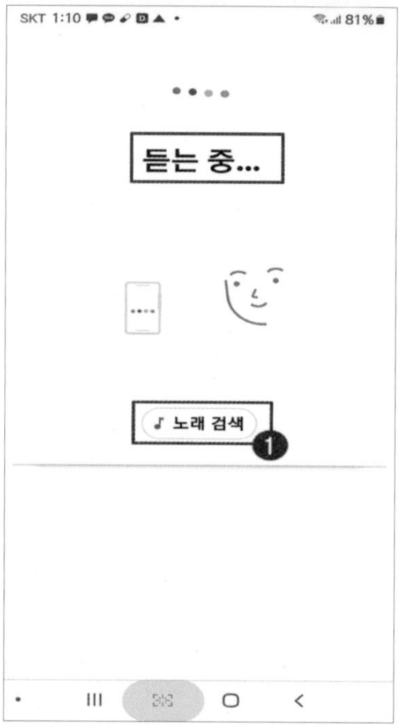

1 [ 구글 앱 ]에서 [ 마이크 ] 아이콘을 터치해도 실행이 됩니다. 2 [ 듣는 중 ]이라는 화면이 보이면 원하는 명령어를 말하면 됩니다. ①[ 노래 검색 ]을 터치하고 음악을 들려주면 제목 및 관련된 내용을 보여줍니다. 3 [ Play 스토어 ]에서 [ 구글 어시스턴트 ]를 검색하고 ①[ 설치 ]를 터치하여 실행합니다.

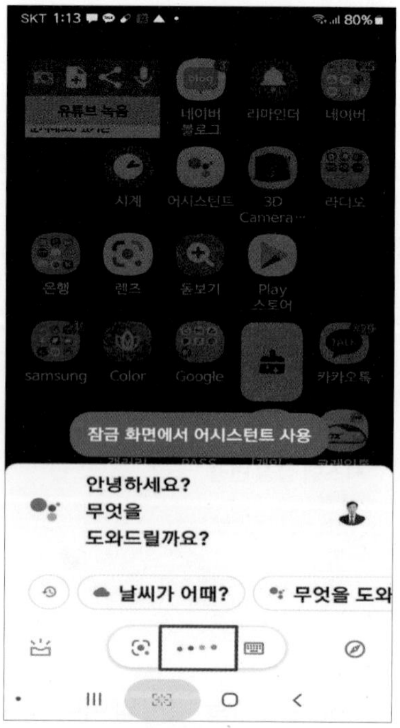

1 [ 어시스턴트 ] 앱을 터치합니다. 2 명령어 입력 대기 상태입니다. 3 [ 홈 버튼 ]을 길게 눌러도 바로 [ 어시스턴트 ] 대기 상태로 전환됩니다.

# 구글 어시스턴트 명령어

**리마인더 ( "알려줘"라고 해도 됨)**

▶ ○○○에게 열시에 전화하라고 알려줘

▶ 내일 아침 10시에 ○○○에게 미팅하자고 리마인드해줘

▶ 리마인드한 내용을 다 보고 싶다면 "리마인드 보여줘"하면 됨

**전화 ( 스마트폰에 저장된 전화번호만 가능함 )**

▶ ○○○에게 전화 걸어줘

▶ ○○○에게 문자 보내줘

▶ 안 읽은 문자 읽어줘

▶ ○○○에게 "가고 있다"라고 문자 보내줘

**시간**

▶ 지금 몇시야?

▶ 지금 미국 뉴욕 몇시야?

▶ 9시에 알람해줘

▶ 20분후에 알람해줘

▶ 아침 7시에 깨워줘

▶ 내일 일몰 시간은?

▶ 타이머 1분 설정

▶ 타이머 취소

**동영상**

▶ 강아지 동영상 보여줘

▶ 메이크업 영상 보여줘

**번역, 통역**

▶ 모든 알람 취소(앱에서 직접 해야 함)

▶ 영어로 통역해줘

▶ 중국어로 안녕이 뭐야?

▶ 중국어로 통역해줘

**질문**

▶ 100제곱 미터는 몇 평?

▶ 36인치는 몇 센티미터?

▶ 100달러 환율 알려줘

▶ 바나나 칼로리는?

▶ 구글 주가 알려줘

▶ 스타벅스 아메리카노 가격은?

▶ 이마트 영업시간은?

**게임**

▶ 500+300+29+90*20은?

▶ 주사위 굴리기(주사위 숫자가 나옴)

▶ 가상 여친(가상 남친) 불러줘(답답할 수 있음)

▶ 1부터 100까지 숫자 중 아무 숫자 뽑아줘

▶ 나 게임해줘

**뉴스**

▶ 뉴스 들려줘

▶ 각 방송사 이름 대고 "뉴스 들려줘" 해도 됨

**지역**

▶ 가장 가까운 커피숍이 어디야?

▶ 근처 칼국수 집 알려줘

▶ 전주에서 가볼 만한 곳은?

**로스트 폰(폰을 찾고자 할 때)**

▶ 내 폰 어디있어? (내 기기 찾기 앱이 열립니다)

**음악**

▶ 이 노래 제목 알려줘

▶ 볼륨 최대로 해줘

▶ 삼성뮤직에서 "오라버니"틀어줘

▶ 볼륨 꺼줘

▶ 볼륨 50프로로 해줘

**날씨**

▶ 오늘 날씨 알려줘

▶ 내일 날씨 어때?

▶ 내일 비와?

▶ 오늘 미세먼지 어때?

▶ 오늘 서울 날씨 알려줘



**소리(유튜브의 경우 광고를 봐야 하는 경우도 있음)**

▶ 빗소리 들려줘

▶ 백색소음 들려줘

▶ 비 오는 숲소리 들려줘

CHECK 리스트

# 구글 렌즈 제대로 활용하기

Google Lens

**1** [ **Play 스토어** ]에서 [ **구글 렌즈** ] 앱을 설치하여 사용하거나 **2** [ **구글 앱** ]에서 상단의 검색창의 [ **렌즈** ] 아이콘을 터치하여 실행할 수 있습니다. **3** 구글 렌즈 실행 화면이며 ①메뉴를 선택할 수 있습니다.

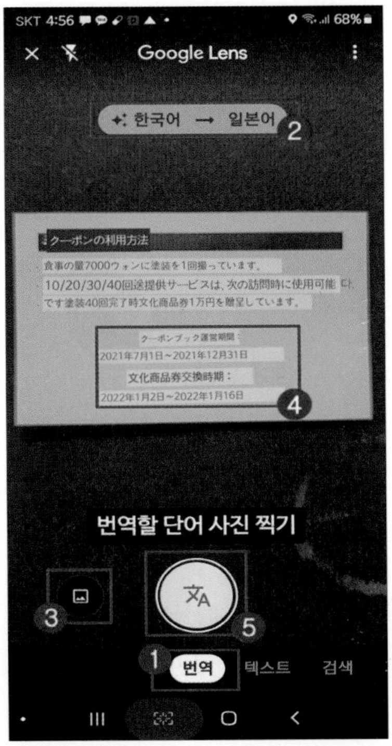


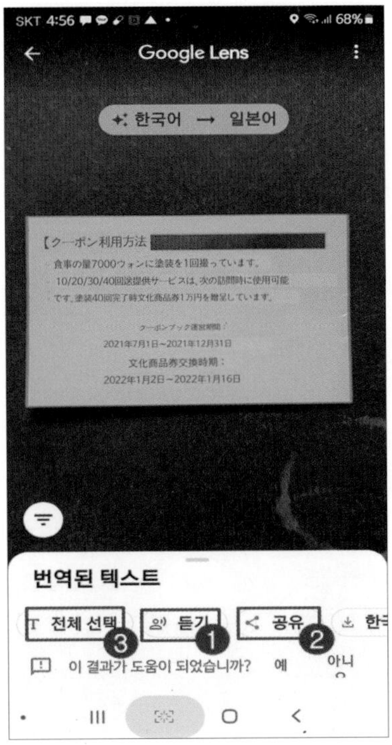


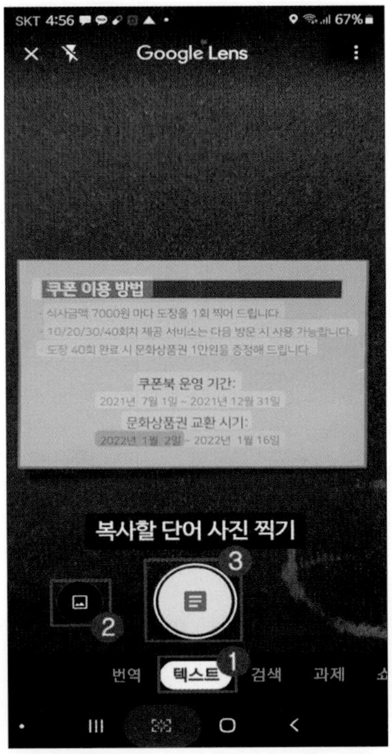


**1** ①[ **번역** ]을 선택하고 ②입력 언어와 출력 언어를 설정합니다. ③갤러리에서 이미지를 선택할 수 있습니다. ④바로 번역이 되며 ⑤터치합니다. **2** ①[ **듣기** ]할 수 있고 ②[ **공유** ]할 수 있으며 ③[ **전체선택** ]을 선택해서 텍스트 복사할 수 있습니다. **3** ①[ **텍스트** ] 메뉴를 선택합니다. ②갤러리에서 이미지를 선택할 수 있으며 ③텍스트를 확인하고 터치합니다

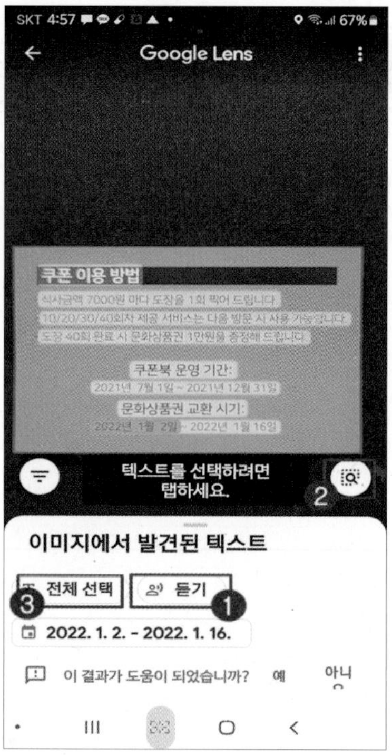


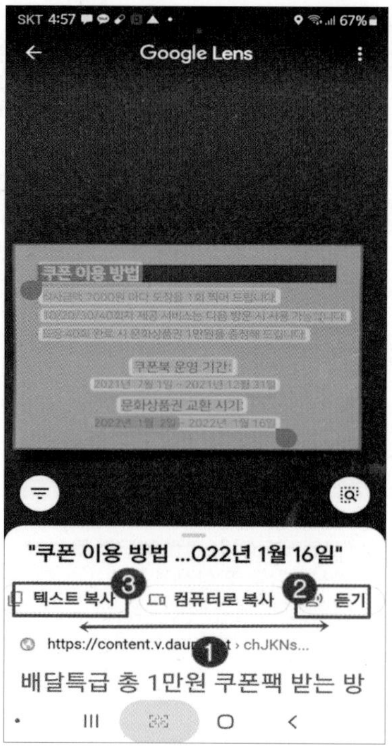

1 ①텍스트를 [ **듣기** ]할 수 있으며 ②이미지 일부 구간을 선택할 수 있습니다. ③[ **전체 선택** ]을 터치합니다. 2 ①좌우로 메뉴 선택할 수 있으며 ②[ **듣기** ]할 수 있습니다. ③[ **텍스트 복사** ]를 터치해서 복사하여 메모장 등에 붙여넣기 할 수 있습니다. 3 ①[ **검색** ]을 선택합니다. ②갤러리에서 이미지를 선택할 수 있습니다. ③검색할 물건을 확인하고 터치를 합니다. 시각적 검색을 할 수 있습니다.

1 ①화면을 위로 드래그하여 ②이미지를 선택합니다. 검색 내용을 볼 수 있으며 관련 사이트로 이동할 수 있습니다. 2 ①[ **쇼핑** ]을 선택합니다. ②갤러리에서 이미지를 선택할 수 있으며 ③쇼핑할 물건을 확인하고 터치합니다. 3 ①화면을 드래그하여 ②이미지를 선택합니다. 관련 사이트로 이동되며 구매할 수 있습니다. 시각적 검색으로 쇼핑을 할 수 있습니다.

**텍스트 스캔 기능**

▶ 눈앞의 단어를 번역하고, 명함을 연락처에 저장하고, 캘린더에 안내된 일정을 캘린더에 추가하며, 복잡한 코드나 긴 문단을 간편하게 복사하고, 스마트폰에 붙여 넣어 시간을 절약할 수 있습니다.

**검색 기능**

▶ 친구가 기르는 식물 이름이 무엇인지, 공원에서 만난 강아지가 어떤 품종인지 촬영하여 알아볼 수 있습니다.

▶ QR 코드와 바코드를 빠르게 스캔하세요.

**과제 기능**

▶ 수학문제를 풀어주는 **[ 콴다 ]** 앱처럼 기본적인 문제들을 해결해줍니다.

**장소 - 주변 장소 둘러보기**

▶ 명소, 음식점, 매장 등의 유명 건물들을 촬영하여 자세한 정보를 검색할 수 있습니다. 평점, 영업시간, 역사적 사실 등을 확인할 수 있습니다.

**음식점 - 주문할 메뉴 정하기**

▶ 구글 지도의 리뷰를 바탕으로 식당의 인기 메뉴를 확인할 수 있습니다.

**CHECK 리스트**

# 카카오톡 설정 메뉴 살펴보기

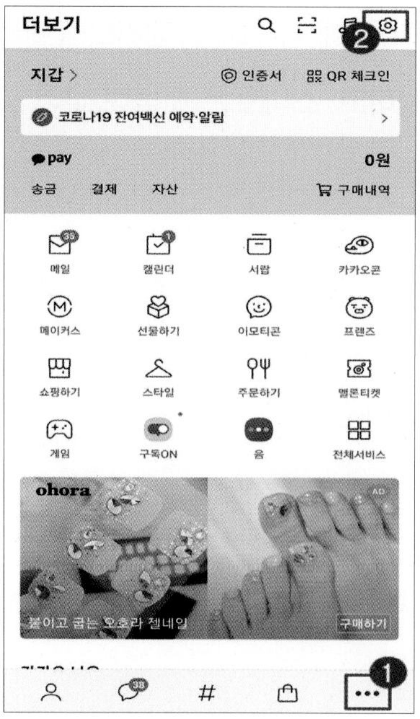


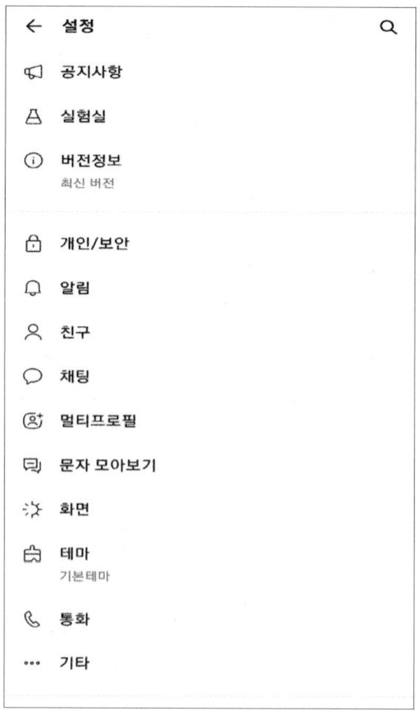


1 ①⚙을 터치합니다. ②**[ 전체 설정 ]**을 터치하면 설정으로 들어갈 수 있습니다.

2 ① **[ ••• ]**을 터치합니다. ②⚙을 터치해도 설정으로 들어갈 수 있습니다.

3 **[ 설정 ]**에서는 카카오톡을 사용할 때 필요한 모든 부분을 설정할 수 있습니다.

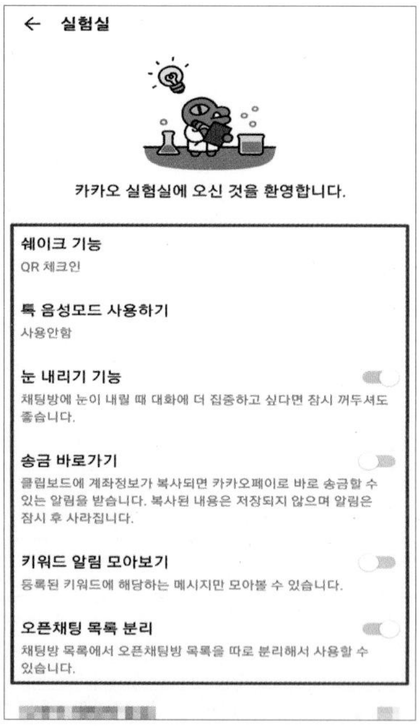


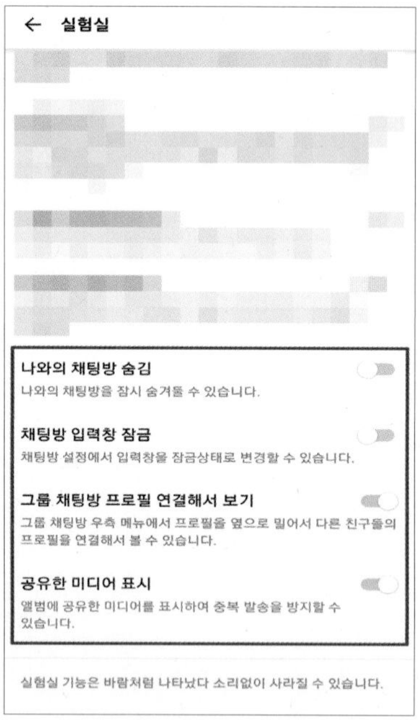


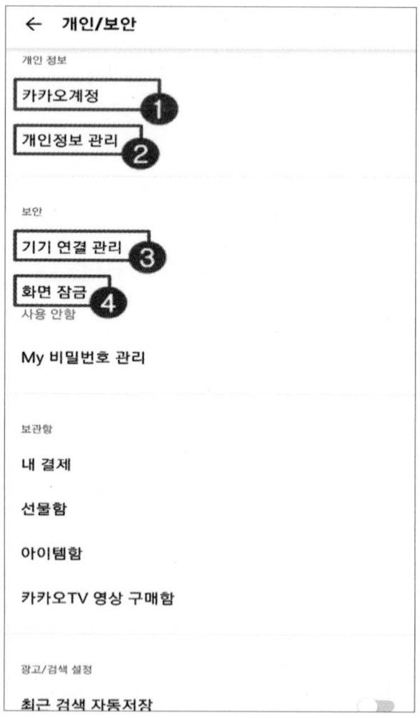


1 **[ 실험실 ]**에서는 카카오톡의 정식 기능으로 적용하기 전, 새로운 기능을 미리 체험해 볼 수 있습니다. 실험실에서 제공되는 기능과 설명을 읽어보고, 직접 체험해보고 싶은 기능을 활성화하면 이용할 수 있습니다. 2 **[ 개인/보안 ]**에서는 ①**[ 카카오계정 ]**(카카오와 연동된 이메일, 전화번호, 주소 등 기존에 등록된 내 정보를 확인, 등록할 수 있습니다.), ②**[ 개인정보 관리 ]**(개인정보 활용 동의, 개인정보 관리, 계정 연동 등을 확인 할 수 있습니다.), ③**[ 기계 연결 관리 ]**(다른 기기와 연결 할 때 인증하거나 연결된 기기를 관리할 수 있습니다.), ④**[ 화면 잠금 ]**(카카오톡을 열 때 비밀번호나 패턴으로 잠글 수 있는 기능입니다.) 등의 설정이 가능합니다.

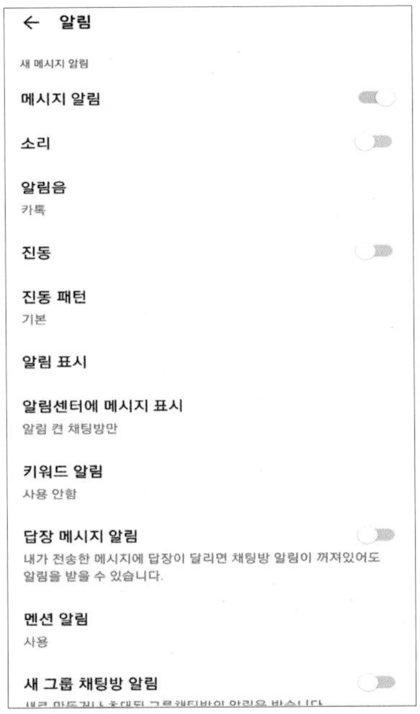

1 **[ 알림 ]**에서는 카카오톡 알림과 관련된 설정을 할 수 있습니다.

2 **[ 채팅 ]**에서는 채팅방, 미디어, 답장, 이모티콘, 키보드, 메시지 수신 등 채팅방에서 필요한 다양한 기능들에 대한 설정을 할 수 있습니다.

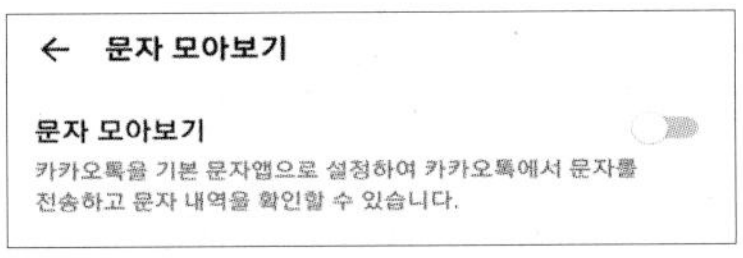


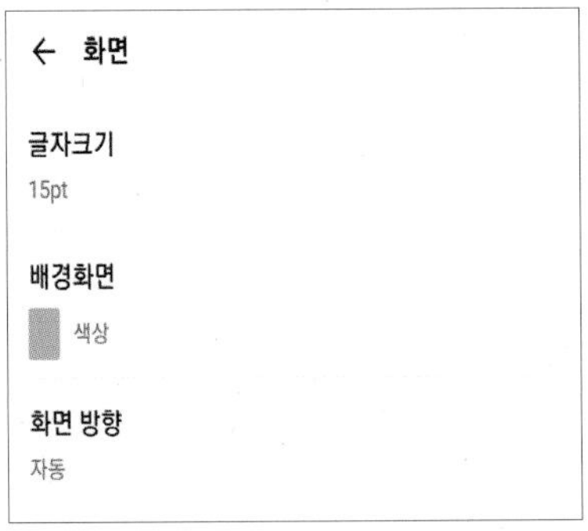


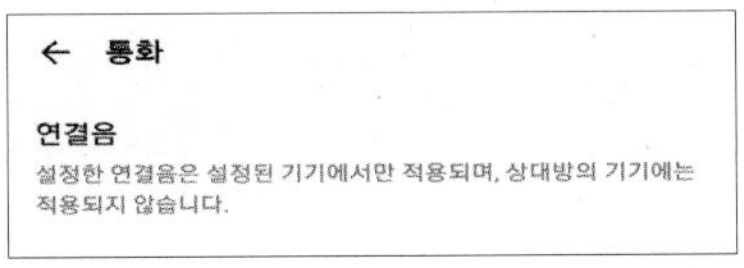


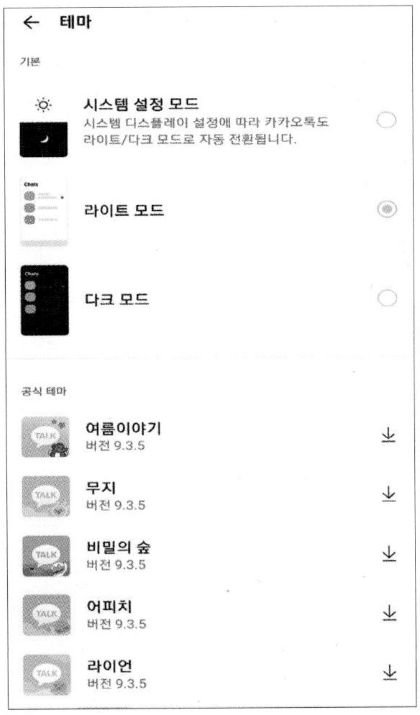

1 **[ 문자 모아보기 ]**를 설정하면 카카오톡에서 카카오톡 메시지뿐만 아니라 일반 문자를 확인하고 보낼 수 있습니다. **[ 화면 ]**에서는 글자 크기, 배경화면, 화면 방향을 설정할 수 있습니다. **[ 통화 ]**에서는 보이스톡을 이용할 때 통화대기음을 설정할 수 있습니다.

2 **[ 테마 ]**에서는 카카오톡에서 제공하는 다양한 테마를 카카오톡에 적용할 수 있습니다.

# 카카오톡 프로필 관리하기

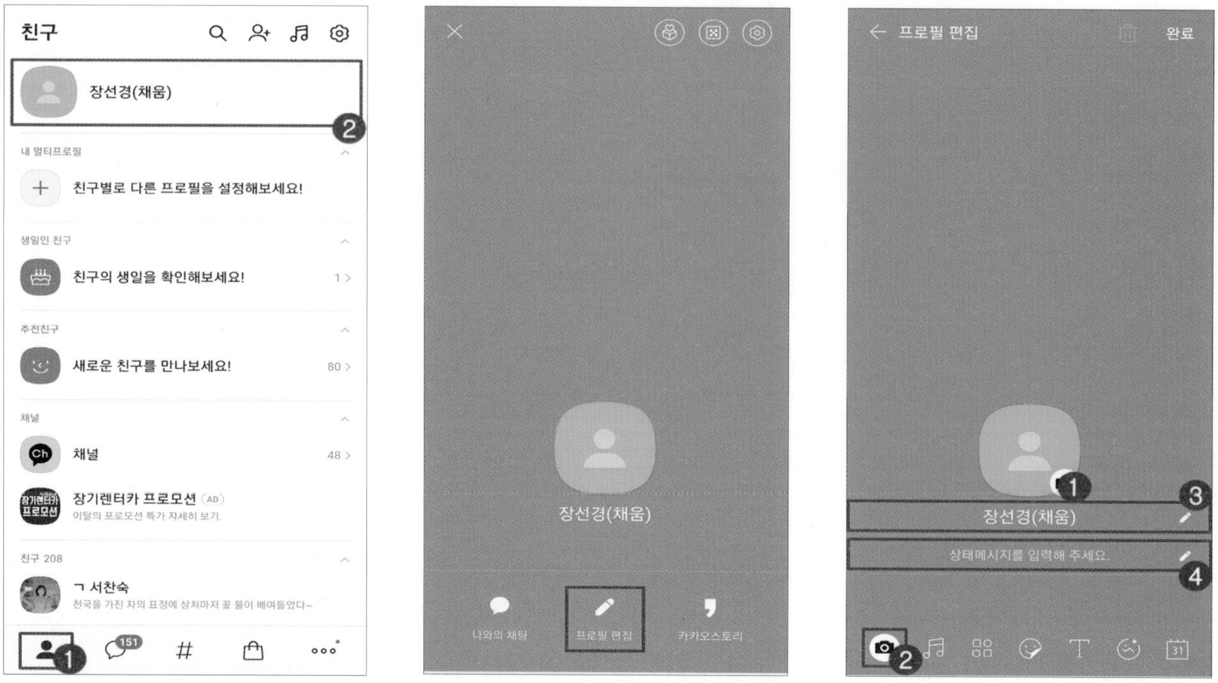


1 아래 하단에서 ①친구(사람모양)을 클릭하고 가장 맨 위에 ②본인의 이름을 터치합니다.

2 내 프로필 화면이 나오면 **[ 프로필 편집 ]**을 터치합니다.

3 **[ 프로필 편집 ]** 화면에서 ①~④의 순서대로 알아보도록 하겠습니다.

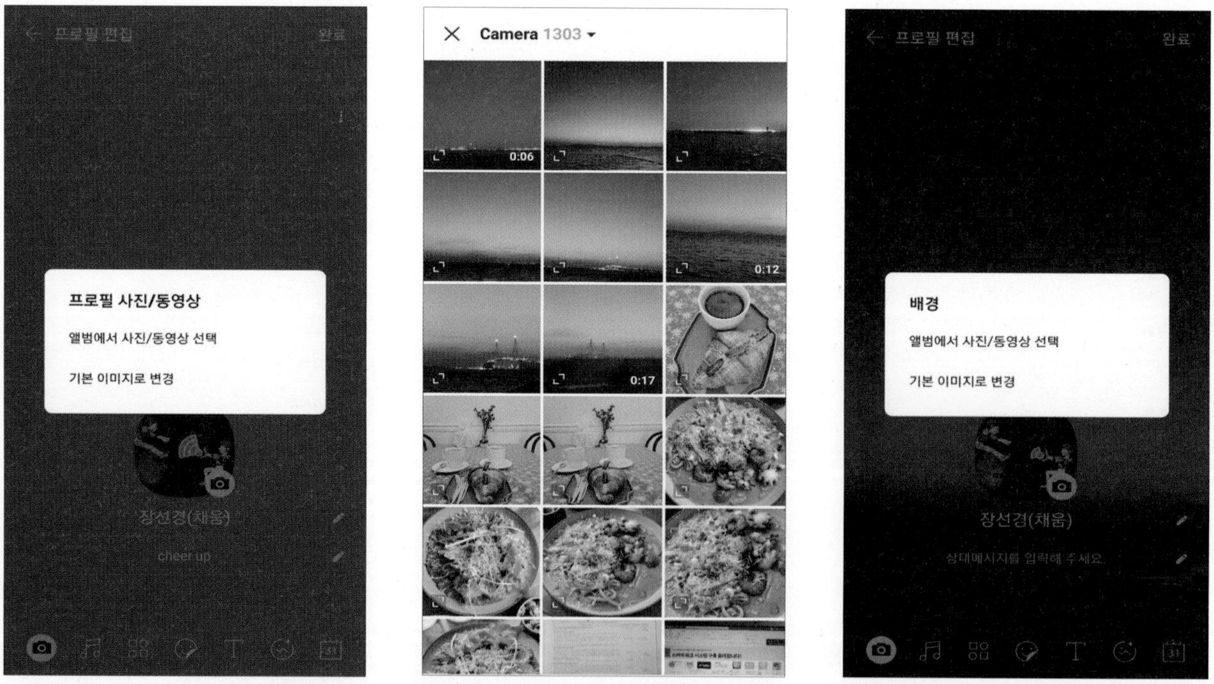


1 ①을 터치하면 **[ 앨범에서 사진/동영상 선택 ]** 은 내 갤러리에 저장되어 있는 것을 선택할 수 있는 기능이고, **[ 기본 이미지로 변경 ]**은 아무런 이미지가 나타나지 않는 기본값입니다. 2 **[ 앨범에서 사진/동영상 선택 ]**을 터치하면 내가 가지고 있는 갤러리 사진들이 나타나는데 이곳에서 원하는 것을 선택하시면 됩니다. 3 ②의 사진기 모양을 터치하면 내 프로필 배경을 설정할 수 있고 ①번과 동일한 방법으로 해주시면 됩니다.

1 위의 ①, ②를 설정하게 되면 그림과 같이 프로필 편집이 됩니다.

2 프로필 편집에서 ③을 클릭하면 프로필 이름을 변경할 수 있습니다.

3 ④번을 클릭하면 내가 원하는 나의 상태 메세지를 입력할 수 있습니다.

1 프로필 편집에서 아래 메뉴들은 아이콘 순서대로 내 프로필에 음악설정, 테마, 스티커, 텍스트, 배경효과, D-day 카운터를 할 수 있는 추가 기능이며 나만의 스타일대로 프로필을 꾸밀 수 있는 기능입니다.

# 카카오톡 친구 메뉴

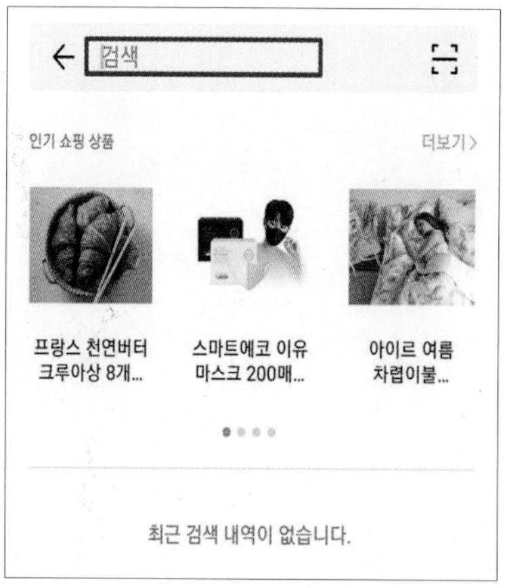


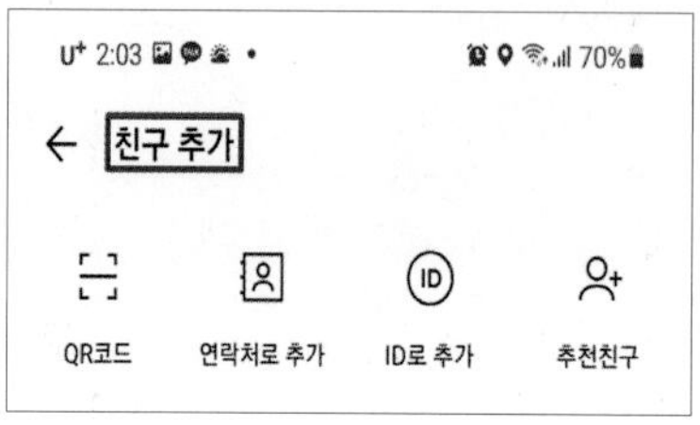

❶ 아래 메뉴에 ①[ **친구** ] 메뉴를 터치합니다. 맨 위에 내 프로필, 내 멀티프로필, 생일인 친구, 추천 친구, 채널, 친구순으로 구분됩니다. 우측 상단 ②에는 검색, 친구추가, 뮤직, 설정을 할 수 있는 아이콘이 있습니다.

1. [ **검색** ] : 돋보기 모양 Q 을 터치합니다.
(검색창에 찾고자 하는 친구의 이름을 입력하여 검색할 수 있습니다.)
2. [ **친구추가** ] : 사람모양 ⚇+ 을 터치합니다.
(QR코드, 연락처로 추가, ID로 추가, 추천 친구로 분류되어 있습니다.)

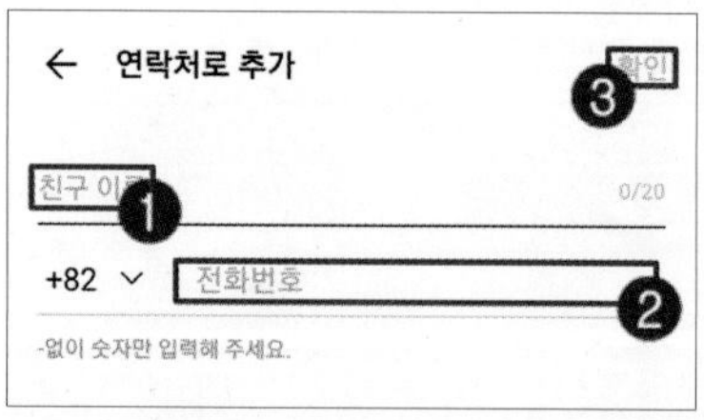


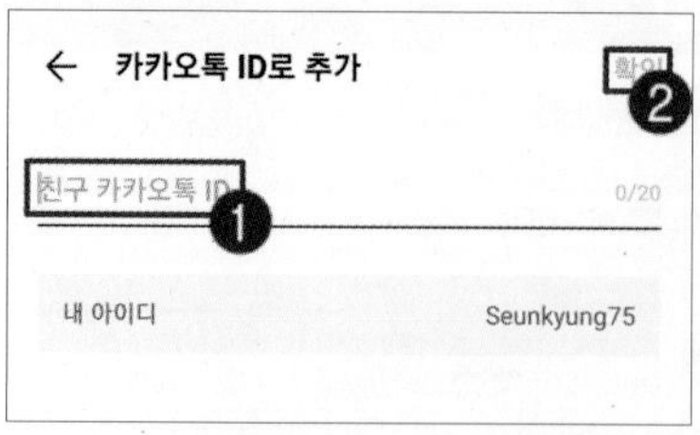


❶ [ **QR코드** ]는 아래의 코드스캔을 터치해서 상대방의 QR코드를 스캔해 친구 맺기를 할 수 있습니다.
[ **연락처로 추가** ] ①[ **친구이름** ]과 ②[ **전화번호** ]를 직접 등록 하여 ③[ **확인** ]친구추가 할 수 있습니다.
[ **카카오톡 ID로 추가** ] ①상대방의 [ **친구 카카오톡 ID** ]를 입력하여 ②[ **확인** ]을 누르면 친구추가를 할 수 있습니다.

CHECK 리스트

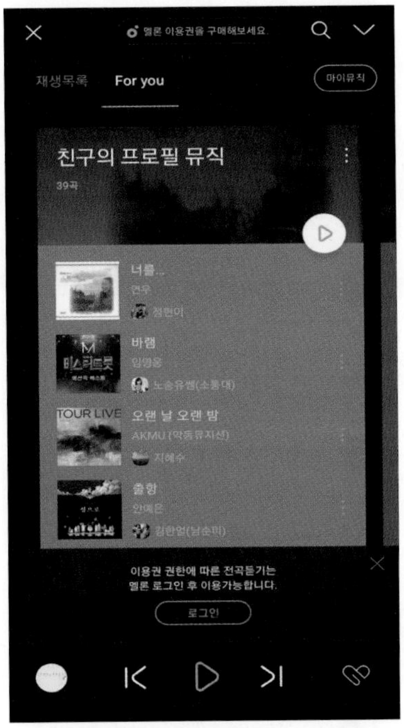

3. [ **뮤직** ]을 터치하면 멜론과 연동되어 음악을 검색할 수도 있고 친구의 프로필 뮤직을 들을 수도 있습니다.

4. [ **설정** ] ①톱니바퀴 모양의 설정을 터치하면 ②친구관리를 할 수 있습니다.

5. [ **친구관리** ]

①연락처에 있는 친구를 자동으로 카카오톡에 친구 추가합니다.

②친구추가 또는 전화번호를 새로 저장했는데 카카오톡에 나타나지 않을 때 새로고침을 하면 친구를 찾을 수 있습니다.

③ 알 수도 있는 친구를 추천하고 나를 다른 친구에게 추천해줍니다.

④카카오톡 친구 이름을 다른 기기나 게임 등에서도 동일하게 보여줍니다.

⑤친구 목록에서 생일인 친구를 보여 줍니다.

**CHECK 리스트**

# 카카오톡 친구 즐겨찾기 추가와 이름 변경하기

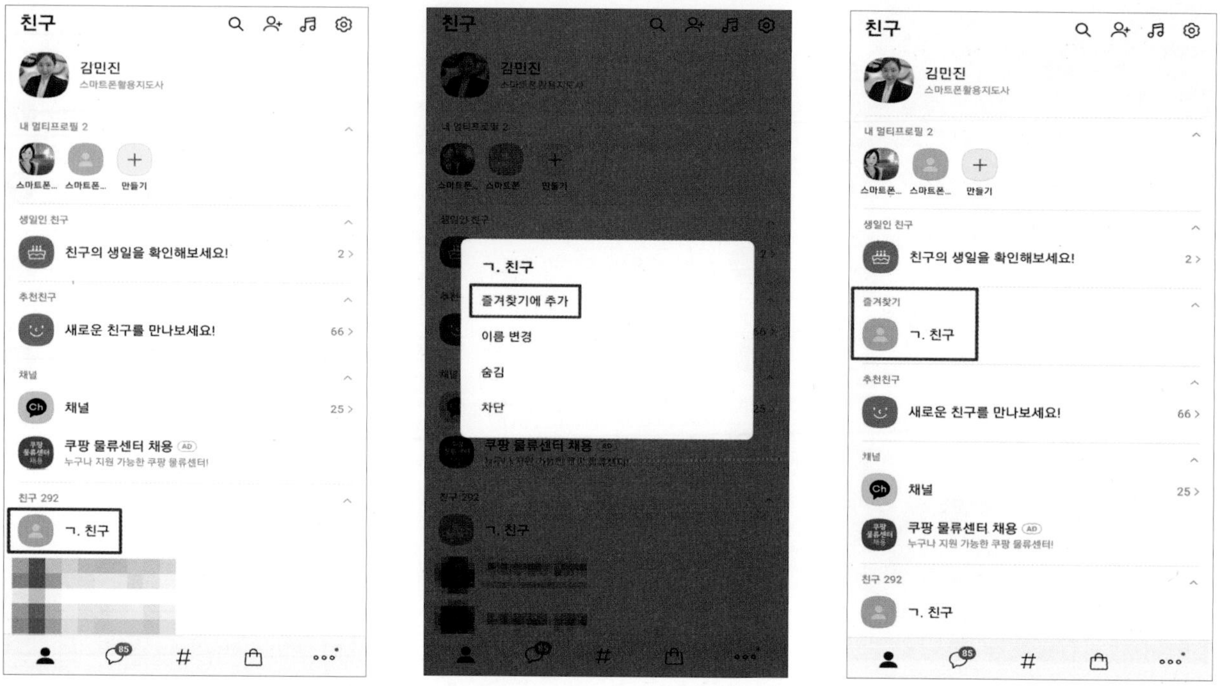


1 즐겨찾기에 추가하고 싶은 친구의 이름을 지그시 터치합니다.

2 [ **즐겨찾기에 추가** ]를 터치합니다. 3 [ **즐겨찾기** ]에 추가한 친구가 보입니다.

1 친구의 이름을 지그시 눌러서 ①[ **즐겨찾기 해제** ]를 터치하면 원래대로 돌아갑니다. ②[ **이름 변경** ]을 터치합니다. 2 ①친구의 이름을 변경합니다. ②[ **확인** ]을 터치합니다.

3 [ **즐겨찾기** ]에 변경한 친구의 이름이 보입니다.

# 채팅방에서 이모티콘 전송하기

1 1대1 혹은 단체 채팅방에서 우측 하단의 ☺를 터치합니다.

2 ①원하는 이모티콘을 선택합니다. ②**[ 보내기 ]**를 터치합니다. 3 채팅창에 이모티콘이 보입니다.

CHECK 리스트

# 채팅방에서 사진 전송하기

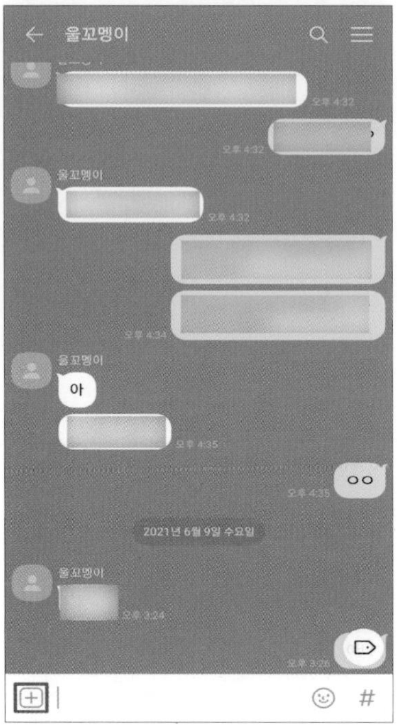

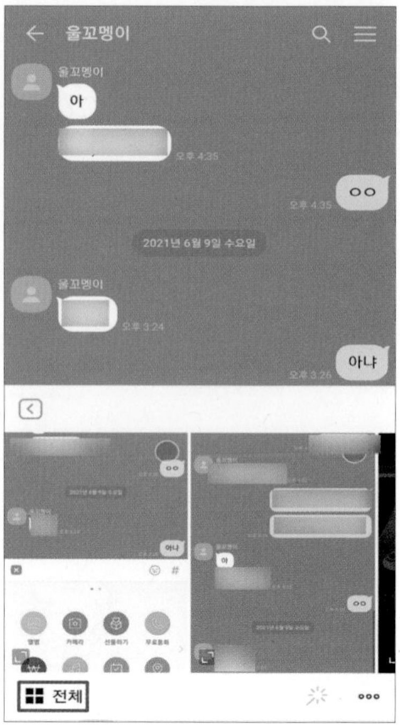


1 채팅방에서 아래 입력창 왼쪽의 [ ✚ ]아이콘을  터치합니다.

2 보이는 아이콘 중 앨범을 터치합니다. 3 아래 [ **전체** ]를 터치해 줍니다.

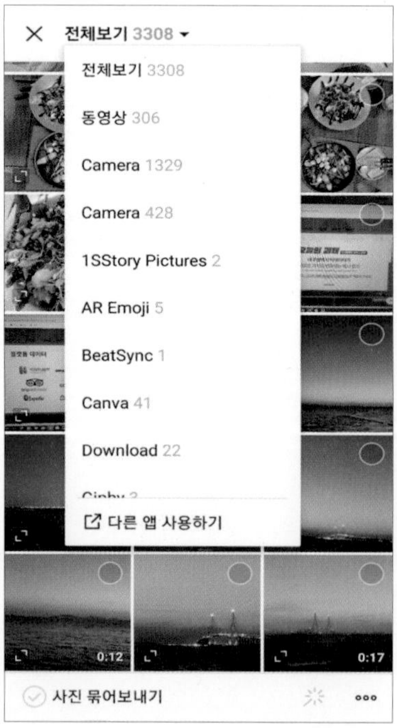

1 위 그림과 같이 내 앨범에 저장되어 있는 사진들이 보여 집니다.

2 상단에 [ **전체보기** ]를 누르면 카테고리별로 들어가 사진 선택을 할 수 있습니다.

3 내가 원하는 사진 선택을 하고 ①[ **전송** ]을 눌러 보내기를 하거나 선택된 사진을 ②에 [ **요술봉** ] 아이콘을 눌러 사진 편집을 할 수도 있습니다.

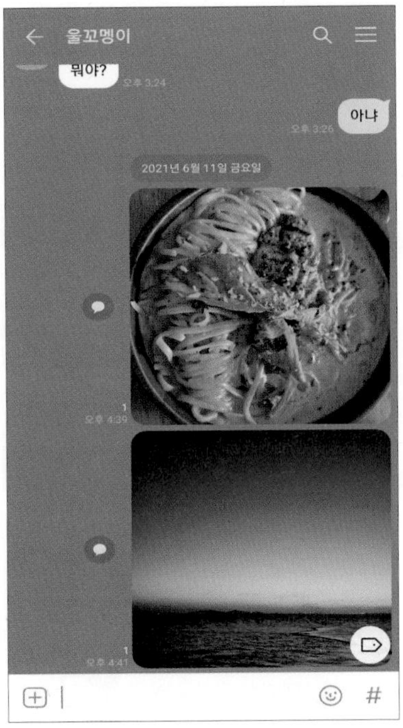

1 아래의 ①의 다양한 기능들을 활용하여 사진을 꾸민 후 ②[ **전송** ]을 터치하여 사진을 보낼 수 있습니다. 2 선택해서 보낸 사진을 채팅방에서 확인할 수 있습니다.

3 여러 사진을 보낼 때에는 ①[ **사진 묶어보내기** ]를 체크하면 한 번에 여러 장을 전송할 수 있습니다.

1 여러 장의 묶어 보내기 했을 때 채팅창에서 왼쪽 그림과 같이 나타나는 걸 확인할 수 있습니다.

CHECK 리스트

# 채팅방에서 동영상 전송하기

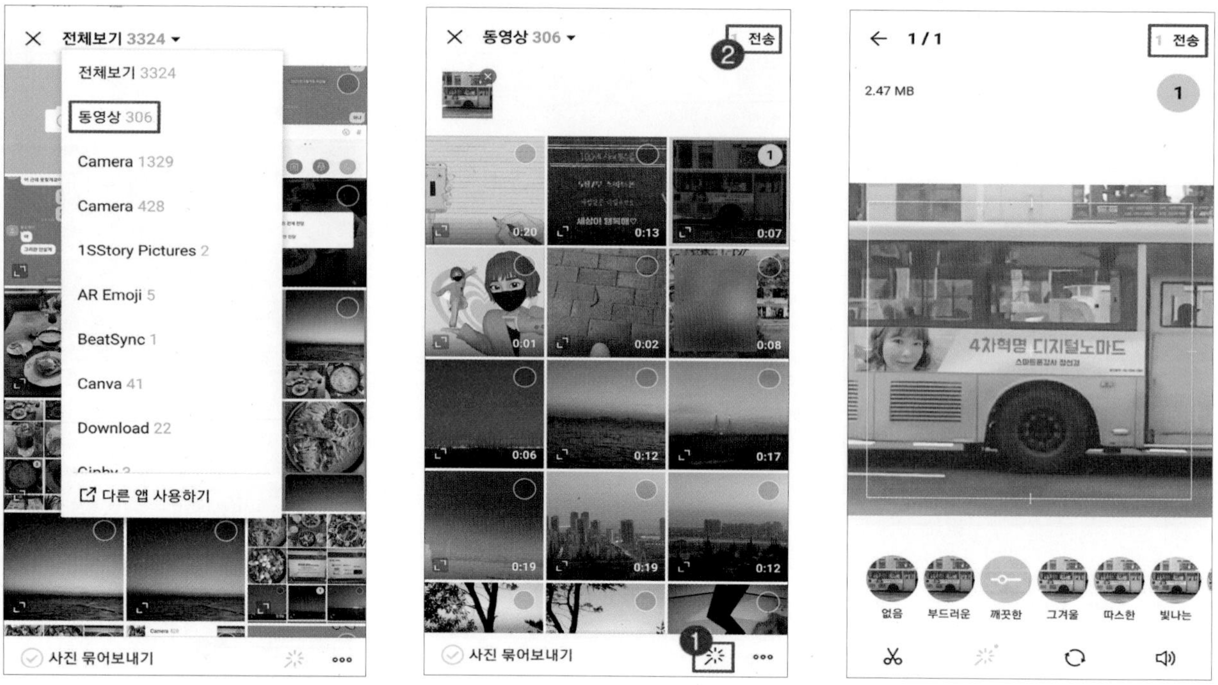


1 사진 전송과 마찬가지로 채팅창에서 앨범으로 들어가 상단에 [ **전체보기** ]를 눌러 [ **동영상** ]을 선택합니다. 2 동영상은 사진의 위 그림과 같이 영상마다 재생시간이 나타나 구분할 수 있습니다. 원하는 동영상을 선택해 주고 ②[ **전송** ]을 터치하여 보낼 수 있습니다.

3 보내기 전 ①번 [ **요술봉** ]을 터치하여 효과를 주어 전송할 수도 있습니다.

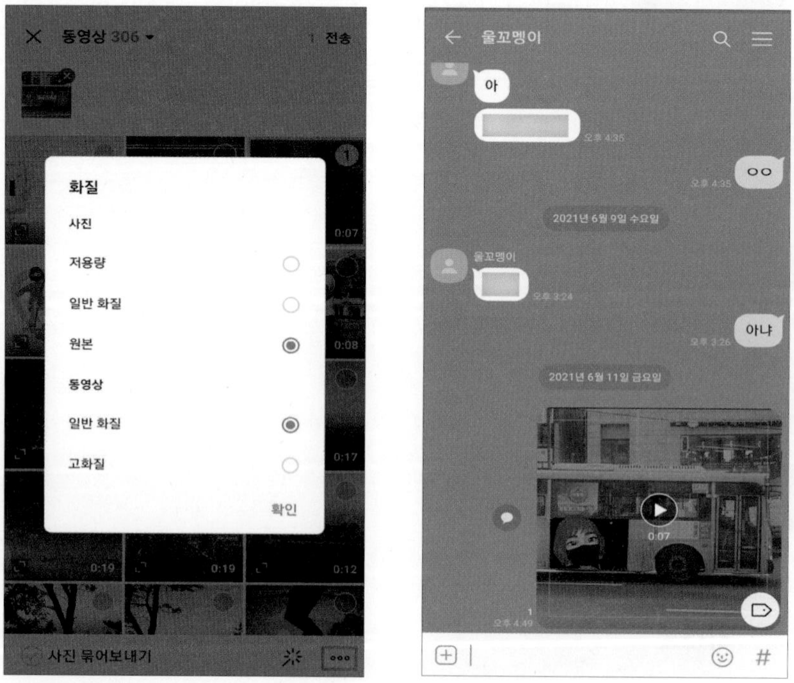


1 영상을 보내기 전 아래 점 세게 [ ••• ]를 터치하면 원하는 화질로 선택한 후 전송할 수 있습니다.

2 원하는 동영상이 채팅방에 위 그림과 같이 보내진 것을 확인할 수 있습니다.

# 음성메세지

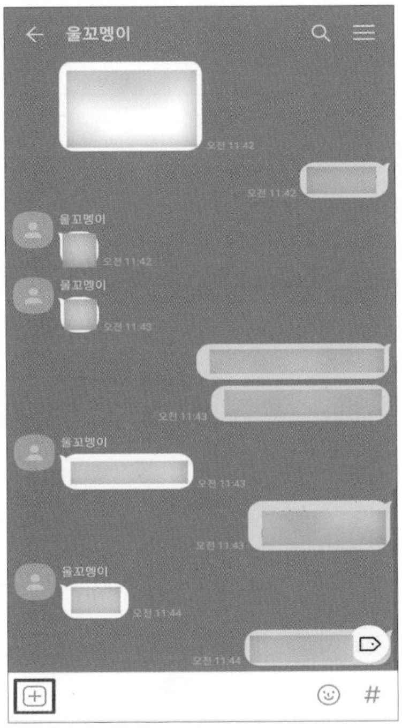

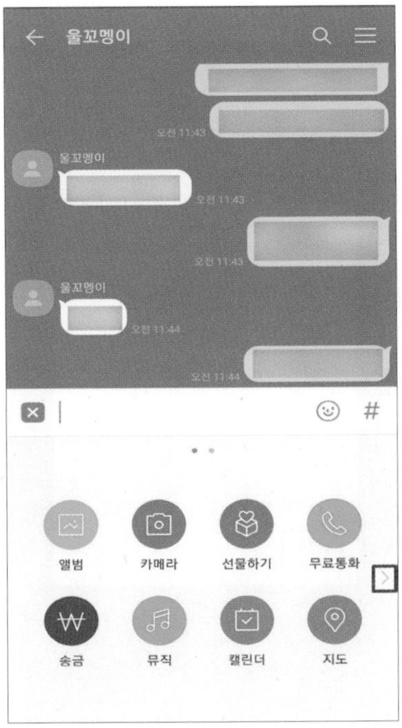

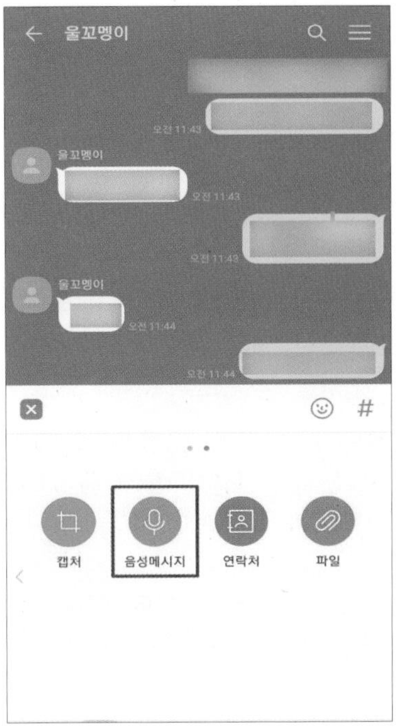


1 채팅창에서 왼쪽 [ ✚ ]표시를 터치합니다.

2 여러 가지 아이콘이 나타나는걸 볼 수있는데 이 화면에서 [ **음성메세지** ]가 보이지 않으면 왼쪽 꺽쇠표시 [ ❯ ]를 터치합니다. 3 [ **음성메세지** ]아이콘을 터치합니다.

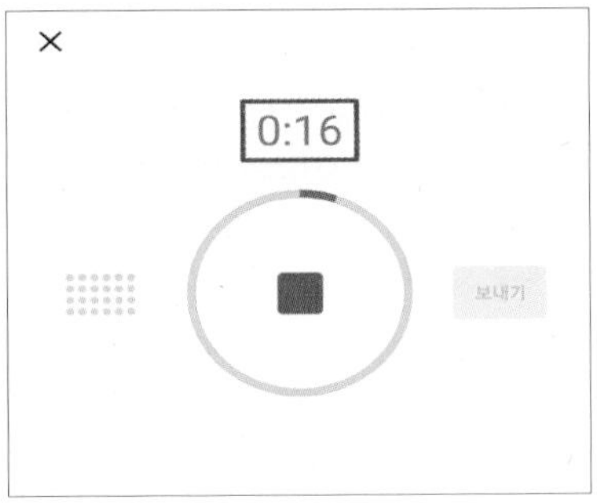

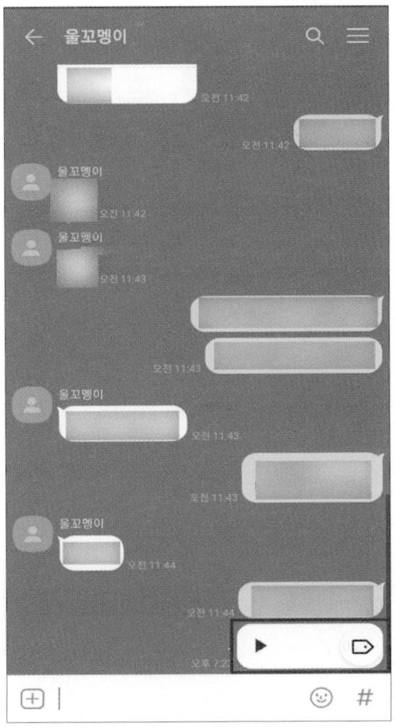


1 화면에 보이는 빨간 버튼 [ ● ]을 터치합니다. 2 내가 전달하고자 하는 내용을 말합니다. 전달하고자 하는 말이 끝나면 멈춤 버튼 [ ■ ]을 터치합니다. 오른쪽에 [ **보내기** ] 버튼을 터치합니다.

3 채팅창에 음성메시지 녹음 파일이 전송되어 있는 걸 확인할 수 있습니다.

# 카카오톡 롱탭검색

장선경(채움)
2021년 6월 7일 월요일
메타버스

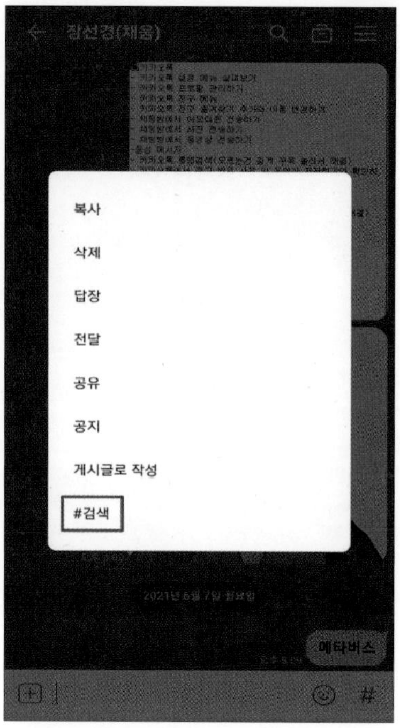

장선경(채움)
복사
삭제
답장
전달
공유
공지
게시글로 작성
#검색

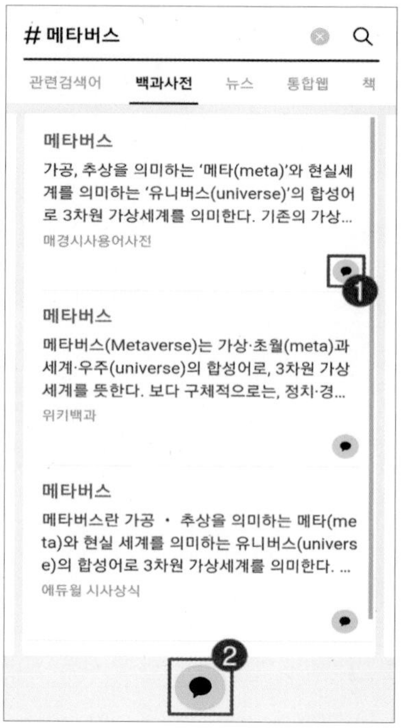

# 메타버스
관련검색어
백과사전
뉴스
통합웹
책
메타버스
가공, 추상을 의미하는 '메타(meta)'와 현실세계를 의미하는 '유니버스(universe)'의 합성어로 3차원 가상세계를 의미한다. 기존의 가상...
매경시사용어사전
메타버스
메타버스(Metaverse)는 가상·초월(meta)과 세계·우주(universe)의 합성어로, 3차원 가상 세계를 뜻한다. 보다 구체적으로는, 정치·경...
위키백과
메타버스
메타버스란 가공 · 추상을 의미하는 메타(meta)와 현실 세계를 의미하는 유니버스(universe)의 합성어로 3차원 가상세계를 의미한다. ...
에듀윌 시사상식
1
2

장선경(채움)
2021년 6월 7일 월요일
메타버스
# 메타버스
메타버스
가공, 추상을 의미하는 '메타(meta)'와 현실...
검색 결과 더보기

1 채팅방에서 대화중 모르는 단어가 있으면 바로 검색할 수 있습니다. 모르는 단어를 길게 꾹 눌러줍니다.

2 [ #검색 ]을 터치합니다.

3 원하는 내용을 바로 검색하고 검색한 내용을 대화창에 노출시킬 수 있습니다.

4 ①또는 ②의 카카오톡 아이콘을 터치하면 위와 같이 채팅방에 공유되어 다른 사람들도 쉽게 알 수 있습니다.

CHECK 리스트

# 카카오톡에서 주고받은 사진 및 동영상 저장하기와 확인하기

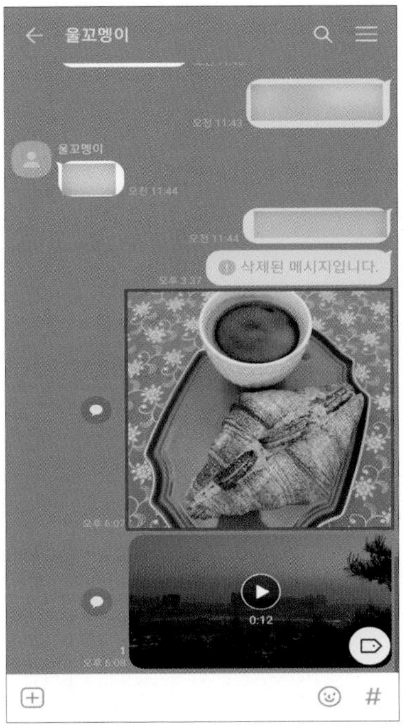

1 채팅방에서 저장하고 싶은 사진 또는 동영상을 선택합니다.

2 아래 저장 버튼을 터치해 내 갤러리에 저장합니다.

사진을 갤러리에 저장합니다.( 저장위치 : 사진(Kakaotalk), 동영상(Video) )

사진이나 동영상을 다른 사람에게 공유할 수 있습니다.

현재의 채팅방에서 삭제합니다.(삭제된 사진 또는 동영상은 내 채팅방에서만 적용되고 상대방의 채팅방에서는 적용되지 않습니다.)

ooo ①[ **대화보기** ] ②[ **외부로 공유** ] ③[ **상세정보** ]

①이사진이 있는 채팅창으로 돌아갈수 있습니다.

②카카오톡, 네이버, 인스타등 여러곳으로 공유될 수 있습니다.

③이 사진 또는 동영상에 대한 종류, 크기, 해상도를 알 수 있습니다.

# 카카오톡에서 저장공간 확보하기

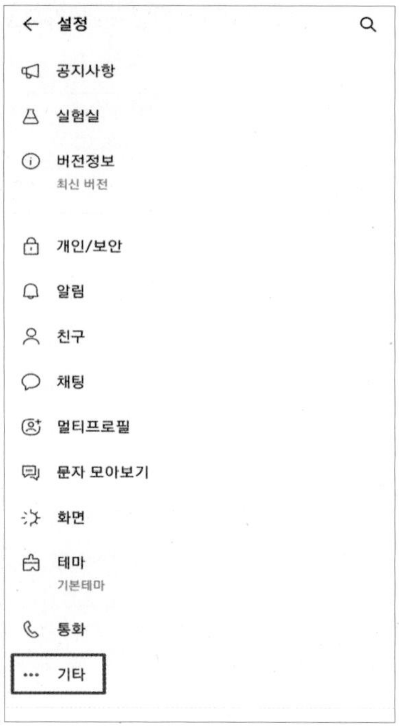

**1** ①⚙을 터치합니다. ②[ **전체 설정** ]을 터치합니다. **2** [ **기타** ]를 터치합니다.
**3** [ **저장공간 관리** ]를 터치합니다.

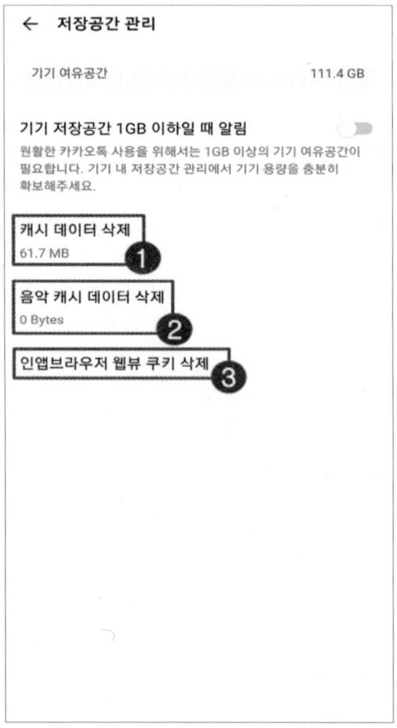


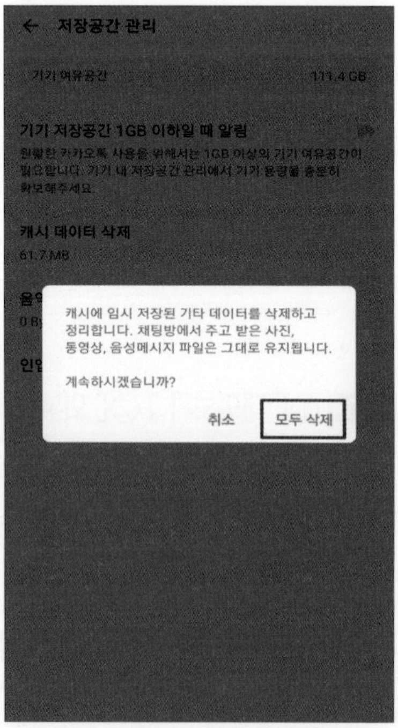


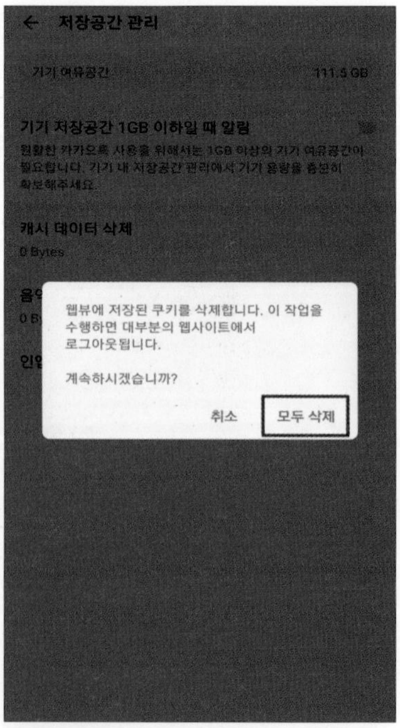


**1** ①[ **캐시 데이터 삭제** ]를 터치하여 불필요한 임시 파일을 삭제하고 정리합니다.
②[ **음악 캐시 데이터 삭제** ]는 불필요한 음악의 음원과 앨범 이미지 등을 삭제하고 정리합니다.
③[ **인앱브라우저 웹뷰 쿠키 삭제** ]를 터치하여 웹뷰에 저장된 쿠키를 삭제합니다.
(단, 이 작업을 수행하면 대부분의 웹사이트에서 로그아웃됩니다.)

# 카카오톡 채팅방 용량 관리하기

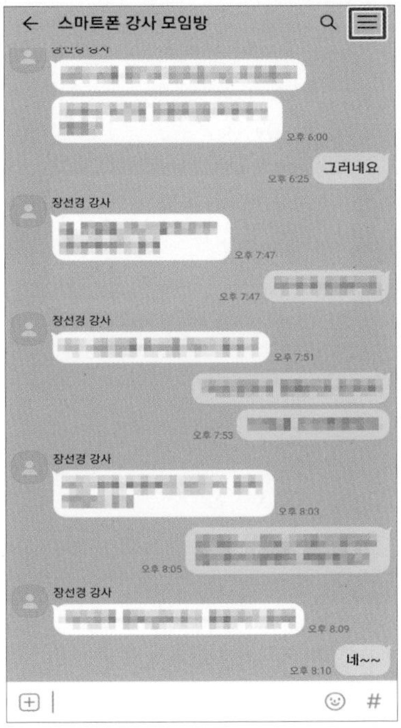

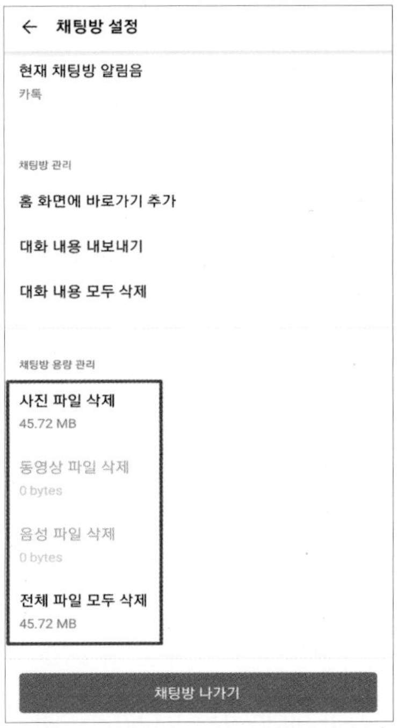


1 채팅방 우측 상단의 [ **삼선표시** ]를 터치합니다. 2 ⚙를 터치합니다. 3 [ **전체 파일 모두 삭제** ]를 터치하거나 [ **사진, 동영상, 음성 파일 삭제** ]를 선택해서 정리합니다.

**CHECK 리스트**

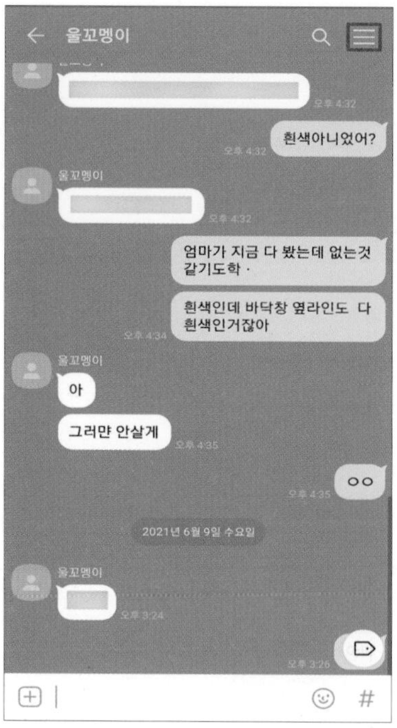

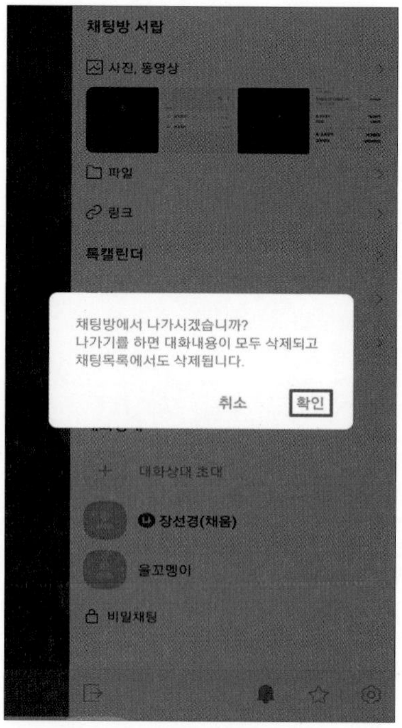


1 채팅방을 나가는 첫 번째 방법입니다. 채팅방에서 맨 위 오른쪽 상단 **[ 삼선 ]**을 터치합니다.

2 아래에 있는 **[ 나가기 ]** 아이콘을 터치합니다.

3 알림창이 나타나면 **[ 확인 ]**을 누르면 채팅방에서 나갈 수 있습니다.

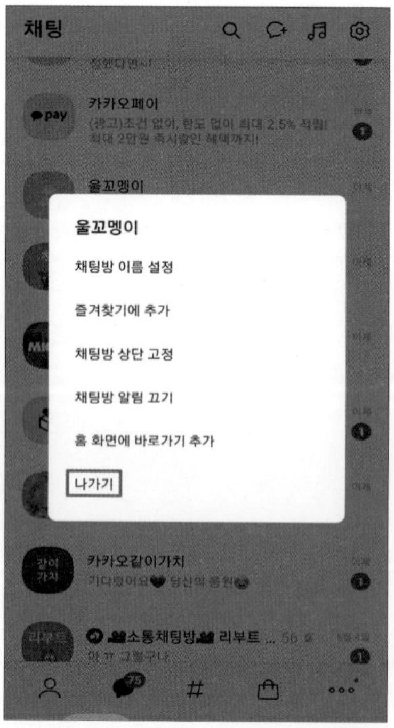


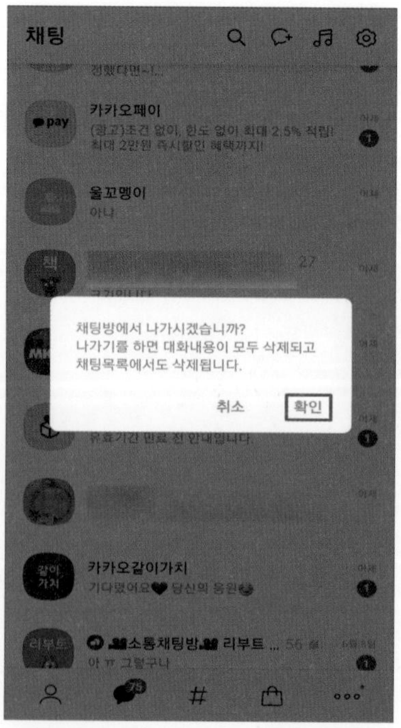


1 채팅방을 나가는 두 번째 방법입니다. **[ 채팅 ]** 화면에서 나가고자 하는 방의 이름을 길게 누르면 위와 같은 알림창이 나타납니다. **[ 나가기 ]**를 터치합니다. 2 다시 한번 알림창이 나타나면 **[ 확인 ]**을 터치하면 채팅방에서 나갈 수 있습니다.

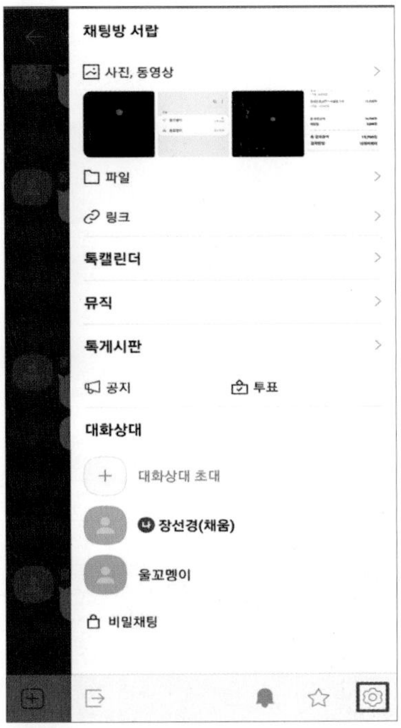

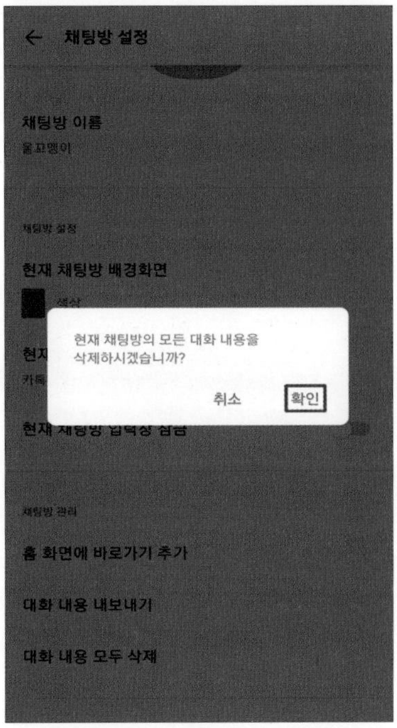


1 채팅방에서 맨위 [ **삼선** ]을 터치하여 [ **채팅방서랍** ]으로 들어옵니다. 채팅방 서랍 아래에 톱니바퀴모양 [ **설정** ] 버튼을 터치합니다.

2 [ **채팅방 설정** ]에서 [ **대화내용 모두 삭제** ]을 터치합니다.

3 화면에 알림창이 나타난 후 [ **확인** ]을 터치하면 채팅창은 남아 있지만 채팅 내용은 모두 삭제됩니다.(자신의 채팅방에서만 삭제되고 상대방의 채팅방에는 대화 내용이 그대로 남아 있습니다.)

**CHECK 리스트**

# 채팅방 메시지 5분안에 삭제하기

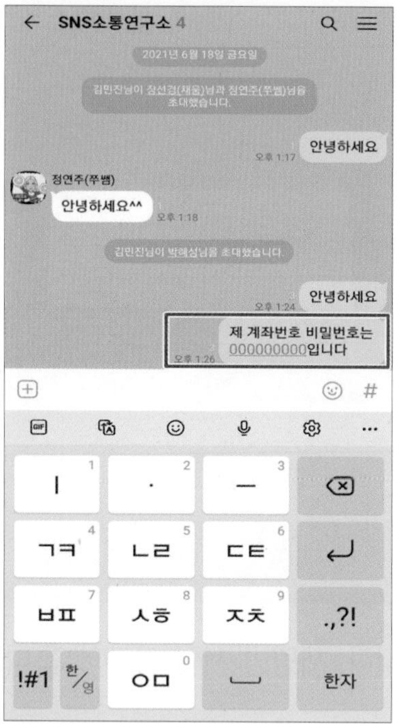


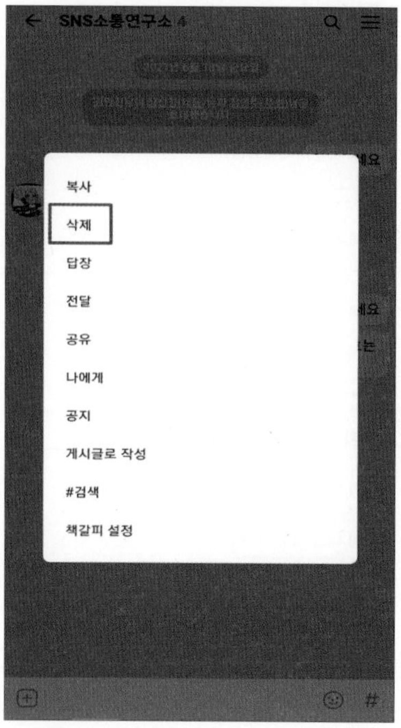


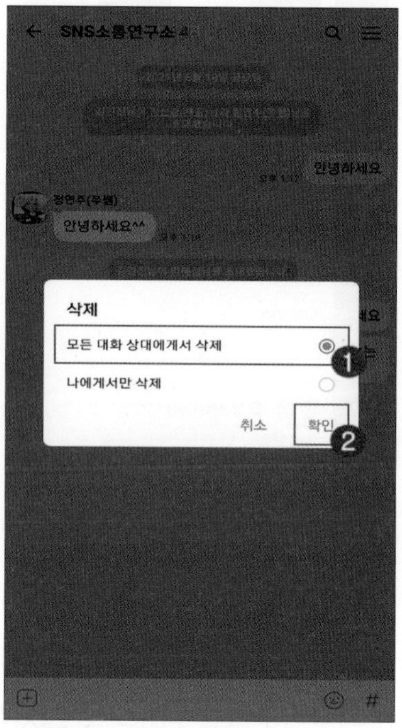


1 잘못 보낸 메시지는 5분 안에 삭제할 수 있습니다. 잘못 보낸 메시지를 지그시 터치합니다.
2 [ 삭제 ]를 터치합니다. 3 ①[ **모든 대화 상대에게서 삭제** ]를 체크합니다.
②[ **확인** ]을 터치합니다.

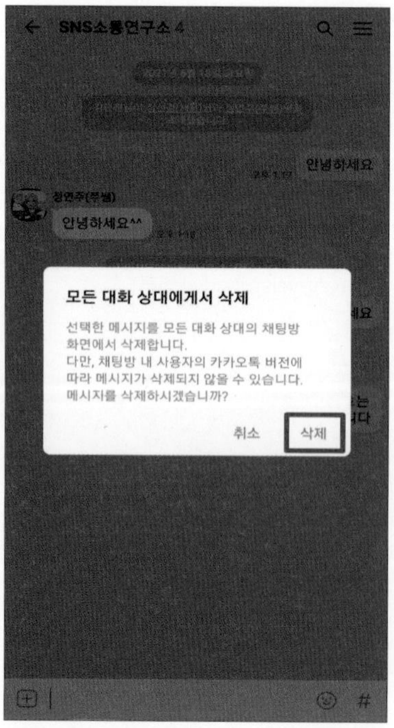


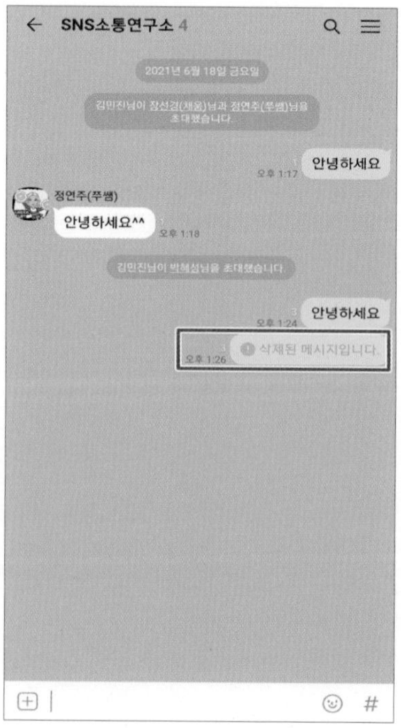


1 [ 삭제 ]를 터치합니다.
2 잘못 보낸 메시지는 삭제되고 [ **삭제된 메시지입니다** ]라는 문구가 보입니다.

# 그룹 채팅방 만들기 및 이름 변경하기

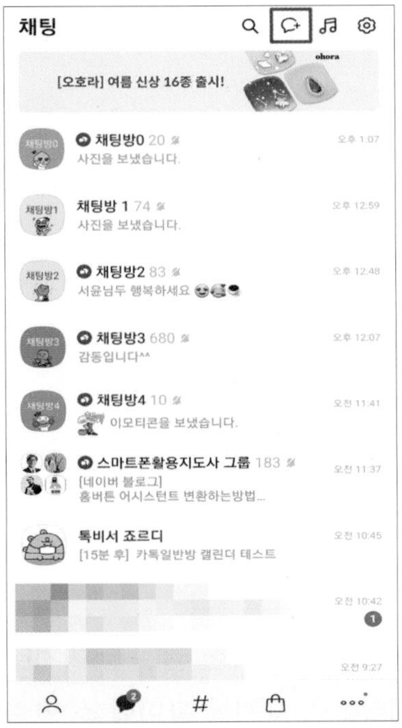

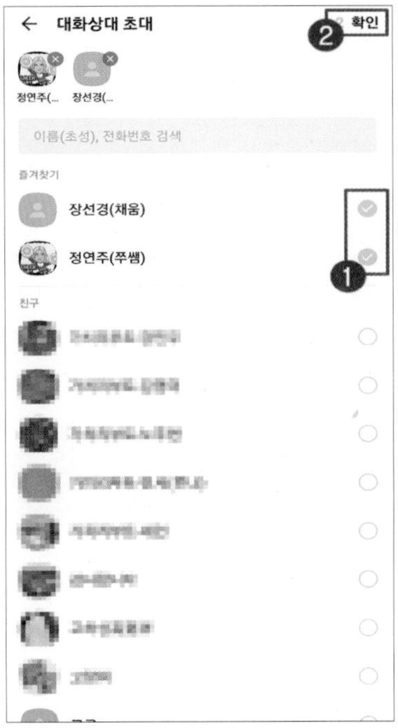


1 [ **채팅** ] 메뉴 우측 상단의 ⊕을 터치합니다. 2 [ **일반 채팅** ]을 터치합니다. 3 ①대화 상대를 선택합니다. ②[ **확인** ]을 터치합니다. (이름, 전화번호 검색으로 친구를 찾을 수 있습니다.)

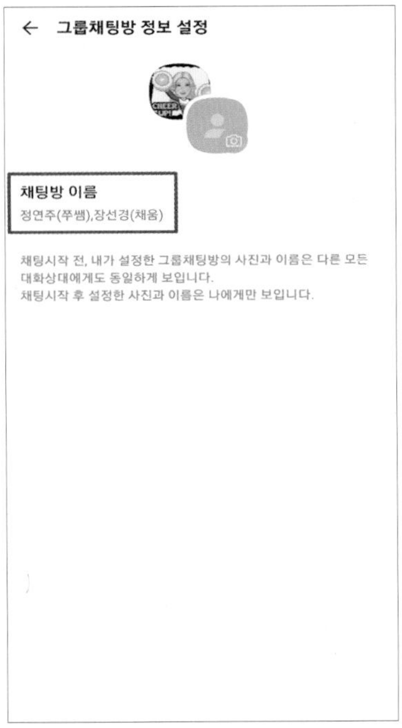

1 그룹 채팅방이 만들어지면 [ **그룹채팅방 정보 설정하기** ]를 터치합니다. 2 [ **채팅방 이름** ]을 터치합니다. 3 ①채팅방 이름을 입력합니다. ②[ **확인** ]을 터치합니다.

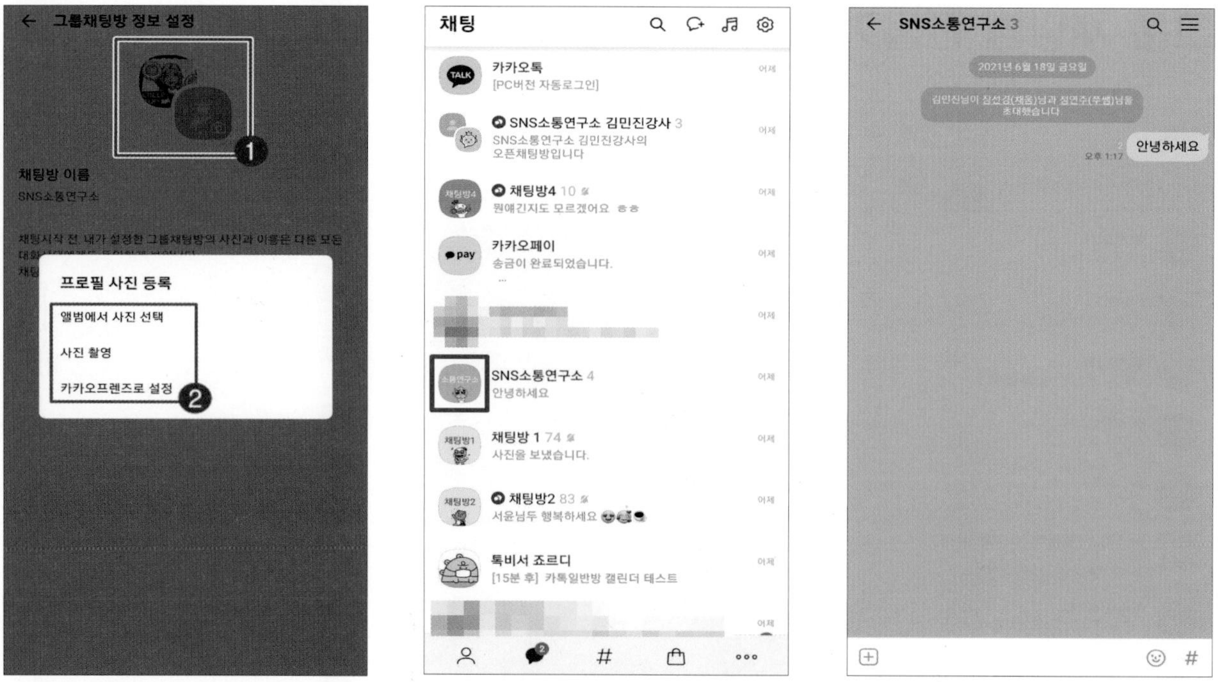


1 ①[ 사진 아이콘 ]을 터치합니다. ②앨범에서 사진을 선택할 수도 있고, 바로 사진 촬영을 하거나 카카오 제공 이미지를 설정할 수 있습니다. 2 채팅 메뉴 창에서 그룹채팅방의 사진을 확인할 수 있습니다. 3 채팅 입력창에 내용을 입력하고 전송하면 채팅방 생성이 완료됩니다.

## 그룹 채팅방에 지인 초대하기

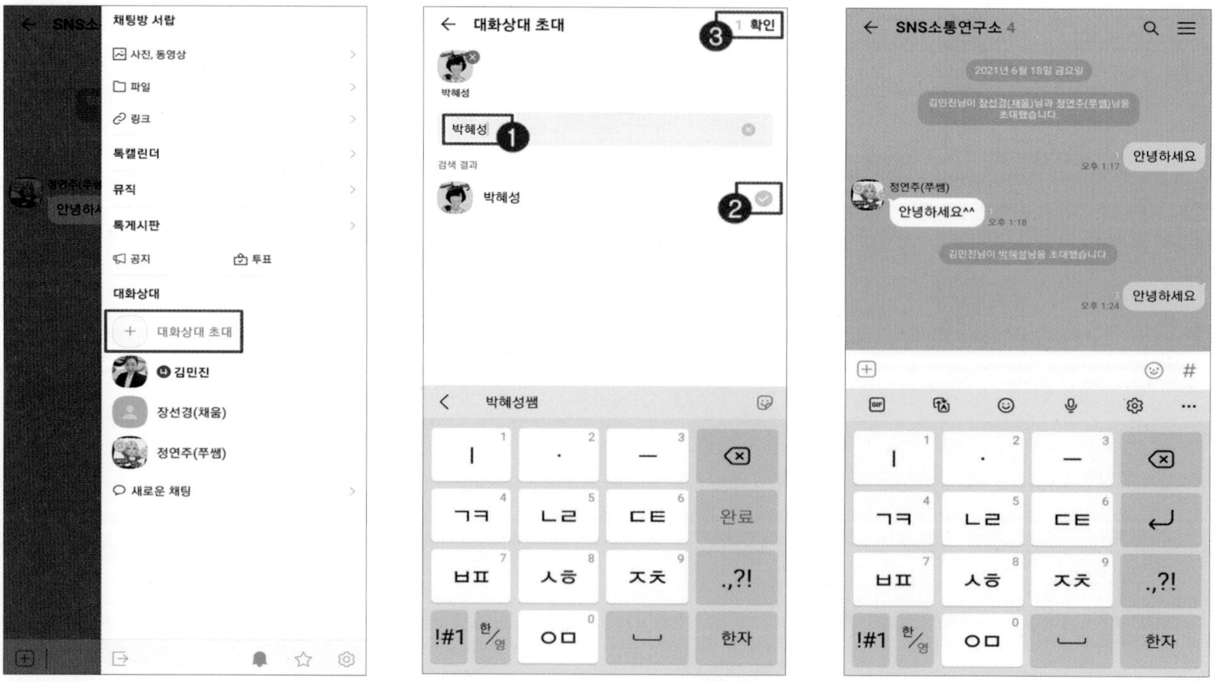


1 그룹 채팅방 우측 상단의 [ 삼선표시 ]를 터치합니다. [ 대화상대 초대 ]를 터치합니다.

2 ①초대를 원하는 지인을 검색합니다. ②대화상대를 선택합니다. ③[ 확인 ]을 터치합니다.

3 채팅 입력창에 내용을 입력한 후 전송하면 채팅방에 지인이 초대됩니다.

# 오픈 채팅방 만들기 및 활용법

**1** ①💬을 터치합니다. ②💬+을 터치합니다. **2** ①[ **오픈 채팅** ]을 터치합니다. ②[ **카카오톡오픈채팅** ]에서 [ **오픈 채팅** ]을 터치합니다. ③[ **만들기** ]를 터치합니다. ④[ **그룹 채팅방** ]을 터치합니다.

**3** ①[ **오픈 채팅방 이름** ]을 입력합니다. ②[ **다음** ]을 터치합니다.

③오픈 채팅방을 소개하는 [ **#해시태그** ]를 입력합니다. ④[ **다음** ]을 터치합니다

**1** ①프로필 사진을 터치하여 사진을 변경합니다. ②[ **톡 프로필로만 참여 허용** ], [ **검색 허용** ] 여부를 체크합니다. ③[ **다음** ]을 터치합니다. **2** ①[ **커버 이미지 변경** ]을 터치하여 커버 이미지를 변경합니다. ②[ **완료** ]를 터치합니다. **3** 오픈 채팅방이 생성됩니다. 오픈 채팅방에 대화상대를 초대하려면 [ **삼선 표시** ]를 터치합니다.

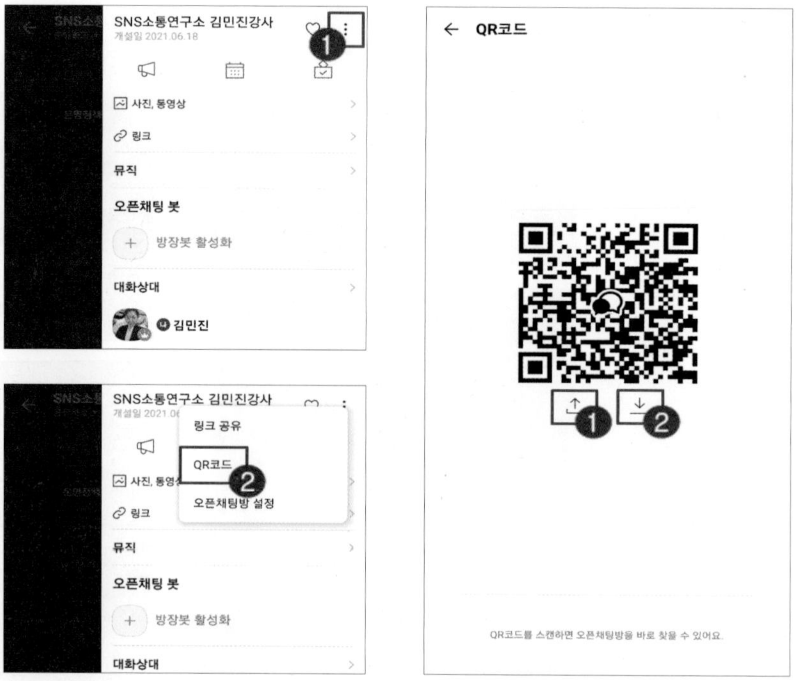


1 ⋮ ①을 터치합니다. ②[ QR코드 ]를 터치합니다.

2 QR코드가 생성됩니다. ①터치하면 QR코드를 공유할 수 있습니다. ②터치하면 QR코드를 저장할 수 있습니다. QR코드를 스캔하여 오픈채팅방에 입장합니다.

## 친구 숨김 및 숨김 친구 관리하기

1 숨기고 싶은 친구의 이름을 지그시 터치합니다. 2 [ 숨김 ]을 터치합니다.

3 [ 확인 ]을 터치합니다.

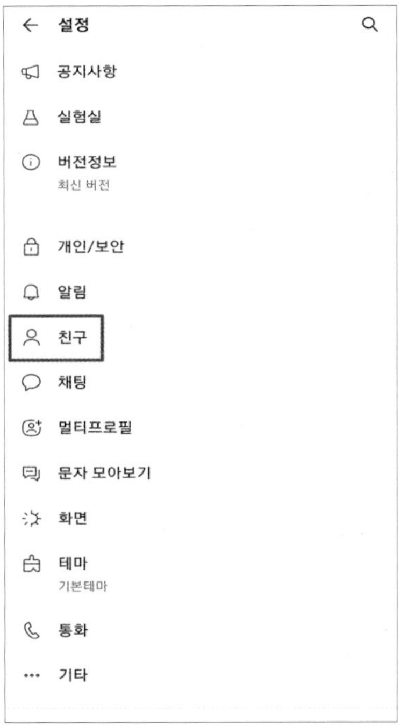


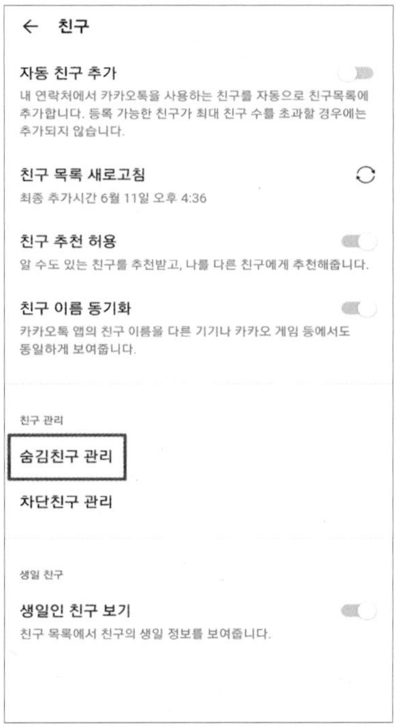


**1** ①⚙을 터치합니다. ②[ **전체 설정** ]을 터치합니다. **2** [ **친구** ]를 터치합니다.
**3** [ **숨김친구 관리** ]를 터치합니다.

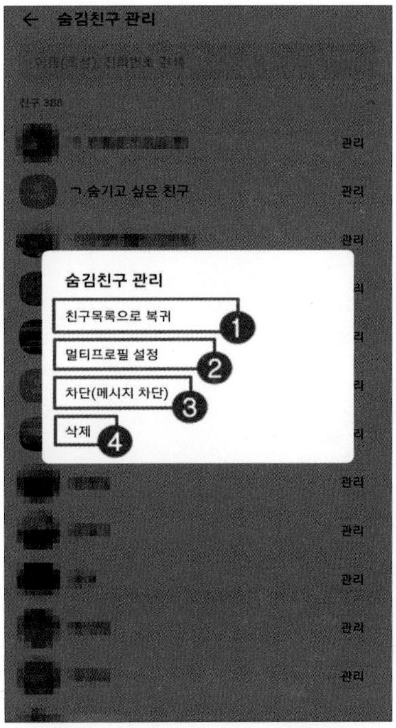


**1** [ **숨김친구 관리** ]에서 숨김친구 목록을 볼 수 있습니다. [ **관리** ]를 터치합니다.
**2** ①[ **친구목록으로 복귀** ]를 터치하면 다시 친구목록에 숨김친구가 나타나게 됩니다.
②[ **멀티프로필 설정** ]을 터치하면 숨김친구가 보는 내 프로필을 바꿀 수 있습니다.
③[ **차단(메시지 차단)** ]을 터치하면 차단한 친구가 보내는 메시지를 받을 수 없으며 친구목록에서 삭제할 수 있습니다. ④[ **삭제** ]를 터치하면 내 카카오톡 친구목록에서는 삭제되지만 메시지는 받을 수 있습니다.

# 카카오톡 선물하기

**1** 내가 보내고자 하는 대상의 채팅창에서 왼쪽 더하기 [ ✚ ]를 터치합니다. **2** [ **선물하기** ]아이콘을 터치합니다. **3** [ **선물하기** ] 창에서 다양한 카테고리와 상품을 볼 수 있고 카카오 머니로 구매할 수 있습니다. 카카오톡 더보기 [ ••• ] 화면에서도 [ **선물하기** ] 화면으로 이동할 수 있습니다.

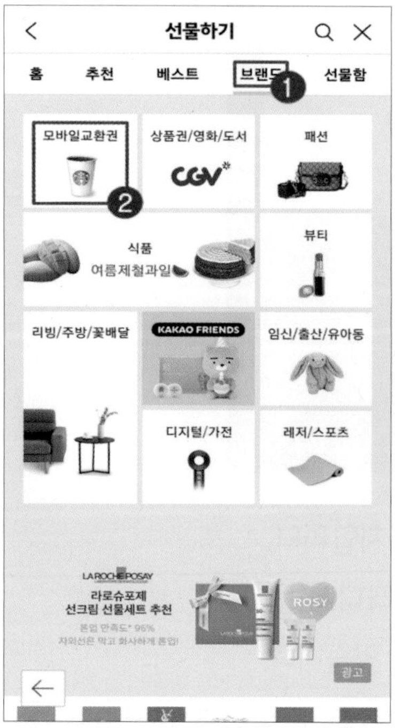

**1** 내가 보내고자 하는 ①[ **브랜드** ]를 선택하여 ②[ **모바일 교환권** ]을 터치합니다. **2** 원하는 상품을 선택하여 터치합니다. **3** ①[ **수량** ]을 확인하고 ②[ **선물하기** ]를 터치합니다.

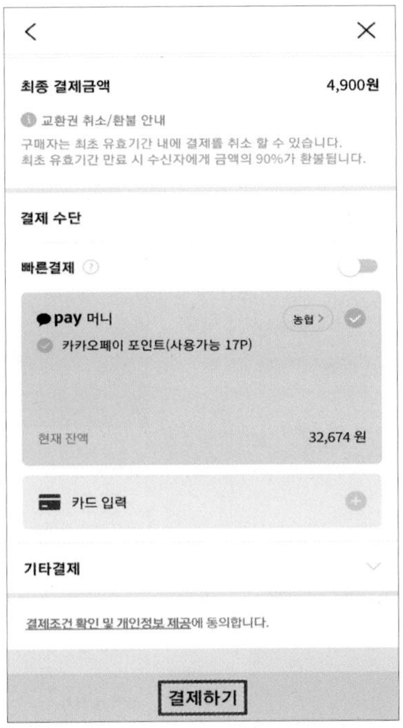

1 최종 결제금액을 확인하고 원하는 결제 수단(카카오 머니, 카드, 기타결제)을 선택하고 [ **결제하기** ] 버튼을 터치합니다. 2 내가 보내고자 하는 상대방에게 선물쿠폰이 발송됩니다.

**CHECK 리스트**

# 카카오톡 송금하기

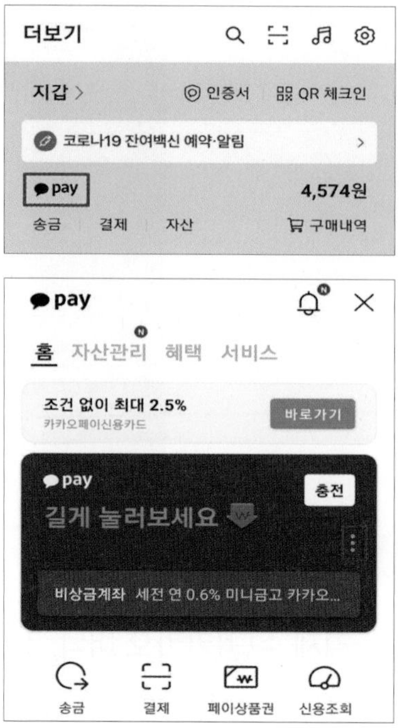


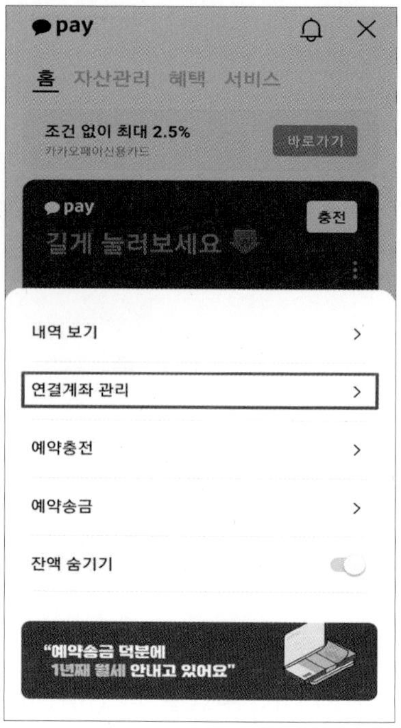


1 카카오톡에서 송금하기를 하기 위해 카카오페이에 계좌연결을 해야합니다.
하단에서 더보기 [ ••• ]를 터치합니다.
2 [ **더보기** ]에서 [ pay ]를 터치한 후 우측 점 세개를 터치합니다. 3 [ **연결계좌 관리** ]를 터치합니다.

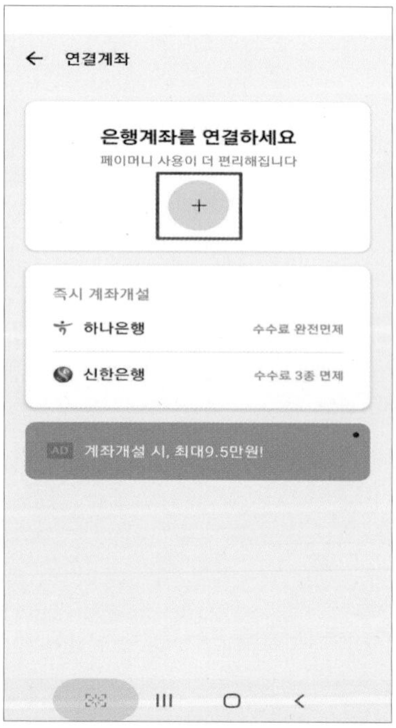


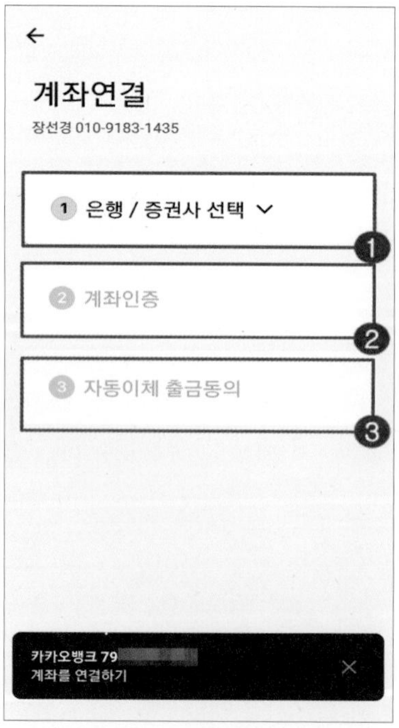


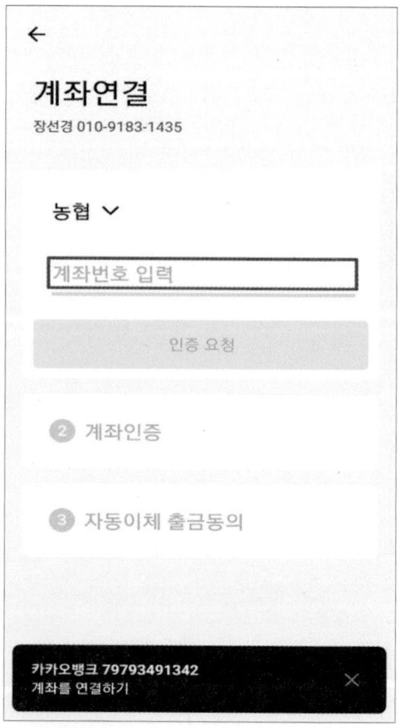


1 은행계좌를 연결하기위해 더하기 [ ✚ ]표시를 터치합니다. 2 먼저 ①을 선택하여 원하는 은행을 선택합니다. 3 선택한 은행의 계좌를 입력한 후 인증요청을 합니다.

1 연결한 통장에 1원의 입금자명을 확인하고 ①에 입력후 ②[ **확인** ]을 터치합니다.

2 ①[ **ARS 인증번호 요청** ]을 터치한후 전화가 오면 안내에 따라 ②의 숫자를 입력합니다.

3 ①약관에 전체동의를 체크한 후 ②[ **확인** ]을 터치하면 계좌연결 완료 메시지 창이 나타나며 카카오페이 계좌연결이 되었습니다.

1 계좌번호를 입력하거나 친구를 선택해서 보내는 두가지 방법이 있습니다. [ **더보기** ]메뉴에서 [ **송금** ]을 터치한 후 ①[ **보내기** ]를 터치하여 상대방의 ②은행 & 계좌번호 입력을 합니다.

2 ①보내고자 하는 금액을 입력한 후 ②[ **보내기** ]를 터치하면 송금이 됩니다. 그리고 [ **송금** ] 화면에서 [ **친구** ]를 선택하고 보낼수 있는데 카카오머니로 입금이 되고 계좌로 입금시에는 통장에 현금으로 입금됩니다.

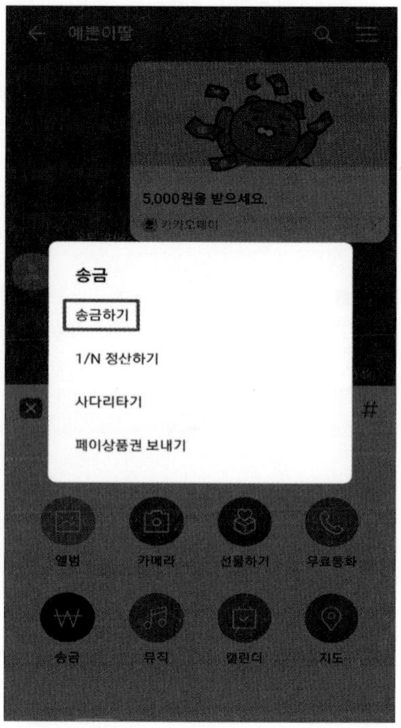


**1** 내가 보내고자 하는 대상을 선택하여 채팅창 왼쪽 더하기 [ ✚ ]를 터치합니다.
**2** [ **송금** ]아이콘을 터치합니다. **3** 알림창이 나타나면 [ **송금하기** ]를 터치합니다.

**1** ①보내고자 하는 금액을 입력한후 ②[ **봉투에 담기** ]는 선택하여 사용할 수 있으며 ③[ **보내기** ]를 터치합니다. **2** 송금완료 화면이 나오면 [ **확인** ]을 터치합니다. 상대방이 받기를 하면 상대방의 카카오 머니로 보내집니다.

# 카카오톡 멤버십 바코드 활용하기

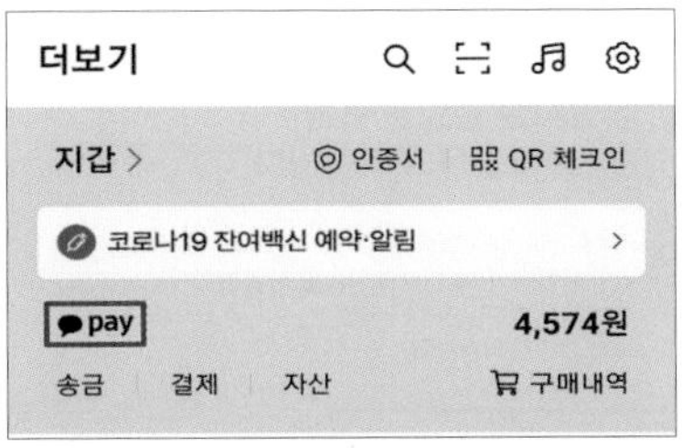

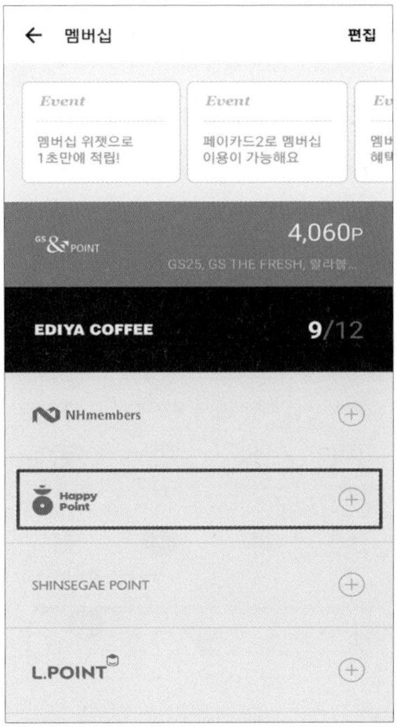


1 [ **친구** ]메뉴에서 아래 더보기 [ ••• ]을 터치합니다.

2 [ **더보기** ]메뉴에서 [ pay ]를 터치하면 상단의 ①[ **서비스** ]를 터치한후 화면을 아래로 내려 ②[ **결제** ]부분을 찾아 ③[ **멤버십** ]을 터치합니다.

3 다양한 멤버십 포인트중 내가 자주 사용하는 것을 선택합니다.

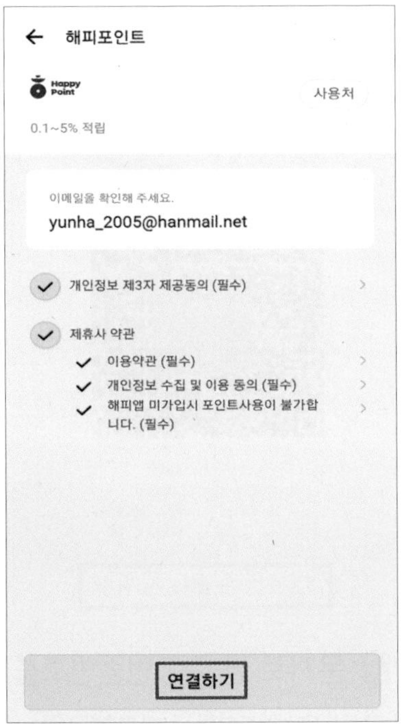


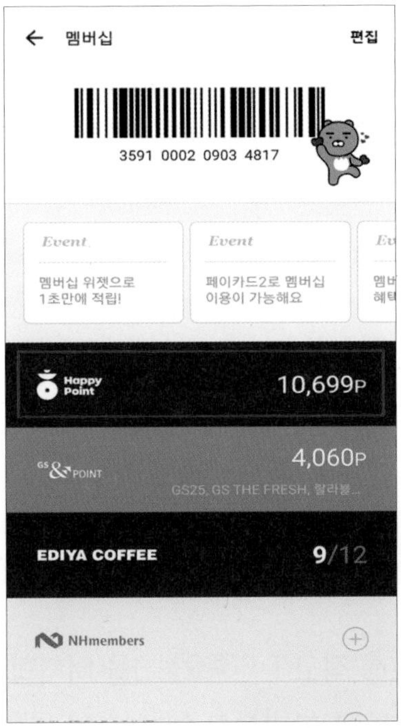


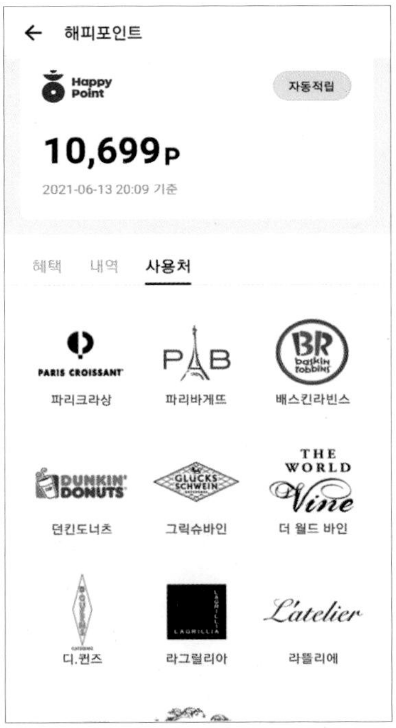


1 [ **해피포인트** ]를 선택을 하고 약관에 동의한 후 [ **연결하기** ]를 터치합니다.

2 통합바코드 하나로 해피포인트가 가능한 여러 사용처에서 편리하게 적립할 수 있습니다.

# 카카오톡 QR코드 흔들어서 입장하기

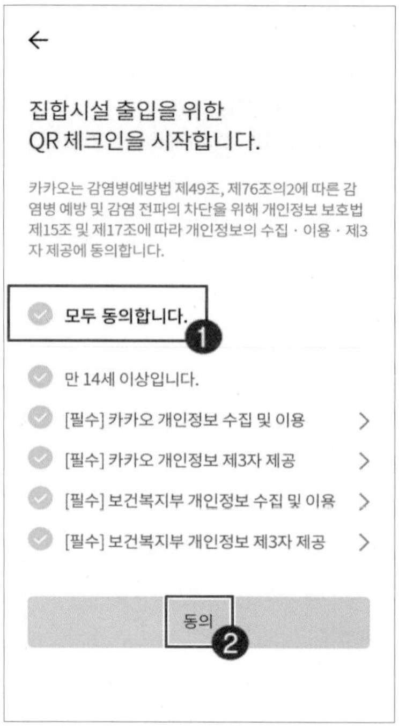


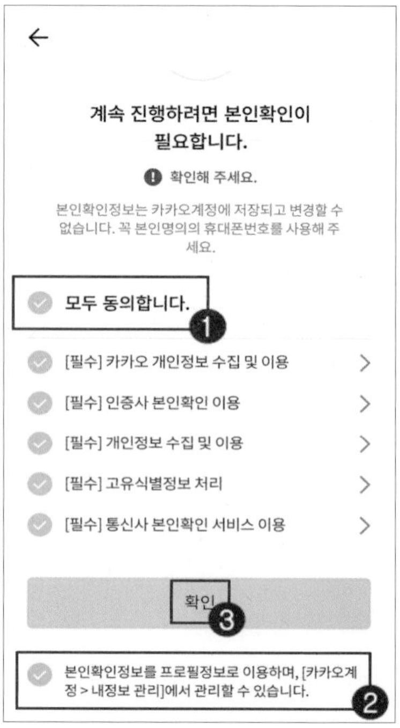


1 카카오톡에서 QR코드를 발급받기 위해서 ①[ **더보기** ] 메뉴에서 ②[ **QR체크인** ]을 터치합니다. 2 ①[ **모두 동의합니다** ]를 선택한 후 ②[ **동의** ]를 터치합니다. 3 ①[ **모두 동의합니다** ]를 체크합니다. ③[ **확인** ]을 터치합니다. (②본인확인 정보를 프로필 정보로 이용하려면 체크합니다.)

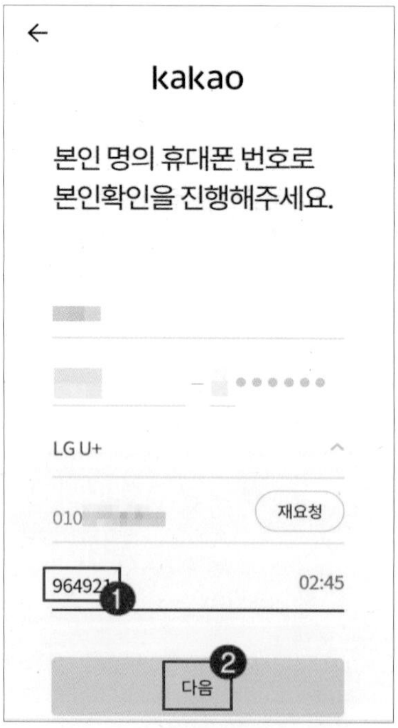

1 이름, 주민등록번호, 휴대폰 번호를 적고 [ **인증요청** ]을 터치합니다. 2 문자로 받은 ①인증번호를 입력합니다. ②[ **다음** ]을 터치합니다. 3 카카오톡 QR체크인 생성이 완료된 후 하단에 [ **QR체크인 쉐이크 기능 켜기** ]를 터치합니다. (카카오톡 앱을 실행하고 휴대폰을 2번 흔들면 QR 체크인 화면이 나옵니다.)

# 카카오톡에서 1:1 보이스톡하기

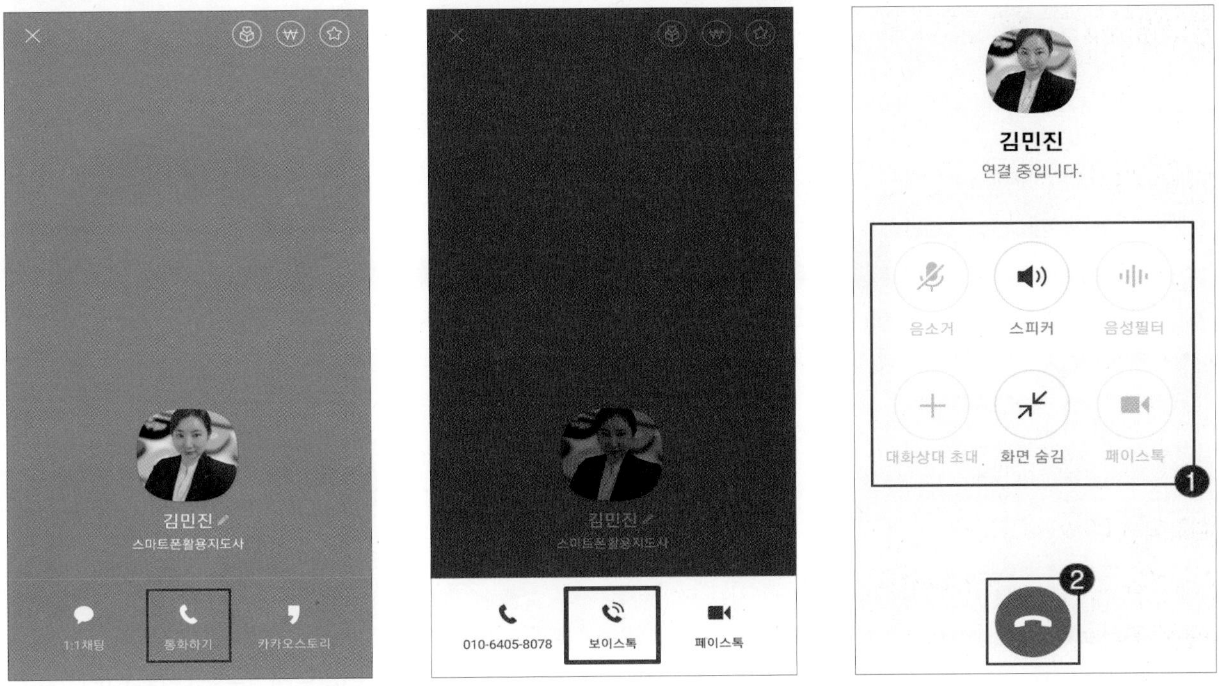


1 친구 목록에서 친구 이름을 터치합니다. [ **통화하기** ]를 터치합니다. 2 [ **보이스톡** ]을 터치합니다.

3 ①보이스톡을 하면서 기능을 선택할 수 있습니다. ②터치하면 통화가 종료됩니다.

# 카카오톡에서 그룹 보이스톡하기

1 ①그룹 채팅방에서 하단의 대화 입력창 왼쪽 [ ✚ ]를 터치합니다. ②[ **통화하기** ]를 터치합니다. ③[ **그룹 보이스톡** ]을 터치합니다. (10명까지 가능) 2 그룹콜 연결 중입니다. 3 터치하면 통화가 종료됩니다.

## 카카오톡에서 1:1 페이스톡(영상통화) 하기

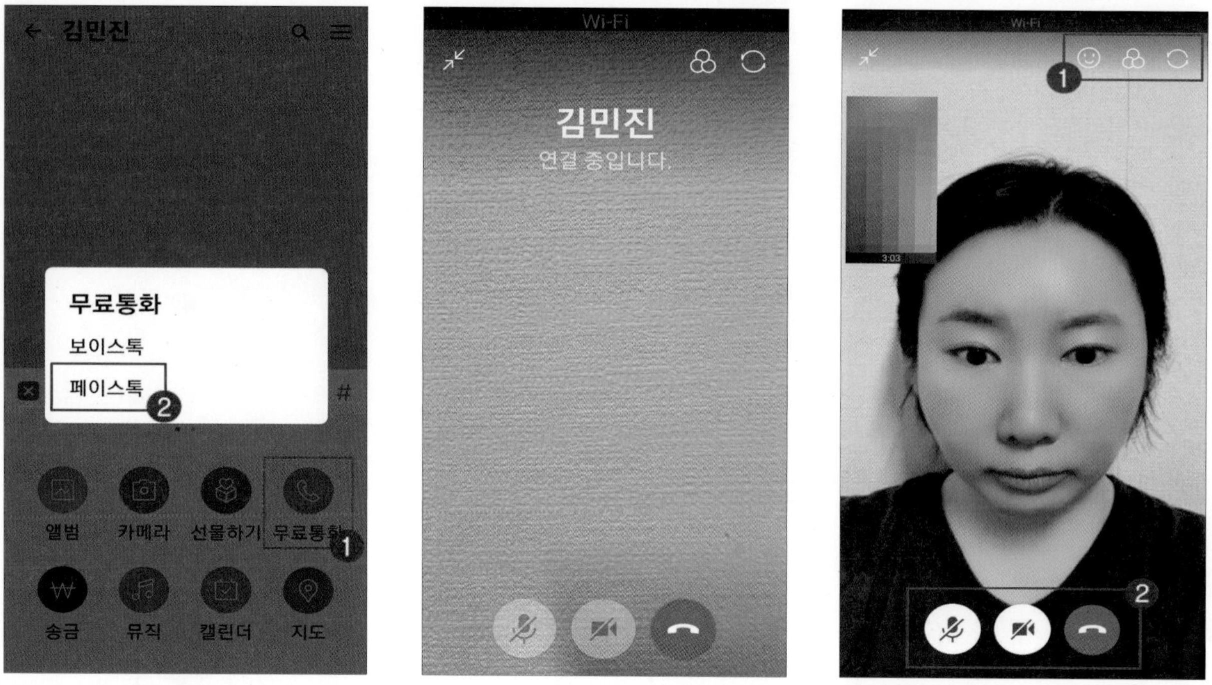


**1** 1:1 채팅방에서 하단의 대화 입력창 왼쪽 [ ✚ ]를 터치합니다. ①[ **무료통화** ]를 터치합니다. ②[ **페이스톡** ]을 터치합니다. **2** 페이스톡이 연결 중입니다. **3** ①왼쪽부터 이펙트, 필터, 화면전환 버튼을 터치하여 화면 상태를 조절합니다. ②왼쪽부터 음소거, 카메라 끄기, 통화종료 버튼입니다.

## 카카오톡에서 그룹 페이스톡(그룹영상통화) 하기

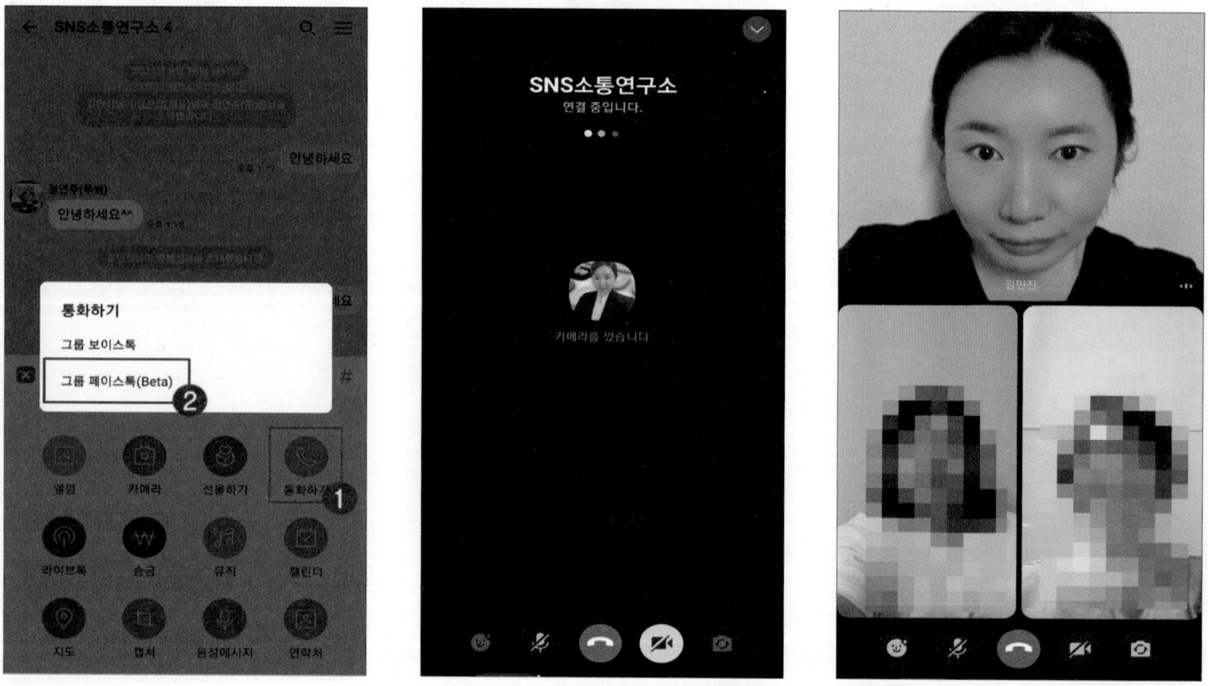


**1** 그룹 채팅방에서 하단의 대화 입력창 왼쪽 [ ✚ ]를 터치합니다. ①[ **통화하기** ]를 터치합니다. ②[ **그룹 페이스톡** ]을 터치합니다. **2** 그룹 페이스톡이 연결 중입니다. **3** 서로 얼굴을 보면서 대화가 가능합니다.

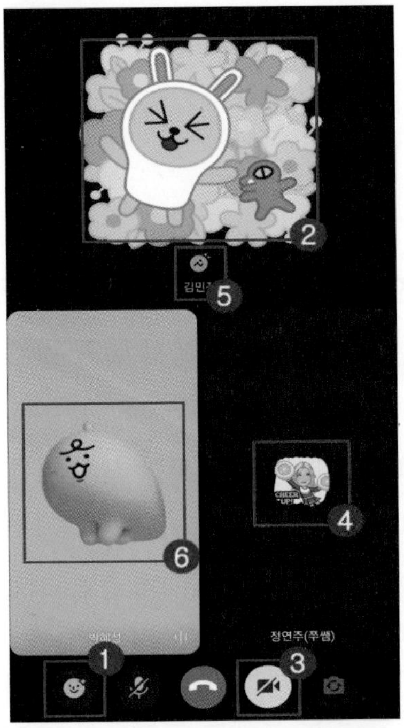


1 그룹 페이스톡의 다양한 기능을 알아보겠습니다.
①터치합니다. ②이모티콘을 사용할 수 있습니다.
③터치합니다. ④프로필 사진이 보입니다.
⑤터치합니다. ⑥카카오톡 캐릭터를 사용할 수 있습니다.

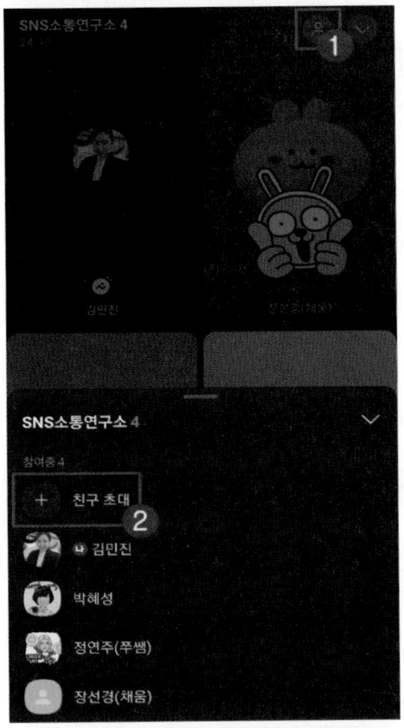


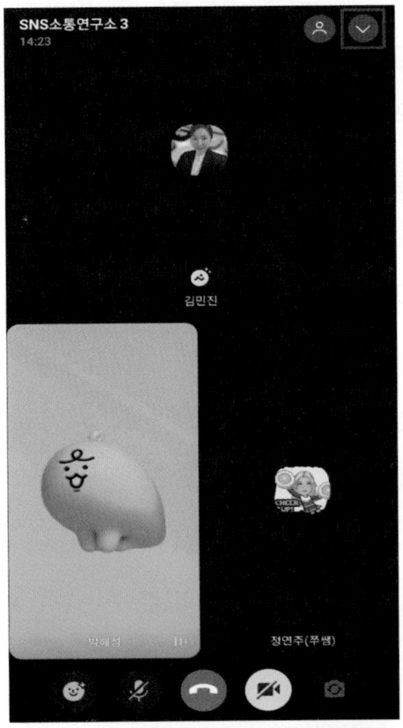


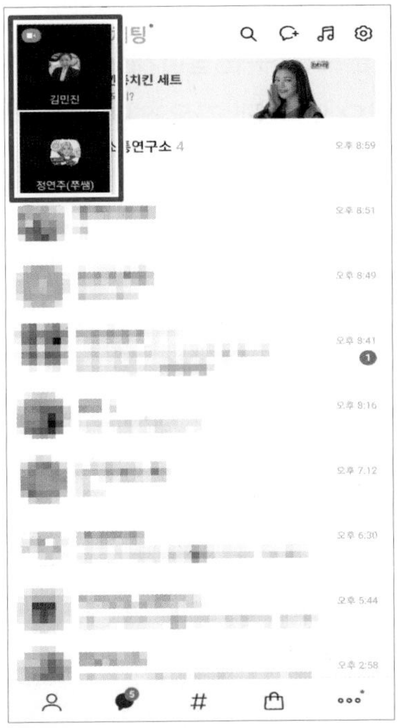


1 ①그룹 페이스톡 우측 상단의 을 터치합니다. (10명까지 가능) ②[ 친구 초대 ]를 터치하여 친구를 초대합니다. 2 를 터치합니다. 3 PIP(Picture-In-Picture) 기능은 그룹 페이스톡 창을 작은 플로팅 화면으로 만들어줍니다. 이 기능을 사용하면 페이스톡을 하면서 다른 작업을 할 수 있습니다.

CHECK 리스트

# 유튜브 앱 제대로 활용하기

## 유튜브와 광고

"아들아. 스마트폰 이거 어떻게 하는 거냐?"

"저번에 알려 드렸잖아요. 아버지, 웬만한 건 유튜브에 다 나와 있어요. 유튜브를 보시면 좋아요."

"다들 유튜브 유튜브 하더라만 그게 도대체 뭐냐? 한 번 들어가 봤는데 당체 복잡해서 뭐가 뭔지 모르겠더라"

유튜브에는 재미, 휴식, 교육, 정보 뉴스 등 수많은 내용(콘텐츠)들이 들어 있기 때문에 유튜브를 제대로 활용하는 것은 남녀노소 누구에게나 매우 중요하다고 할 수 있겠습니다.

유튜브에서 영상을 볼 때는 제일 먼저 '광고'에 대해 알고 보는 것이 좋다. 왜냐하면 유튜브에 있는 광고에는 '더 알아보기', '설치', '구매하기', '다운로드' 등을 유도하는 여러 가지의 문구가 들어 있기 때문이다. 스마트폰에 익숙한 사람들은 자신에게 필요한 광고, 필요 없는 광고를 선별하여 시청할 수 있지만 유튜브가 익숙하지 않은 분들은 그야말로 광고에 무방비로 노출이 되어 있습니다.

문제는 무분별하게 보여지는 광고로 인해 유튜브나 인터넷에서 정작 원하는 정보를 찾지 못하거나, 필요 없는 앱 다운로드를 하는 경우가 많다는 것입니다.

어르신의 스마트폰에 초등학생들이 하는 게임 앱들과 사용하지 않는 앱들이 아주 많이 설치되어 있는 것을 종종 볼 수 있다. 당연히 저장 공간도 많이 차지한다. "손주랑 같이 사시나 봐요? 이 앱들을 다 사용하시나요" 하고 여쭤보면 "아니요. 손주 없어요. 나도 몰라요. 그것들이 왜 내 폰에 깔려 있는지…"라고 대답하시는 분들의 경우 광고 때문인 경우가 많습니다.

TV를 볼 때 곳곳에 광고가 나오는 것처럼 유튜브에서도 영상을 볼 때 시작 전, 끝난 후에도 광고가 있고 영상이 긴 경우 중간광고도 들어가 있다. 유튜브 뿐만 아니라 play스토어, 카카오톡, 밴드 등 대부분의 앱과 웹에 광고가 들어 있는 것을 볼 수 있습니다.

온라인 공간, 디지털 공간에서의 활동을 피할 수 없는 시대가 되면서 인터넷, 앱, 웹 등에서 광고는 피할 수 없게 되었습니다.

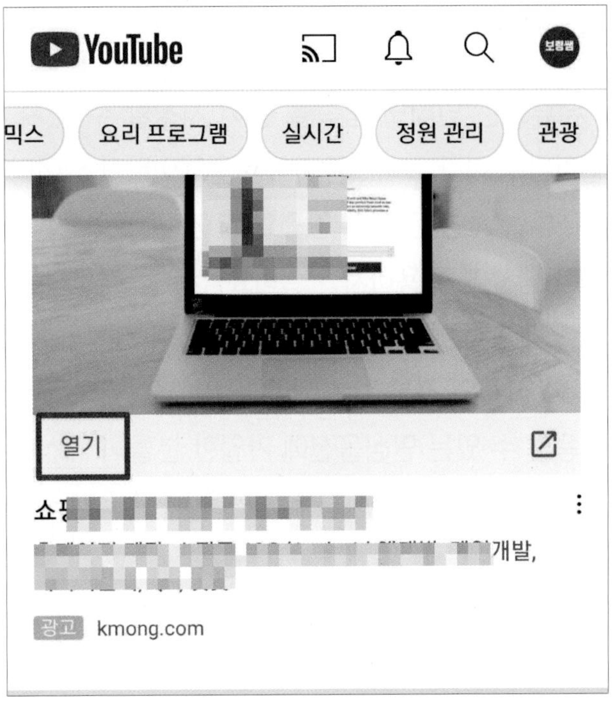


유튜브 화면에 보이는 **[ 설치 ]**, **[ 열기 ]** 등의 문구가 보이는데 터치하지 않는 것이 좋습니다.

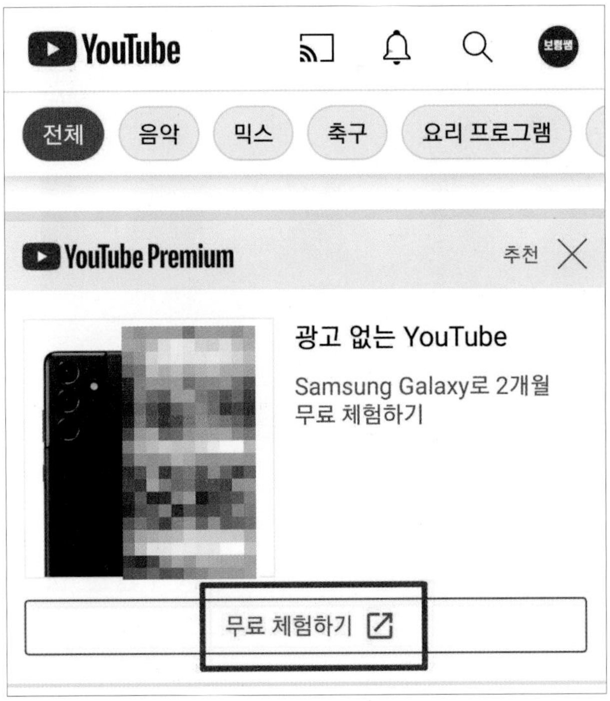


유튜브 화면에 보이는 **[ 다운로드 ]** 등은 터치하지 않는 것이 좋으며,**[ 무료 체험하기 ]**의 경우에도 터치하면 미리 카드결제를 하고 나중에 취소해야 되는 경우가 많으므로 가급적 하지 않는 것이 좋습니다.

## 유튜브와 와이파이, 모바일데이터

유튜브는 인터넷 접속을 통해 시청할 수 있기 때문에 유튜브를 사용하기 위해서는 와이파이가 설치된 곳이나 스마트폰의 모바일데이터가 있어야 사용할 수 있습니다.

유튜브 사용은 쉽고 간편할 뿐만 아니라 인공지능이 추천해 주는 개인 맞춤형 콘텐츠를 즐길 수 있어 생활에 유용하지만 실버요금제 등 제공되는 모바일데이터의 양이 적은 분들의 경우 "유튜브에서 노래 몇 곡 들었더니 데이터 다 썼다"는 이야기를 종종 들을 수 있습니다.

어르신들의 경우 기본 제공되는 LTE나 5G 모바일데이터가 모두 소진된 후에 데이터를 무제한으로 사용할 수 있는 안심옵션에 가입한 분들이 계신데 '안심옵션 무제한 데이터'의 경우 3G 통신 속도로 제공되어 유튜브 영상을 터치했을 때 뱅글뱅글 돌아가기만 하는 등 원활하게 사용하기 어려운 경우가 많습니다.

따라서 유튜브를 제대로 사용하기 위해서는 와이파이가 있는 곳에서 사용하는 것을 권장하며, 모바일데이터를 사용하여 유튜브를 시청하는 경우 본인의 요금제에서 제공되는 모바일데이터의 용량을 확인하여 '데이터 요금 폭탄'을 맞지 않도록 주의해야 합니다.

요즘 부모와 자녀들이 가족 결합 등으로 '데이터 무제한', 또는 '가족끼리 데이터 공유'하는 경우가 많은데, 젊은 부모와 자녀들끼리만 모바일데이터를 공유할 것이 아니라 할머니, 할아버지께도 데이터를 공유하여 풍요로운 인터넷세상을 누릴 수 있도록 해드리면 좋을 것입니다.

와이파이와 모바일데이터를 사용하지 않는 앱

와이파이와 모바일데이터를 사용하는 앱

CHECK 리스트

## 유튜브 화면 설명

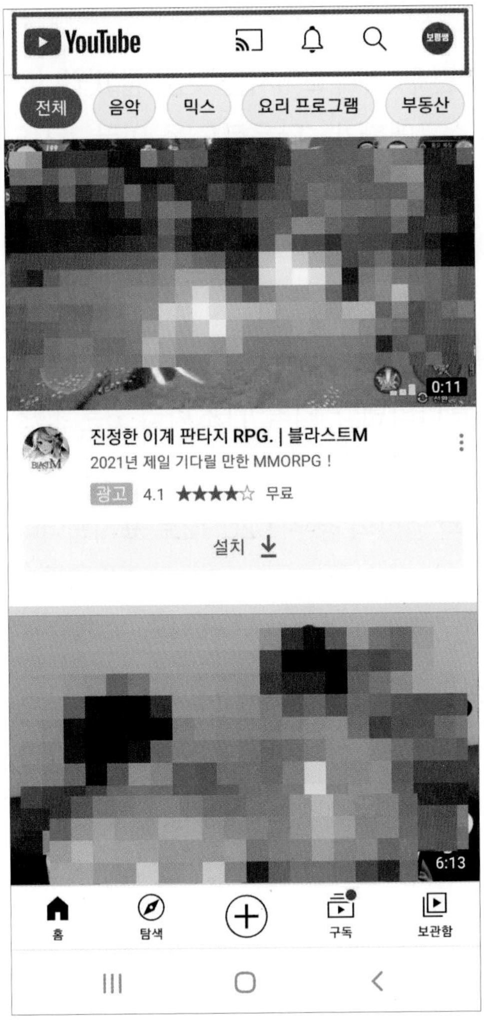

**기기를 연결하여 유튜브 TV시청하기 :** 스마트폰, 태블릿 또는 컴퓨터를 스마트TV나 다른 기기를 연결하여 TV에서 유튜브를 시청할 수 있다. YouTube TV를 지원하는 모든 기기에서 사용할 수 있습니다.

**종 :** 구독한 채널, 맞춤 동영상, 내 채널의 활동 등 내가 설정해 놓은 알림을 수신할 수 있습니다.

**알림 설정 방법 :** 유튜브 화면 1시 방향 내 이름 설정 알림 필요한 알림에 체크

**돋보기 :** 수많은 콘텐츠가 쌓여 있는 유튜브에서 돋보기를 사용하여 내가 원하는 정보를 직접 찾을 수 있다. 돋보기를 터치하면 자판이 나오며 원하는 검색어를 쓴 후 자판의 돋보기를 누르면 검색결과가 나온다. 1시 방향의 마이크를 사용하여 "미스터트롯 노래 찾아줘" 라고 말하여 검색할 수 있습니다.

1시 방향의 동그라미를 터치하여 내 개인 계정이나 내 채널 관련 정보를 볼 수 있으며 유튜브 사용에 필요한 설정을 할 수 있습니다.

CHECK 리스트

## 유튜브 화면 설명

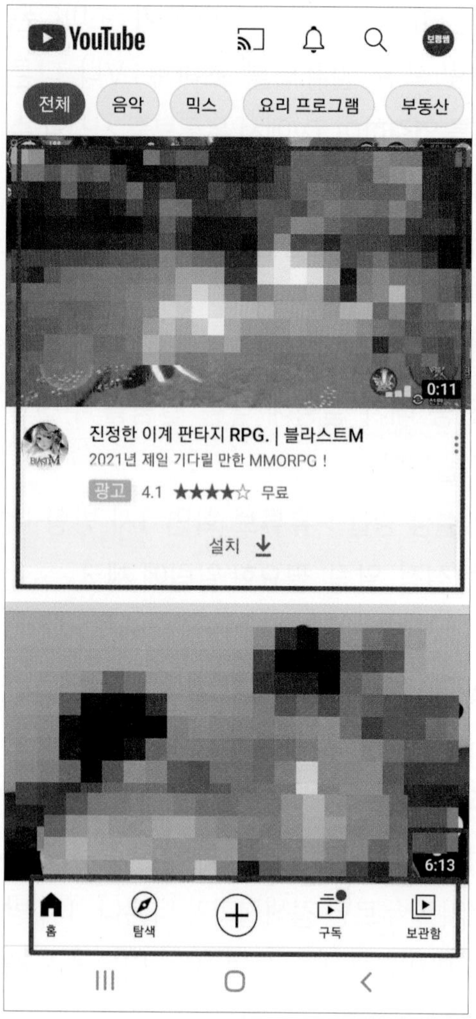


### 유튜브 상단 광고

유튜브 앱을 열면 화면 맨 위에 보여지는 것은 '광고'입니다. '더 알아보기', '설치','구매하기', '다운로드'등 여러 가지의 문구가 있는데, 꼭 필요한 경우에만 보면 좋습니다.

### 유튜브 영상 오른쪽 아래의 숫자

유튜브 화면 오른쪽 하단에 보이는 0:11, 6.13 등의 숫자는 영상 재생 시간을 나타낸다. 각각 11초짜리, 6분 13초짜리입니다.

1시간 20분 12초짜리 영상의 경우 1:20:12로 표시됩니다.

### 하단 메뉴

○ **홈** : 유튜브 첫 화면으로 가는 메뉴입니다.

○ **탐색** : 인기 급상승 동영상, 음악, 게임, 영화, 학습, 스포츠 등 장르별로 볼 수 있는 메뉴입니다.

○ ⊕ : 동영상 업로드나 실시간 스트리밍 시작, 게시물 작성 등 유튜브에 영상을 올릴 때 사용하는 메뉴입니다.

○ **구독** : 내가 구독하고 있는 채널이 보여집니다. 신문 구독처럼 원하는 채널이 있는 경우 구독할 수 있고 구독 해제 할 수 있습니다.

○ **보관함** : 내가 최근에 본 동영상, 어떤 동영상을 봤는지 알 수 있는 기록, 내가 업로드한 동영상, 구매한 내 영화, 나중에 볼 동영상, 재생 목록 등을 볼 수 있습니다.

CHECK 리스트

## 유튜브 영상 보는 방법

재생, 일시정지, 정지 등의 방식은 유튜브 뿐만 아니라 대부분의 음악, 동영상 플레이어가 아래와 같은 방법으로 사용합니다.

1 **재생** : 유튜브 영상을 터치하면 영상이 재생됩니다.

2 **일시정지** : 재생되고 있는 영상의 화면을 터치하면 Ⅱ표시가 나오며 Ⅱ을 터치하면 '옆으로 된 삼각형 모양'이 되면서 일시 정지합니다. 삼각형을 터치하면 다시 재생됩니다.

3 **다시 재생** : 삼각형을 터치하면 다시 재생됩니다.

## 유튜브 영상 빨리 재생하기 (배속으로 보기)

유튜브 영상 상단 점3개를 터치하여 재생속도를 빠른 속도로 보거나 느린 속도로 보는 등 재생 속도를 설정할 수 있습니다.

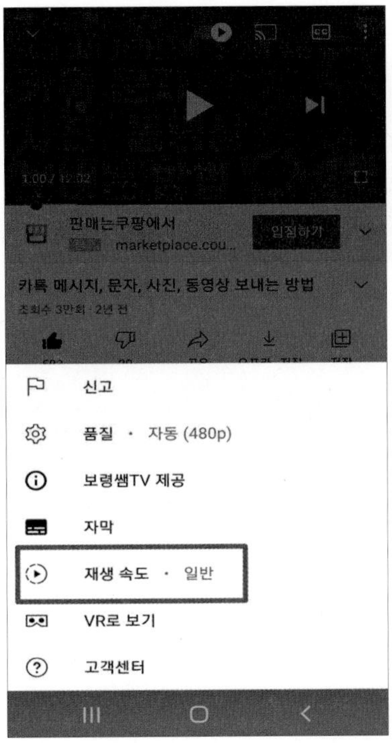


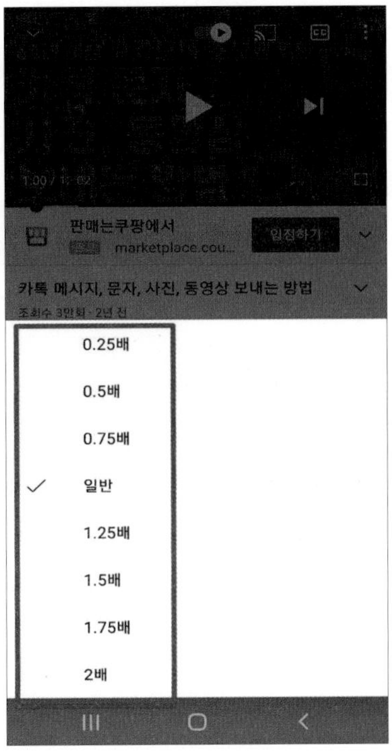

## 유튜브 알림 해제하기

스마트폰 상단 알림표시줄에 유튜브 영상 알림이 필요 이상으로 많이 뜨는 경우, 구독한 채널과 유튜브 알고리즘에 의해 맞춤 동영상 알림이 뜨는 경우가 많습니다. 그럴 때는 유튜브 화면 1시 방향의 내 프로필을 터치하여 설정, 알림에서 구독, 맞춤 동영상 알림을 해제하면 알림이 줄어듭니다.

## 유튜브 영상 화면 크게 보기

유튜브 영상 하단 5시 방향 뚫린 네모를 터치하여 스마트폰에 꽉 차게 가로 큰 화면으로 볼 수 있습니다. 다시 세로로 보려면 11시방향의 V를 터치하거나 5시방향의 를 터치합니다.

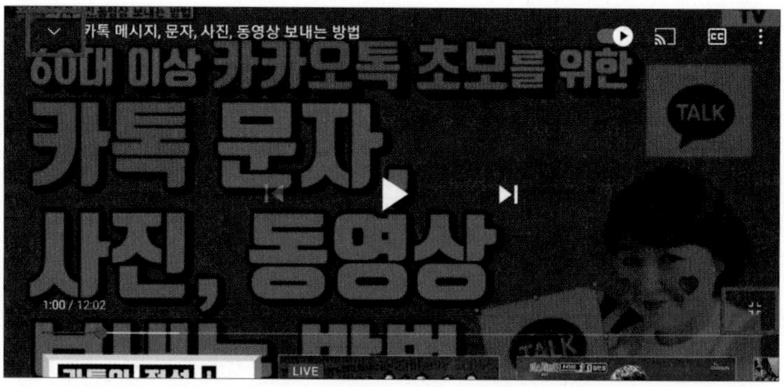


CHECK 리스트

## 유튜브 영상 광고 없이 보는 방법

유튜브 영상을 시청하다 보면 광고 없이 보면 좋겠다는 생각이 들 때가 있습니다. 그럴 때는 유앤미소프트에서 개발한 [ 땡꼬(TANGKO) ] 앱을 사용하면 좋습니다. 유앤미소프트는 무료로 양질의 음원 및 동영상을 시청할 수 있도록 하기 위하여 동영상 플랫폼 서비스인 "땡꼬"를 개발하여 2018년 스마트미디어 대상에서 우수상을 수상하였으며 현재 국내와 동남아시아 등에 수출하고 있습니다. [ 땡꼬 ]는 [ play스토어 ]에서 다운로드한 후 구글계정으로 로그인하여 휴대폰 본인인증하여 사용할 수 있습니다.

1 [ 땡꼬 ]를 다운받은 후 열기를 하면 [ Google 계정으로 로그인 하기 ] 화면이 보입니다.

2 터치하면 현재 스마트폰에 로그인되어 있는 [ 지메일 ] 계정이 보이게 되는데 터치합니다.

3 [ 휴대폰 본인 인증 ] 화면이 나오면 자신의 전화번호를 입력합니다.

1 자신의 문자로 온 [ 인증코드 ]를 입력한 후 [ 확인 ]버트을 터치하면 [ 땡꼬 ]를 활용할 수 있습니다.

2 맨 위 상단 [ 검색 ] 부분에 원하는 키워드를 입력하면 관련된 영상을 볼 수 있습니다. 상단 메뉴바에 보이는 [ 분야 ]를 터치하면 해당 [ 분야 ]에서 추천한 영상 콘텐츠들을 볼 수 있습니다.

# 네이버 앱 제대로 활용하기

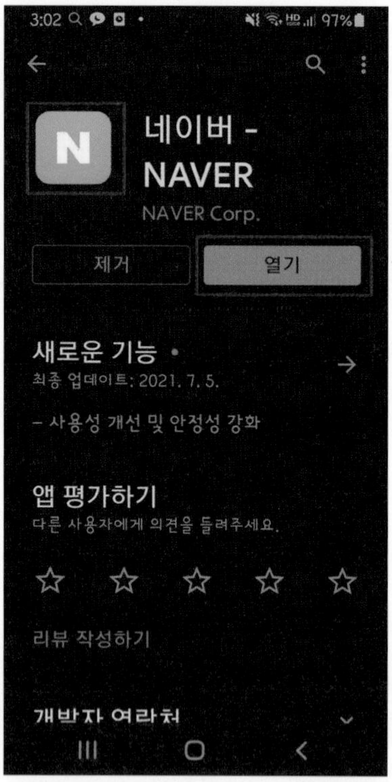

1 [ Play 스토어 ]에서 네이버앱을 설치하고 열기합니다. 2 왼쪽상단 [ **삼선** ]을 터치합니다.

3 바로가기에서 자주 사용하는 컨텐츠를 추가하거나 순서를 변경할 수 있습니다.

4 오른쪽 상단 [ **설정** ] 톱니바퀴를 터치합니다.

1 ①[ **화면 스타일 폰트 설정** ]터치합니다. 2 [ **가운데** ]화면 스타일을 터치하여 화면모드 변경 적용이 가능합니다. [ **글자크기. 글꼴** ]을 선택하여 [ **스타일** ] 적용 할 수 있습니다. 3 ②[ **홈 커버 꾸미기** ]를 터치하면 [ **내 사진** ]이나 추천 사진 등으로 홈 화면 [ **커버** ]로 사용할 수 있습니다.

1 음성 검색 활용하기는 ①[ **그린닷** ] 음성 검색 버튼과 ④[ **마이크** ] 음성 검색 버튼을 활용합니다.
2 왼쪽 ②[ **쇼핑 라이프** ]에서 상단의 각 메뉴를 즐길 수 있으며 ①[ **쇼핑** ]을 터치하면 패션, 먹거리 가득찬 콘텐츠입니다. 오른쪽 ③[ **뉴스.콘텐츠** ]를 터치하면 [ **뉴스** ] 검색창 화면이 보입니다. 3 뉴스와 연예, 스포츠 소식, 글로벌 경제 지표, 다양한 관심사를 담은 주제판 콘텐츠를 확인 할 수 있습니다.

**1** ①검색창에 **[ 인공지능 ]**을 검색해보기위해 입력하고 돋보기를 터치합니다. 지식백과, 뉴스, 블로그, 동영상등의 검색결과를 보여줍니다. ②화면을 **[ 위 ]**로 밀어 올리며 더보기 검색 합니다.

**2** 뉴스부분에서 읽고싶은 제목을 터치합니다. **3** ②**[ 본문듣기 ]**를 터치하면 기사를 들을수 있습니다. **[ 설정 ]**은 **[ 본문듣기 ]**에 대한 설정을 할 수 있습니다. ①**[ 요약봇 ]**을 터치하면 기사요약문을 보여줍니다. ③터치하면 기사글자 크기를 조절할 수 있습니다. ④**[ 더보기 ]** 아이콘을 터치하면 메뉴아이콘들이 있습니다. 사전, 번역기등이 있습니다.

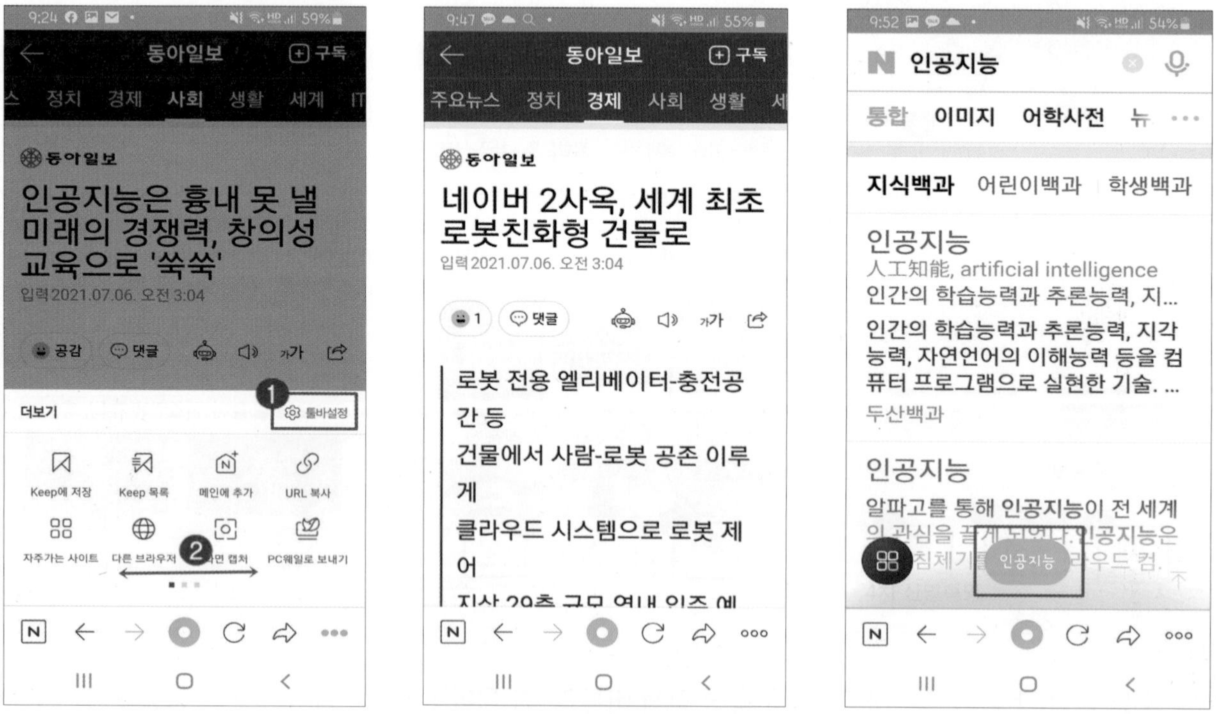


**1** ①**[ 툴바설정 ]**을 터치하면 보이는 메뉴 아이콘 선택과 순서를 조절할 수 있습니다. ②**[ ↔ ]** 화면을 좌.우로 드레그하면 추가 메뉴들을 볼 수 있습니다. **2** 검색창에서 마이크 아이콘**[ 음성 ]**을 터치합니다. **[ 그린 닷 ]**이 진동 파장을 보일 때 검색어나 명령어를 말합니다. **3** **[ 인공지능 ]**이라고 말하니 검색결과를 보여줍니다. **[ 내일 날씨 알려줘 ]**, **[ 메시지 ]**, **[ 앱 실행 ]**등을 명령 할 수 있습니다.

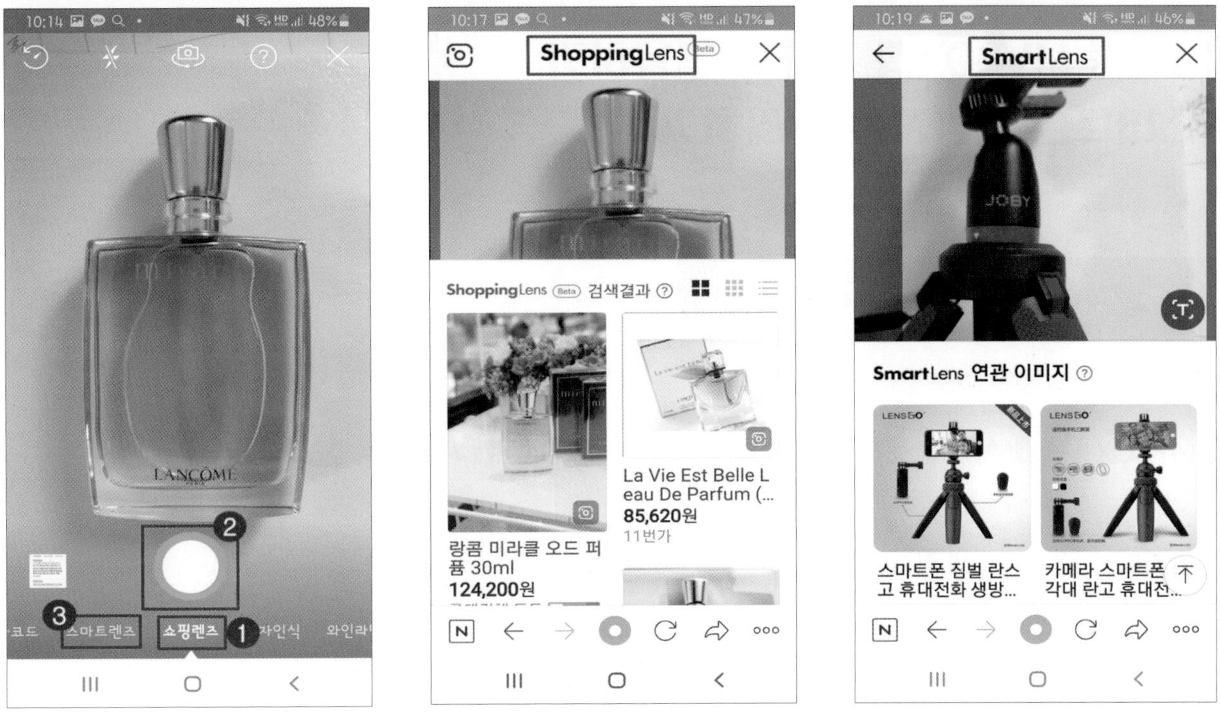


❶ 검색창에서 [ **렌즈** ]를 터치합니다. ①[ **쇼핑렌즈** ]를 드레그하거나 터치합니다. 사물을 화면에 놓고 ②[ **셔터** ] 아이콘을 터치합니다. 메뉴에 ③[ **스마트렌즈** ], [ **QR/코드** ] [ **와인라벨** ], [ **문자인식** ]이 있습니다. ❷ 유사한 물건들을 검색해서 가격과 함께 보여줍니다. 이중 원하는 물건을 터치하면 해당 쇼핑몰로 연결이 되어 구매가 가능합니다. [ **렌즈** ]에서 [ **스마트렌즈** ]를 선택하고 검색하고자 하는 사물을 촬영합니다. ❸ 그러면 유사한 이미지와 내용을 검색하여 보여줍니다

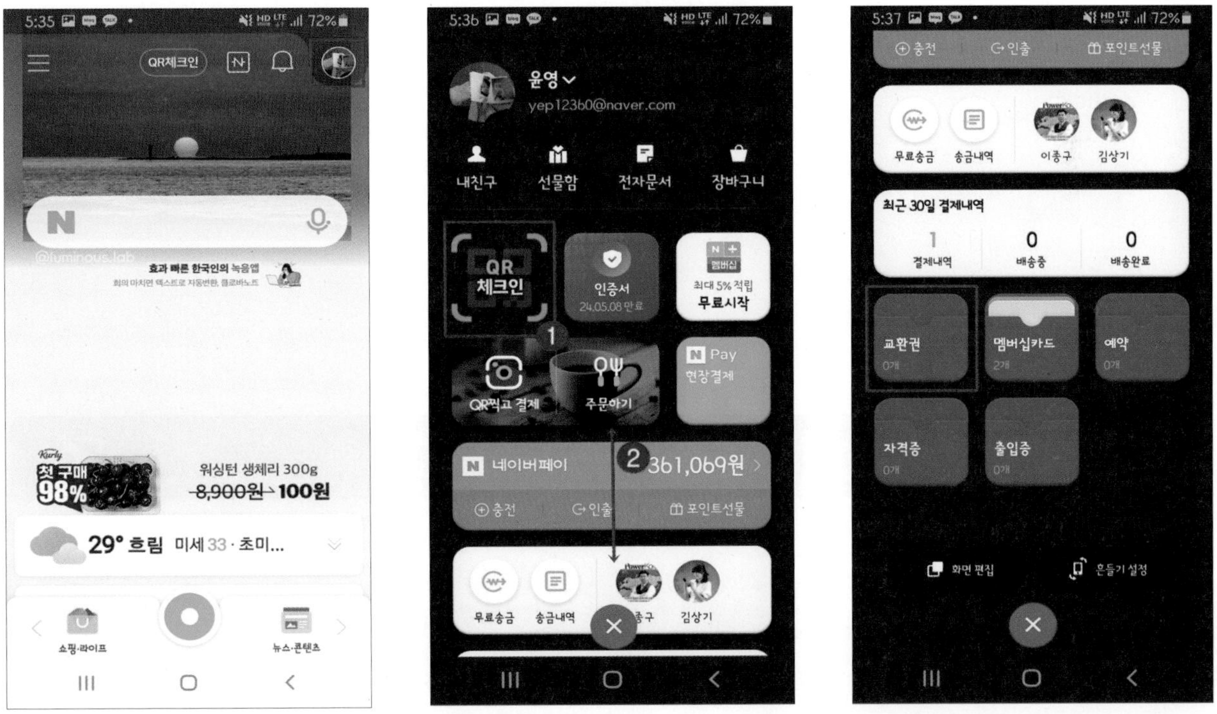


❶ 내 도구는 [ Na ]에서 간편하게 꺼내 쓸수 있습니다. 화면 상단의 오른쪽 내 프로필 아이콘 [ Na ]을 터치하거나, 홈 화면을 꾹 눌러 내리면 볼 수 있습니다. ❷ ①[ **QR체크인** ], [ **인증서** ], [ **네이버 페이** ], [ **현장 결제** ], [ **교환권** ] 등 자주쓰는 기능들만 정리되어 있습니다. ②도구 화면에 [ ↕ ]를 위 아래로 스크롤 하면 관심있는 메뉴를 터치하여 볼수 있습니다.❸ 오른쪽 도구 화면 하단에 [ **화면편집** ]을 터치합니다. 흔들거리는 아이콘을 드래그하여 이동할 수 있습니다.

# 네이버 MYBOX앱 제대로 활용하기 (스마트폰 저장공간 관리하기)

다운로드하기 Google Play
Download on the App Store

[ MYBOX ] - 앱(App)은 문서 또는 사진을 언제 어디서든 안전하게 저장할 수 있습니다.

[ MYBOX ] 앱(App)의 장점과 활용

- **자동 백업 및 동기화** - 일일이 업로드하지 않아도 쉽고 안전하게 보관할 수 있습니다.
- **언제 어디서나 접근** - 스마트폰, 태블릿, 모바일과 PC의 브라우저로 언제 어디서나 이용하세요
- **어떤 파일이든 보관** - 사진, 영상 뿐 아니라 라이브 포토, 음악, 문서 어떤 파일이든 보관하세요.

1 [ Play 스토어 ]에서 [ MYBOX ]을 설치하고 열기를 합니다. 2 기기의 사진, 미디어, 파일에 액세스하도록 허용하시겠습니까? 메시지가 나오면 [ **허용** ]을 터치합니다. 3 하단의 [ **건너뛰기** ]를 터치합니다.

1 화면 오른쪽 상단의 [ **로그인 단추** ]를 터치합니다. 2 메뉴목록에서 [ **기기 사진** ]을 터치합니다. 3 저장된 스마트폰 사진이 나타나면 올릴 [ **사진** ]을 터치하여 선택후 하단의 [ **올리기** ]를 터치합니다.

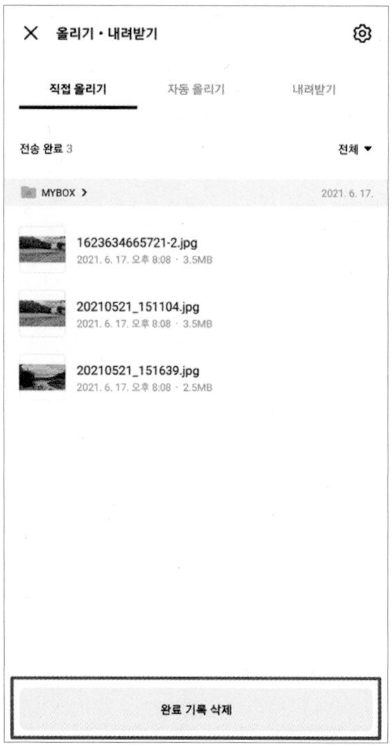

1 선택한 사진을 확인한 후 화면 하단의 [ **올리기** ]를 터치합니다.

2 선택한 사진이 네이버 MYBOX에 올리기가 완료되면 [ **완료기록 삭제** ]를 터치합니다.

3 네이버 MYBOX에 올린 사진을 확인하기 위해 하단의 [ **사진** ]을 터치합니다. 사진이 올려진 것을 확인할 수 있습니다.

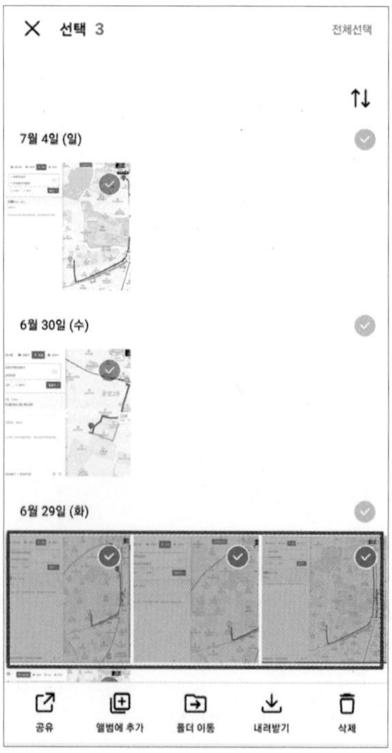


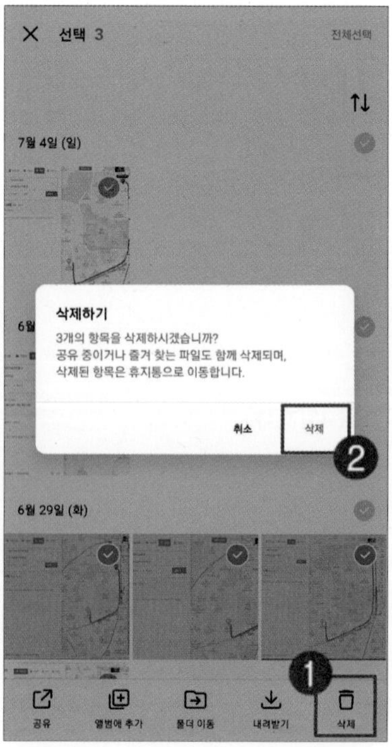


1 사진을 삭제하기 위해 화면 하단의 [ **사진** ]을 터치합니다.

2 삭제할 사진을 선택한 후 화면 하단의 ①[ **삭제** ] 를 터치 합니다.

3 [ **삭제하기** ] 창에서 ②[ **삭제** ] 를 터치 합니다. 3개의 사진이 삭제된 것을 확인할 수 있습니다.

# 멋진 카드뉴스 만들기(글그램 및 글씨팡팡)

[ 글그램 ] 앱(App)의 활용

[ 특징 ]

- 글그램은 사진에 글쓰기 어플로서 감성글, 사랑글, 안부인사, 응원글, 썸네일등 다양한 사진글귀를 만드는 최적화된 어플입니다.
- 글그램 앱(App)은 자신의 마음을 담은 카드뉴스를 만들 수 있습니다.
- 카드뉴스는 모바일의 가독성을 높이기 위해 이미지 위에 텍스트를 첨부하는 뉴스포맷입니다.

[ 장점 ]

- 글쓰기에 어울리는 83가지 카테고리의 배경을 제공합니다.
- 글쓰기에 어울리는 다양한 무료 한글 글꼴을 제공합니다.
- 카드뉴스에 다양한 스타일의 날짜 입력기능을 제공합니다.

[ 사용자별 앱 활용 ]

- **비즈니스맨 :** 회사 소개, 행사 및 제품 관련 정보를 가독성이 높은 카드뉴스로 만들어 홍보할 수 있습니다.
- **일반인 :** 감성글, 사랑글, 안부 인사 등 다양한 사진 테마를 활용하여 카드뉴스를 만들어 주변인들과 감성 소통을 할 수 있습니다.
- **가족 및 친지 :** 감성과 사랑을 담아 마음을 전하거나, 마주 보며 하기 어려운 대화나 감정의 표현을 카드뉴스에 담아 표현 할 수 있어 상호 간의 소통이 원활해지고 친밀감이 돈독해집니다.

## ▶ 글그램 설치하기

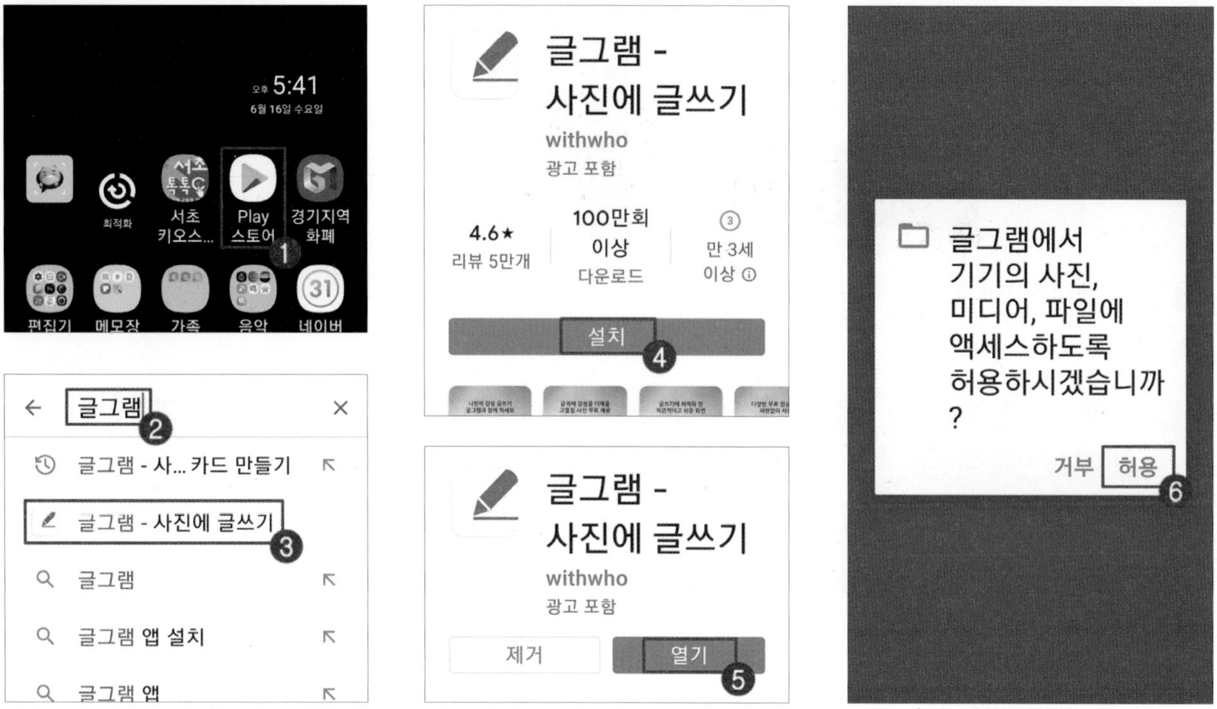


1 ①[ Play 스토어 ]에서 2 ②[ **글그램** ]을 검색하여 ③글그램-사진에 글쓰기 터치한 후 3 ④[ **설치** ]를 터치합니다. 4 설치가 다 되면 ⑤[ **열기** ]를 터치합니다. 5 ⑥[ **허용** ]을 터치합니다. 스마트폰에서 어떠한 어플을 사용하기 위해서는 허용, 동의 등을 해야 합니다.

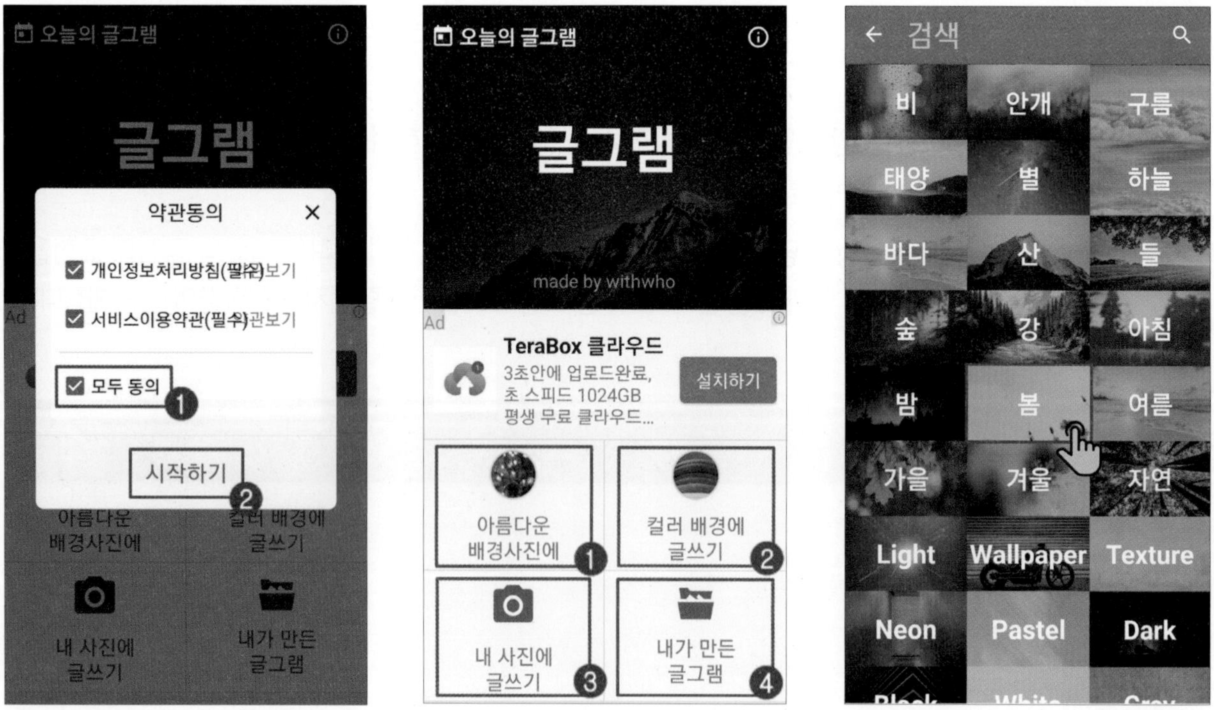


1 [ **약관동의** ]에 ①[ **모두동의** ] 체크하고 ②[ **시작하기** ]를 터치합니다. 2 글그램에서 [ **①아름다운 배경사진에** ] ②[ **컬러 배경에 글쓰기** ] ③[ **내 사진에 글쓰기** ] ④[ **내가 만든 글그램** ]을 편집하거나 공유할 수 있습니다. 3 책에서는 ex) ①[ **아름다운 배경사진에** ]를 터치하였습니다. 4 사진을 위로 밀어 올리며 원하는 배경을 선택 할 수 있습니다. 예시에서는 [ **봄** ]을 선택하였습니다.

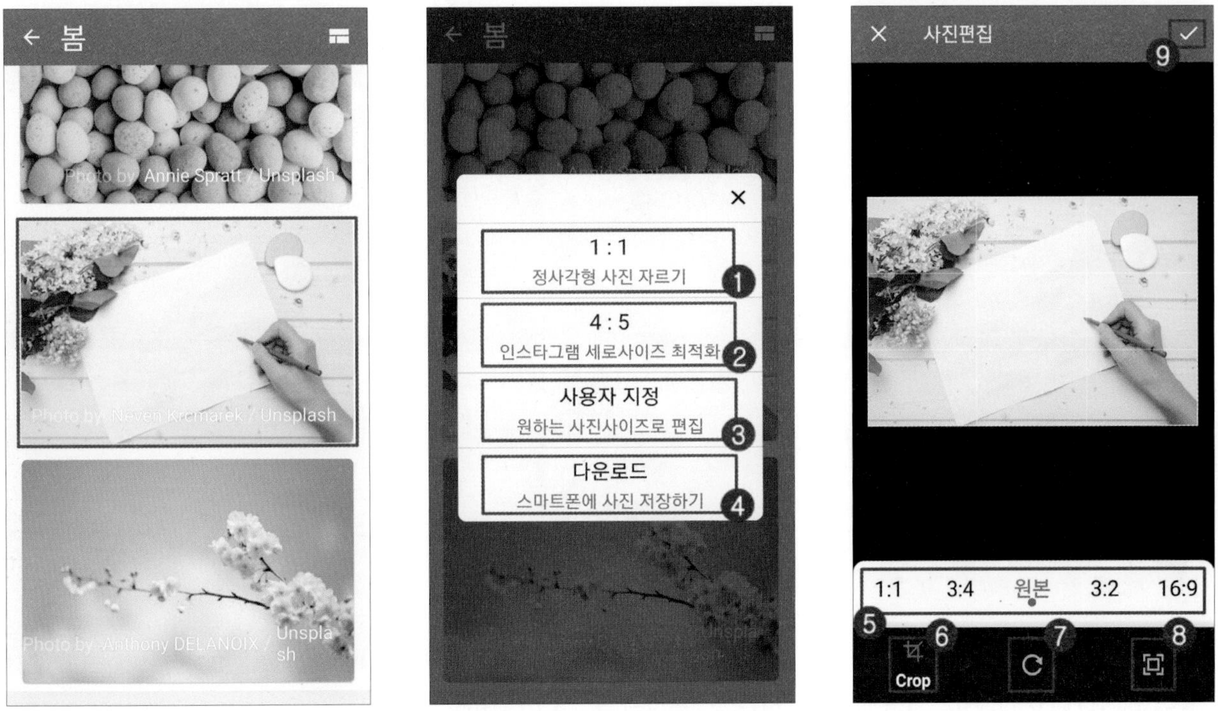


1 [ 봄 ]에서 그림을 위로 밀어 올리며 원하는 배경 사진을 선택 할 수 있습니다. 원하는 사진을 선택하면 2 ①[ 1:1 ] 정사각형 사진 자르기 ②[ 4:5 ] 인스타그램 세로사이즈 최적화 ③[ **사용자 지정** ] 원하는 사진 사이즈로 편집 ④[ **다운로드** ] 스마트폰에 사진 저장할 수 있습니다. ③[ **사용자 지정** ]은 3 ⑤[ 1:1, 3:4, **원본**, 3:2, 16:9 ]를 선택할 수 있으며, ⑥[ **자르기** ] ⑦[ **회전** ] ⑧[ **확대** ]조절할 수 있으며, 사진을 좌,우 드래그 또는 핑거줌 하여 원하는 구도를 잡은 후 ⑨[ ✔ ]를 터치합니다.

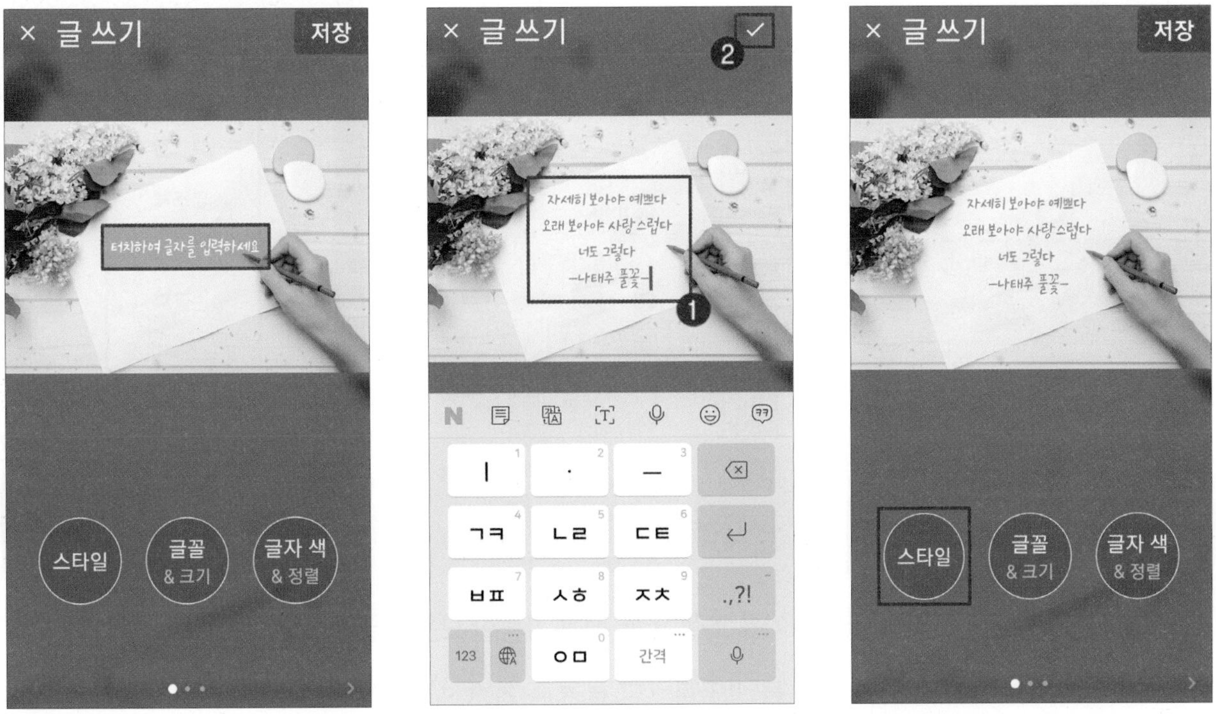


1 [ **터치하여 글자를 입력하세요** ]를 터치합니다. 2 ①입력하고자 하는 글을 입력한 후 ②[ ✔ ]터치합니다. 3 글의 스타일을 선택하기 위하여 [ **스타일** ]을 터치합니다.

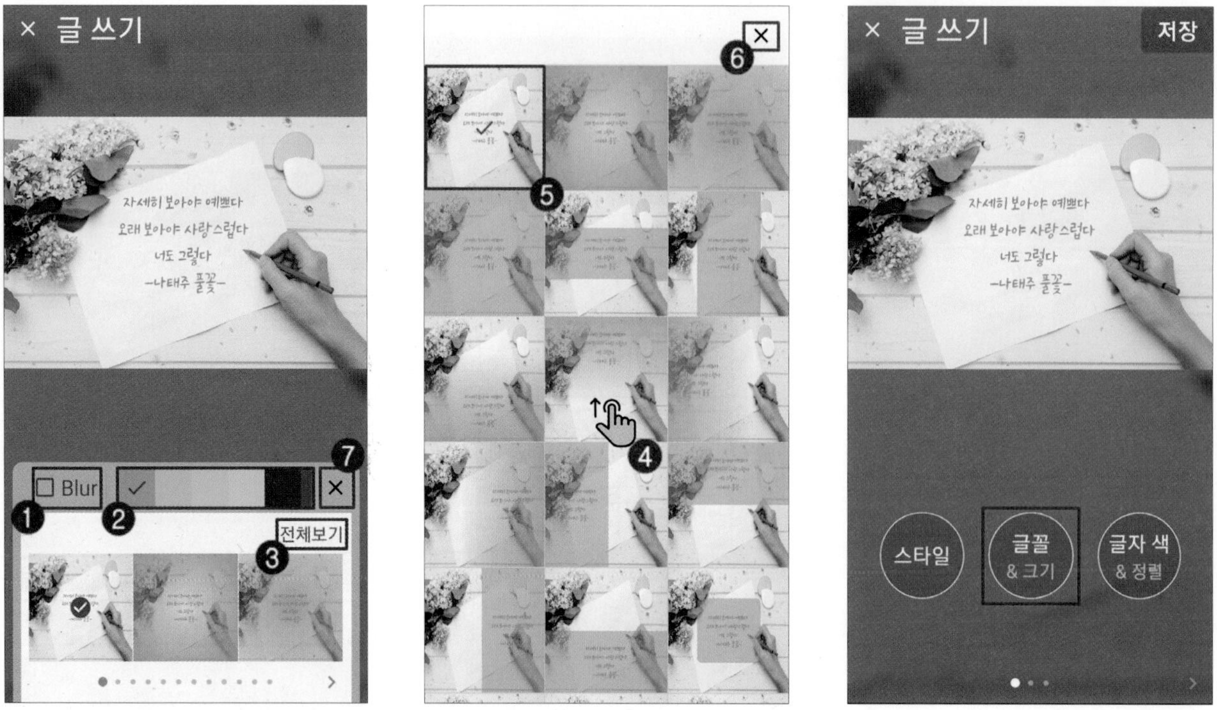


1 ①배경사진의 [ Blur ]효과 적용 여부를 결정하고, ②스타일의 배경색을 선택한 후 ③스타일[ **전체보기** ]를 선택합니다. 2 ④스타일을 위로 밀어 올리며 ⑤원하는 스타일을 터치합니다. 스타일 선택완료 후 ⑥[ ✖ ]를 터치합니다.

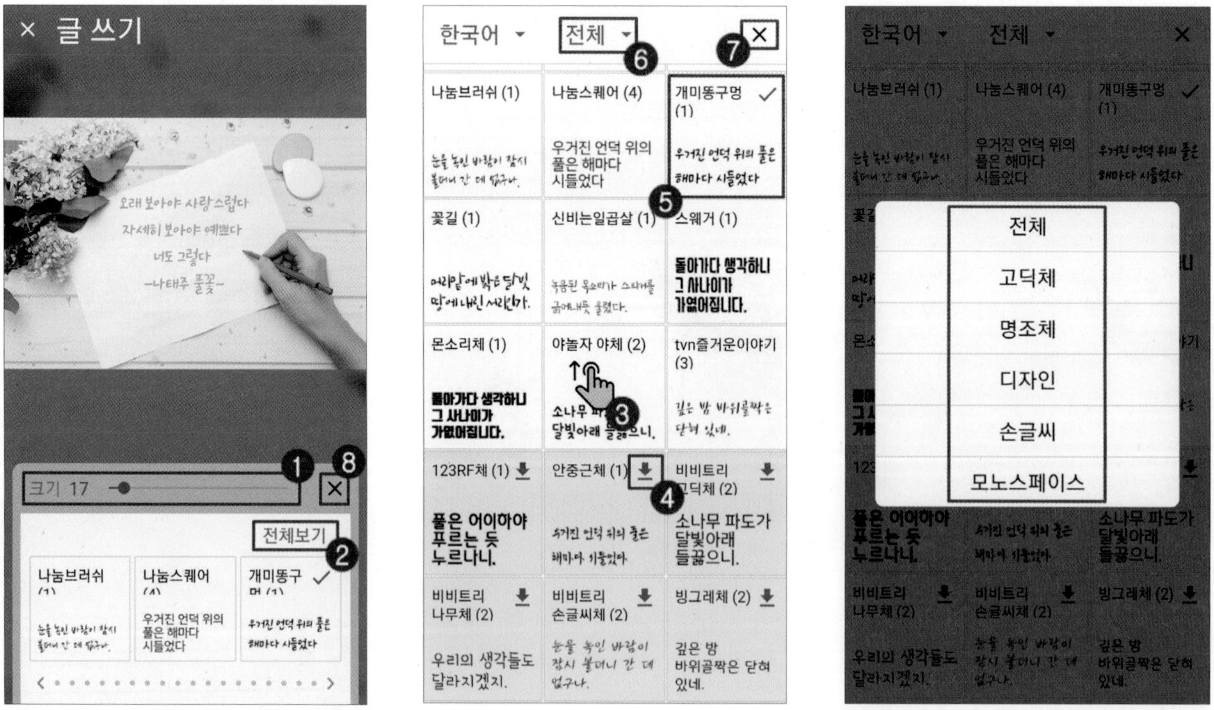


1 ①크기조절을 드래그하여 글씨 크기를 조절한 후, 적용 가능한 모든 글꼴을 보기 위해 ②[ **전체보기** ]를 터치합니다. 2 ③화면을 위로 밀어 올리며 원하는 글꼴을 찾아 ④적용하고자 하는 글꼴을 [ **화살표** ] 터치하여 다운로드합니다. ⑤다운로드 완료된 글꼴을 터치해서 적용합니다. 글꼴 모아보기 ⑥[ **전체** ]를 터치하여 3 [ **고딕체, 명조체, 디자인, 손글씨, 모노스페이스** ]를 선택하여 적용하고자 하는 글꼴을 찾아서 선택할 수도 있습니다.

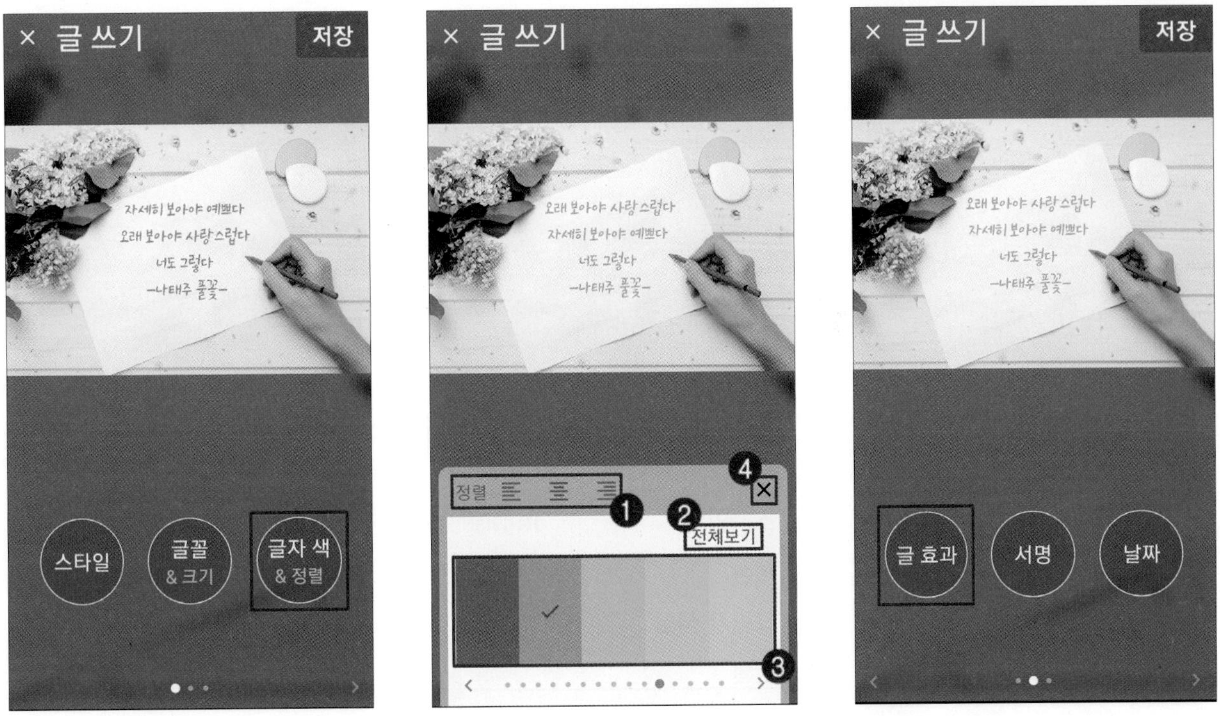


1 [ **글자색&정렬** ]터치하고 2 ①[ **정렬** ] 왼쪽, 가운데, 오른쪽 중에 선택하고, 적용 가능한 모든 글씨 색을 보기 위해 ②[ **전체보기** ]를 터치합니다. ③원하는 글씨 색을 선택 후 ④[ **✖** ]를 터치합니다.
3 글에 효과를 적용하기 위하여 [ **글효과** ]를 터치합니다.

1 ①글에 그림자를 적용하기 위하여 [ **반경, 위치, 색상** ]을 적용합니다. 다음 효과를 적용하기 위하여 ②[ **❯** ]을 터치합니다. 2 ③글의 투명도와 회전, 스타일을 설정하기 위하여 [ **투명도, 회전, 스타일** ] 메뉴의 조절점을 드래그하여 설정합니다. 다음 효과를 적용하기 위하여 ④[ **❯** ]을 터치합니다.
3 ⑤[ **줄간격, 글자간격** ]의 조절점을 드래그하여 설정합니다. ⑥설정 완료 후[ **✖** ]를 터치합니다.

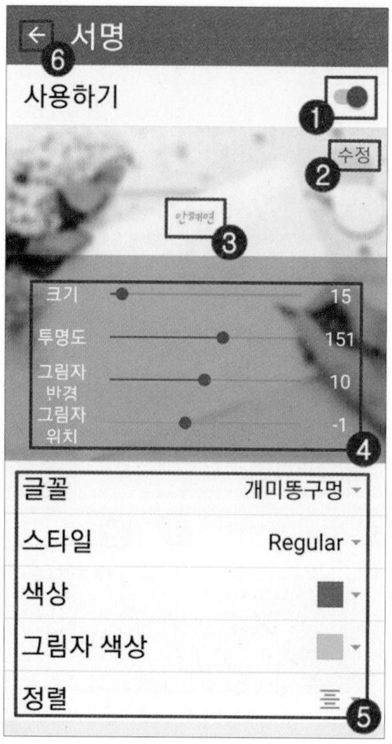

❶ [ **서명** ]을 터치합니다. ❷ ①[ **사용하기** ]오른쪽 버튼 선택하고 ②, ③을 터치하여 문구를 수정, 입력합니다. ④[ **크기, 투명도, 그림자반경, 그림자위치** ]를 설정하고 ⑤[ **글꼴, 스타일, 색상, 그림자 색상, 정렬** ]을 선택합니다. ⑥[ **←** ]를 터치합니다. ❸ 글의 날짜를 적용하기 위하여 [ **날짜** ]를 터치합니다.

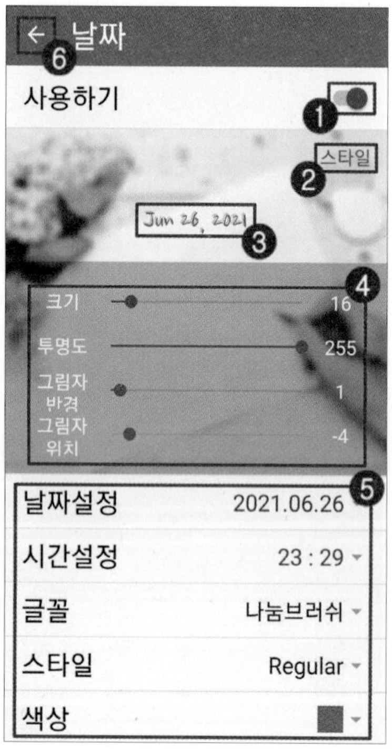

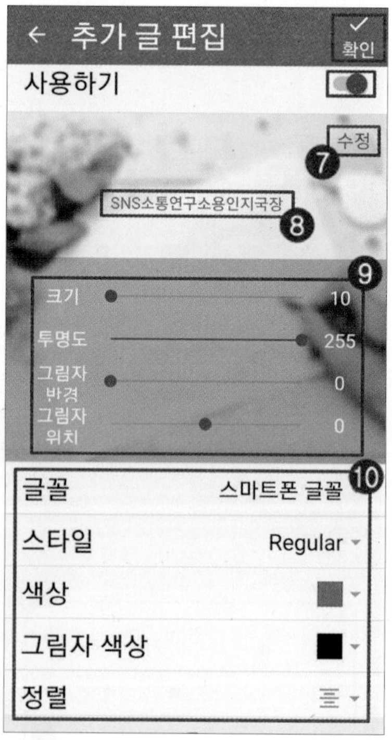


❶ ①[ **사용하기** ]오른쪽 버튼을 선택하고 ②, ③를 터치하여 원하는 날짜 표시를 선택합니다. ④[ **크기, 투명도, 그림자 반경, 그림자 위치** ]와 ⑤[ **날짜설정, 시간설정, 글꼴, 스타일, 색상** ]을 설정합니다. ⑥[ **←** ]를 터치합니다. ❷ 글을 추가하기 위하여 [ **글 추가** ]를 터치합니다.

❸ ⑦, ⑧을 터치하여 문구를 수정, 입력합니다. ⑨[ **크기, 투명도, 그림자반경, 그림자위치** ]와 ⑩[ **글꼴, 스타일, 그림자 색상, 정렬** ]을 설정합니다.

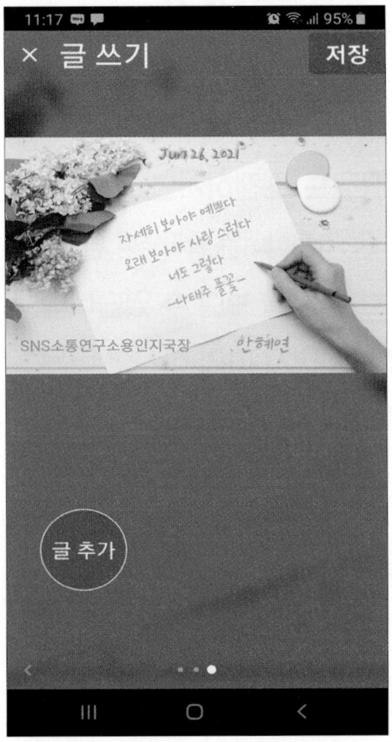


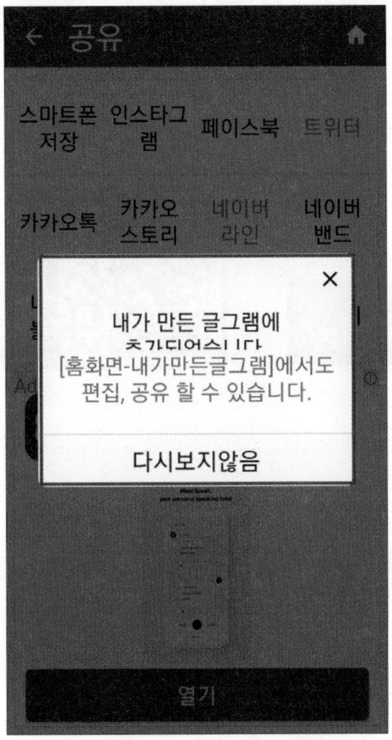


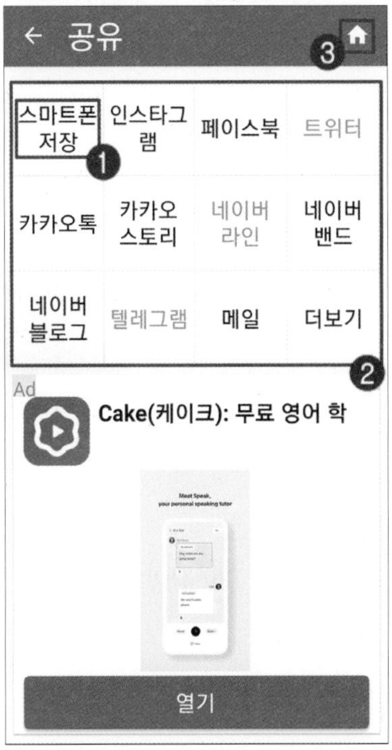


1 작성한 글을 완료하고자 할 때는 [ **저장** ]을 터치합니다. 2 [ **다시보지 않음** ]터치합니다.

3 ①[ **스마트폰저장** ]을 터치해야만 갤러리에 저장 됩니다. ②다른 채널로 [ **공유** ]하고자 할 때 해당채널을 터치해서 공유합니다. ③글그램 [ **홈 화면** ]으로 이동할 수 있습니다.

내가 만든 글그램에서

①삭제, ②편집, ③공유하고자 할 때 터치합니다.

④작성한 글을 [ **썸네일** ] 형식으로 보고자 할 때 터치합니다.

**위 QR코드 스캔하시면 [ 글그램 이용 멋진 카드뉴스 만들기 ] 유튜브 영상을 보실 수 있습니다.**

**영상 보시면서 따라 하시면 더욱 쉽게 하실 수 있습니다.**

# 글씨팡팡 - GIF를 이용한 카드뉴스 만들기 앱 활용하기

다운로드하기 Google Play

위 QR코드 스캔하시면
[ 글씨팡팡 움직이는 글씨영상 만들기 ]
유튜브 영상을 보실 수 있습니다.
영상 보시면서 따라 하시면 더욱
쉽게 하실 수 있습니다.

**글씨팡팡** - 앱(App)은 자신의 마음을 담을 수 있는 다양한 카드뉴스를 만들 수 있습니다.



[ **글씨팡팡** ] 앱(App)의 장점

- **글쓰기에 적용 할 수 있는 재미있고 다양한 효과를 제공합니다.**
- **동영상에 글을 쓸 수 있는 기능을 제공합니다.**
- **다양한 폰트를 추가할 수가 있습니다.**

[ **글씨팡팡** ] 앱(App) 활용

- **비즈니스맨** : 회사소개, 행사 및 제품 관련 정보를 가독성이 높은 카드뉴스로 만들어 홍보 할 수 있습니다.
- **일반인** : 감성 글, 사랑 글, 안부 인사 등 다양한 사진 테마를 활용하여 GIF를 이용한 카드뉴스를 만들어 주변인들과 감성 소통을 할 수 있습니다.
- **감성과 사랑을 담아 마음을 전하거나, 마주 보며 하기 어려운 대화나 감정의 표현을 카드뉴스에 담아 표현할 수 있어 상호 간의 소통이 원활해지고 친밀감이 돈독해집니다.**

## ▶ 글씨팡팡 설치하기

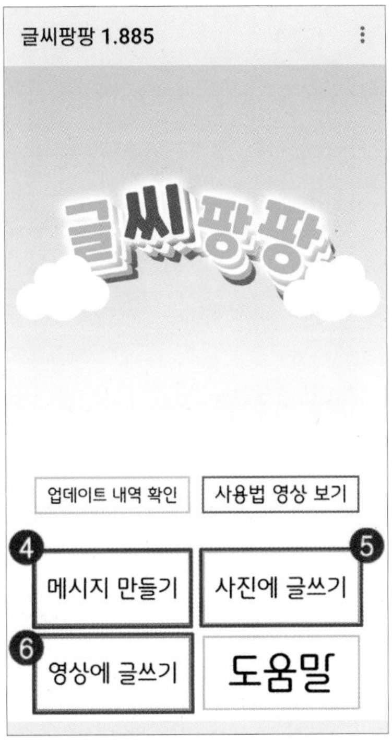


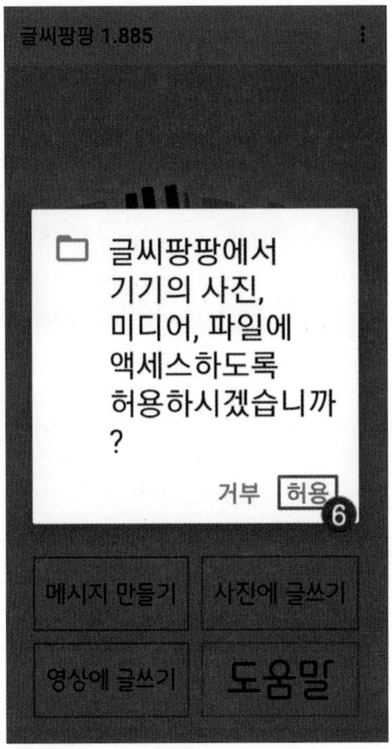


1 [ Play 스토어 ]에서 ①[ **글씨팡팡** ]을 검색하여 ②[ **설치** ]를 터치합니다.

2 설치가 다 되면 ③[ **열기** ]를 터치합니다. 3 ④[ **메시지 만들기** ] ⑤[ **사진에 글쓰기** ] ⑥[ **영상에 글쓰기** ]를 할 수 있습니다. ⑤[ **사진에 글쓰기** ]를 터치합니다. 4 ⑥[ **허용** ]을 터치합니다.

1 글쓰기 위해서 ①[ **새 작업** ]를 터치합니다. ②저장 된[ **카드뉴스** ]는 편집 및 공유 할 수 있습니다.

2 ③[ **갤러리에서 불러오기, 목록에서 불러오기, 배경사진 다운받기, 배경색에 글쓰기, 비디오에서 추출** ]을 활용할 수 있습니다. [ **배경사진 다운받기** ]를 해보기 위해 터치합니다.

3 ④[ **랜덤, 크리스마스, 봄, 여름, 가을, 겨울** ]을 선택할 수도 있고, ⑤[ **검색** ]에 원하는 검색어를 영어로 입력 후 [ **돋보기** ]를 터치합니다. 마음에 드는 사진을 터치합니다.

1 ①사진에 글쓰기 위해 [ **펜 아이콘** ]을 터치합니다. ②[ **여기에 글씨를 입력하세요.** ]에 글씨를 입력합니다. 2 ③[ **삭제** ], ④[ **회전**], ⑤[ **글씨 편집** ], ⑥[ **사이즈 조절** ]을 할 수 있습니다. 글씨체 변경을 위해 ⑦[ **글씨체** ]를 터치하고 ⑧원하는 글씨체를 선택 후 저작권 터치하여 사용범위 확인합니다.

3 ⑨[ **정렬** ]을 터치하여 ⑩[ **줄 간격** ], [ **글자간격** ]을 ⑪[ **글씨크기** ]를 조절합니다. 전단계로 이동하고자 할 때 ⑫[ **되돌리기** ], [ **앞으로 가기** ] 버튼을 터치합니다.

1 ①[ **글씨색** ], [**외곽선** ]을 터치하여 원하는 색으로 변경합니다. 2 애니메이션 효과를 사용하기 위해 ③[ **애니** ]를 터치하고 ④[ **흔들흔들** ] 효과를 선택합니다. 저장하기 위해 ⑤[ **저장** ]을 터치합니다.

3 ⑥[ **사진 사이즈** ]를 터치하고 갤러리 ⑦아이콘을 터치하면 [ **CU Text** ] 폴더에 저장됩니다. ⑧SNS 공유하고자하는 [ **채널** ]을 선택합니다.

# 스마트폰에서 음악 및 동영상 다운받기

## ▶ 4Shared

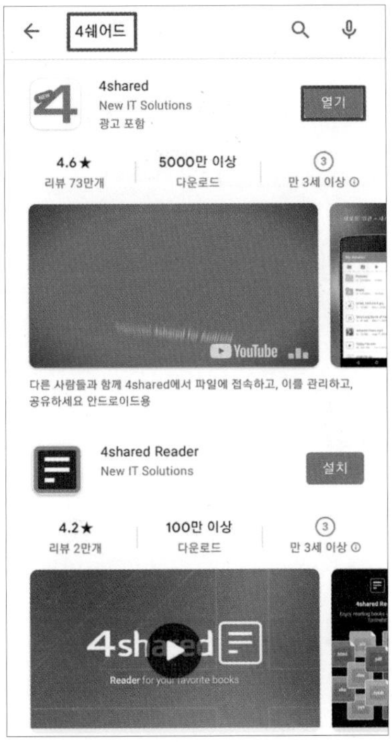

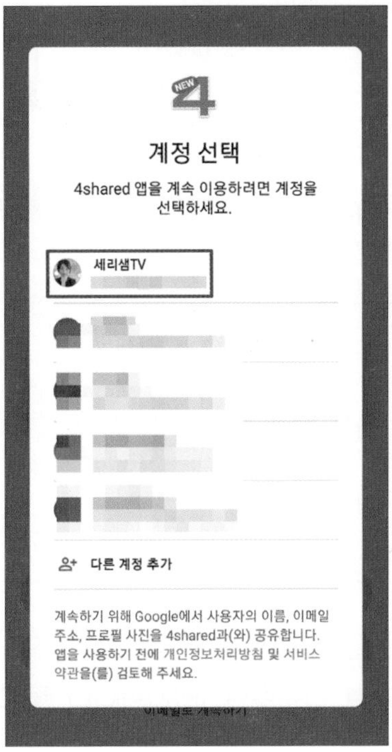


1 [ Play스토어 ]에서 검색창에 [ **4쉐어드** ]를 검색하여 설치하고 [ **열기** ] 터치후 접근권한 허용과 개인정보 동의하고 [ **계속** ]터치 합니다.

2 로그인화면에 [ **구글로 계속하기** ] 터치합니다. 3 원하는 [ **구글계정 선택** ] 합니다.

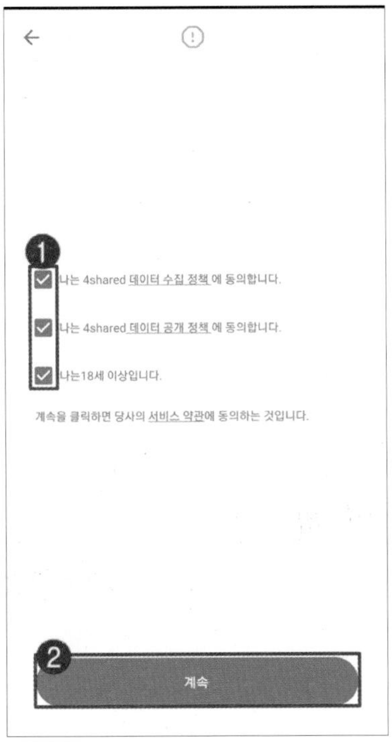


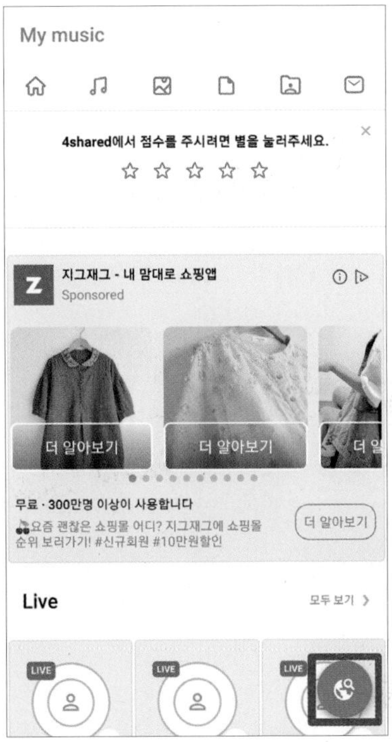

1 ①[ **정보수집** ]동의 체크 합니다. ②[ **계속** ]을 터치합니다.

2 원하는 음악을 듣기 위해 우측 하단에 [ **돋보기** ]를 터치 합니다. 3 [ **음악** ]을 터치합니다.

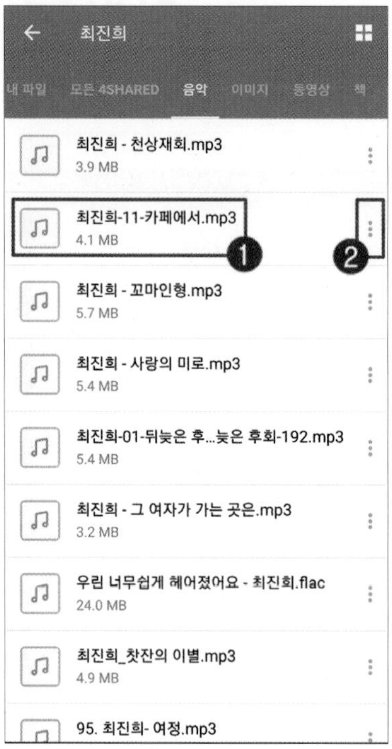


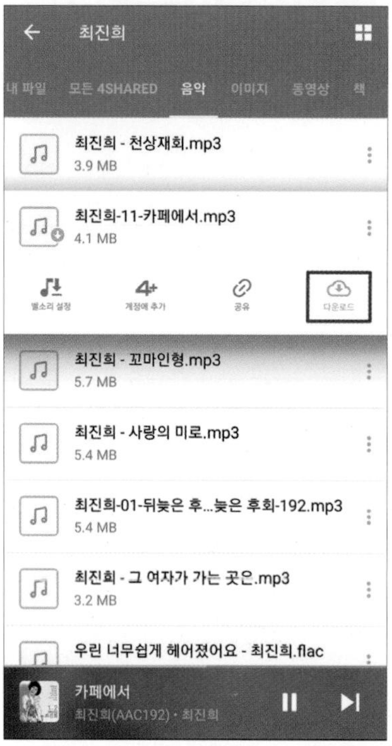

**1** ①[ **원하는 음악** ]을 터치하여 노래를 들어볼 수 있습니다. ②[ **우측 점3개** ] 터치 합니다.

**2** [ **다운로드** ]터치합니다. **3** 다운로드된 음악은 [ **삼성뮤직** ]에 저장됩니다.

※ 4shared 는 구글 안드로이드 와 애플 iOS 에서 다운받을 수 있습니다.

CHECK 리스트

## ▶ 스텔라 브라우저

**[ 스텔라 브라우저앱 소개 ]**

- 스텔라브우저는 [ **원스토어** ]에서 다운받을 수 있습니다.
- 스텔라브라우저는 다른추가설치 없이 한곳에서 [ **유트브, 페이스북, 네이버, 데일리모션, 인스타그램, 텀블러, V라이브, 비메오** ]에서 무료음악과 동영상을 다운받을 수 있습니다.
- 초고속 다운로드로 소중한 시간과 데이터 요금을 절약해드립니다.
- 스텔라브라우저는 어떠한 악성코드와 바이러스로부터 안전하며, 민감한 사용자 권한 과 정보를 요구하지 않습니다.

**[ 스마트폰에 원스토어 앱이 보이지 않을 때 다운로드 방법 ]**

- 스마트폰 [ **설정** ]→[ **어플리케이션** ]→[ **원스토어** ]→[ **사용안함** ]을→[ **설치됨** ]으로 변경하세요.
- 네이버 검색창에 [ **스텔라브라우저** ] 검색후 설치 가능합니다.
- 구글에서 [ **스텔라브라우저** ] 검색→[ up to down ]클릭→[ **최신버전** ]클릭→[ **다운로드** ] 하시면 설치가능 합니다.
- 위에 QR코드 스캔하시면 바로 [ **스텔라브라우저** ] 쉽게 다운로드 할 수 있습니다.

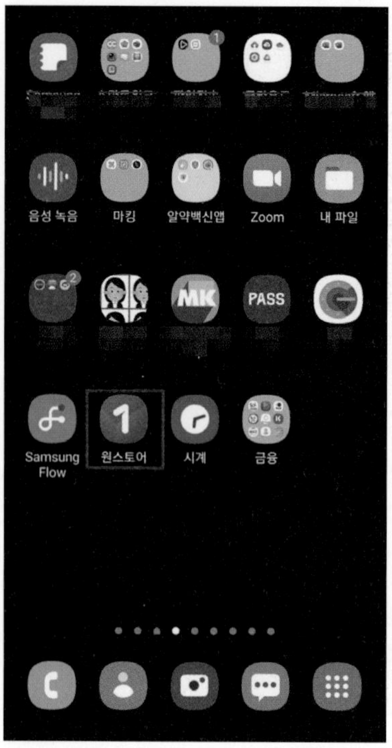

1 홈화면 또는 앱스화면에서 [ **원스토어** ]를 터치합니다.

2 [ **원스토어** ] 아래 하단에 [ **돋보기** ]를 터치하여 [ **스텔라브라우저** ]를 입력합니다.

3 노란색 별표모양 의 스텔라브라우저 [ **다운로드** ]를 합니다.

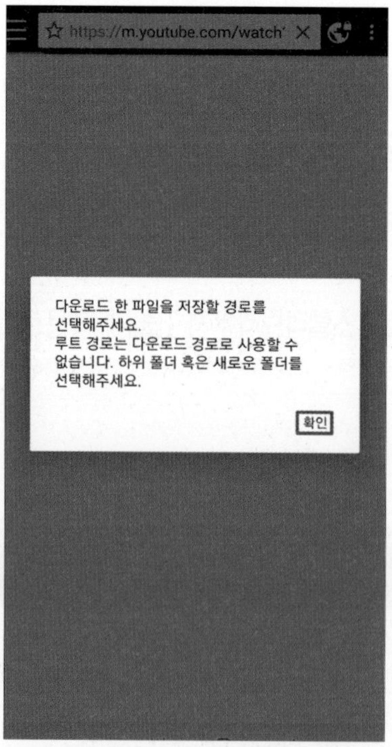


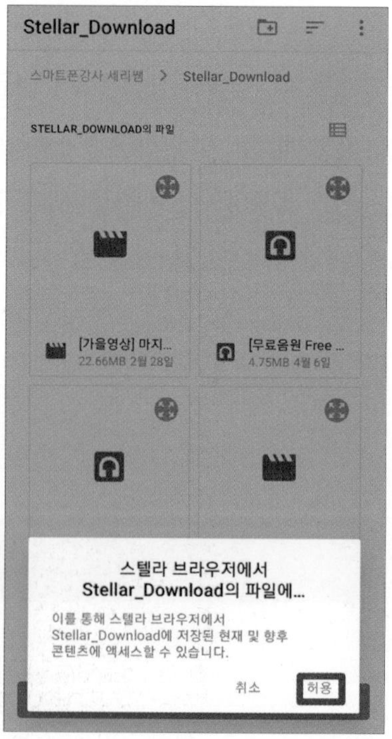


1 다운로드된 스텔라브라우저 [ **실행** ]을 터치합니다. 2 다운로드 한 파일을 저장할 폴더를 선택할 수 있는 [ **확인** ] 터치합니다. 원하는 폴더 선택후 [ **이 폴더 사용** ]터치합니다.

3 스텔라 다운로드 파일에 저장후 엑세스 하도록 [ **허용** ]을 터치합니다

※ **스마트폰 기종에 따라 화면이 다르게 보일 수 있습니다.**

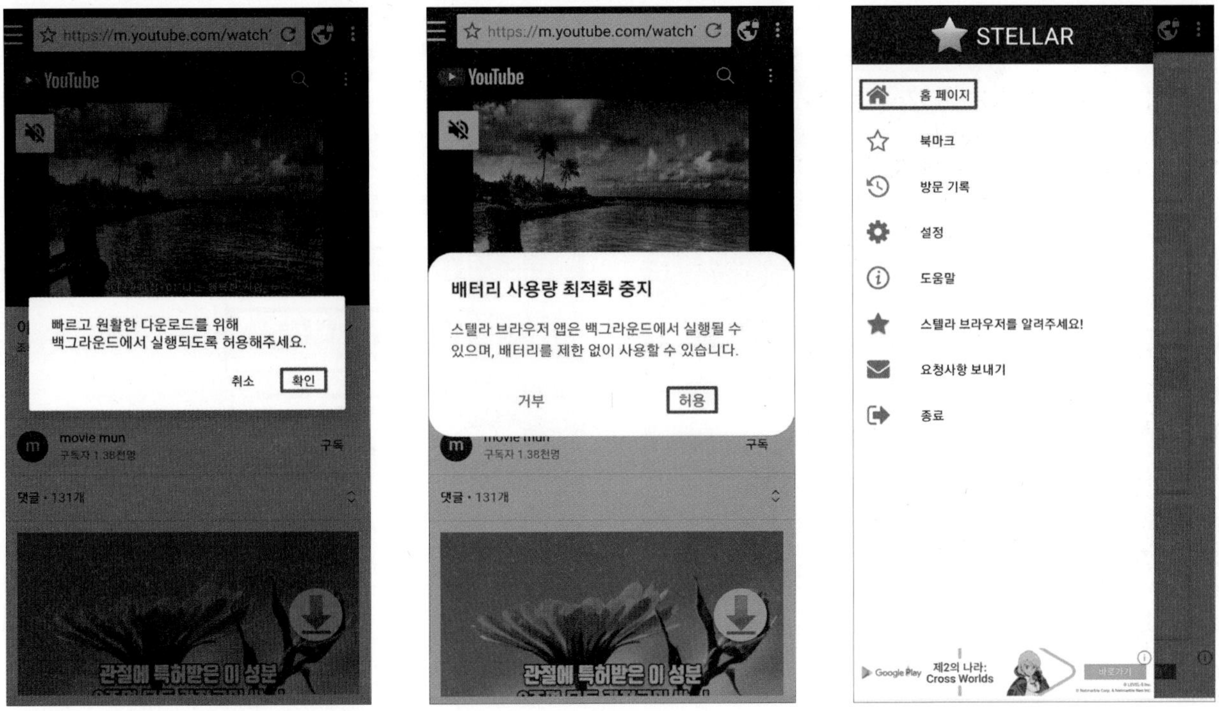


1 빠르고 원활한 다운로드를 위해 [ **확인** ]을 터치합니다.

2 배터리 사용량 최적화 중지를 위해 [ **허용** ]을 터치합니다.

3 스텔라브라우저 화면입니다. [ **홈페이지** ]를 터치합니다.

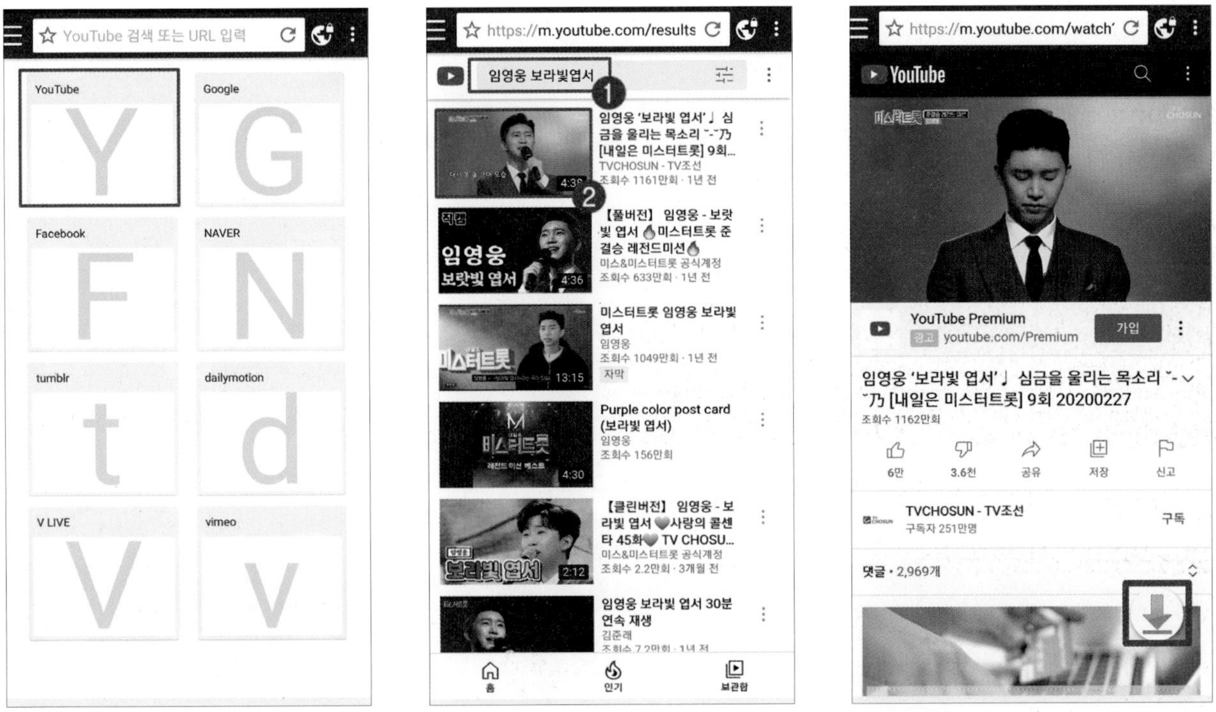


1 스텔라브라우저 화면에서 [ **유트브 아이콘** ]을 터치합니다.

2 검색창에 [ **가수 또는 노래제목** ]을 입력합니다. ②[ **보라빛 엽서** ]를 터치합니다.

3 검색된 노래를 다운로드 하기위해 아래 하단에 [ **다운로드 아이콘** ]을 터치합니다.

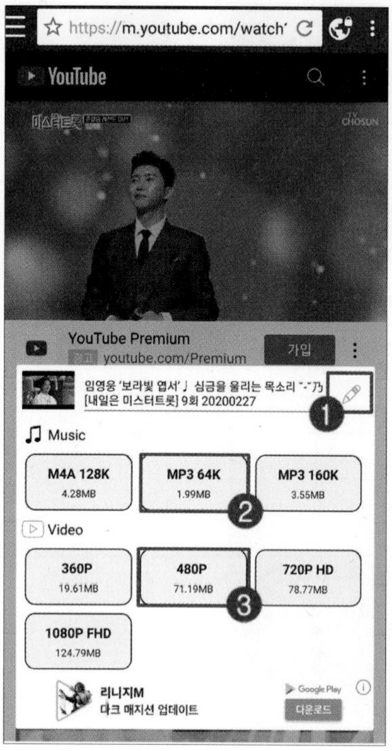


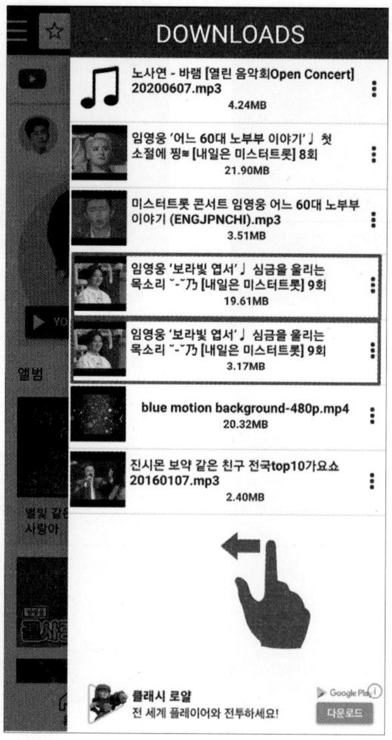


■1 ①[ **연필모양** ]터치후 제목을 변경할 수 있습니다. ② 음원만 다운받으려면 뮤직에서 [ **MP3** ]를 터치합니다. ③동영상을 다운받으려면 비디오 에서 [ **480P** ]를 터치합니다. ■2 다운로드된 음원 과 동영상은 스텔라브라우저 화면에서 [ **좌측으로** ] 드래그 하면 다운로드 된 리스트가 보입니다.

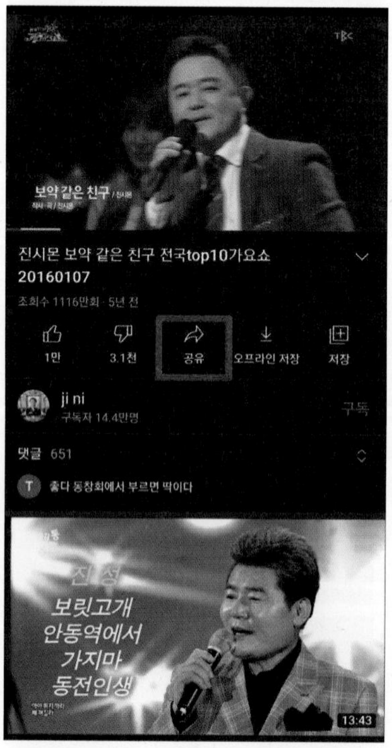

■1 스텔라브라우저는 추가앱 설치 없이 편리하게 [ **유트브** ]에 바로 들어가서 다운로드 받는방법이 있습니다. 유트브 검색창에 [ **좋아하는노래 제목 또는 가수** ]를 입력합니다. ■2 다운로드 원하는 화면에서 [ **공유** ]를 터치합니다. ■3 다운로드 받고싶은 파일을 선택 [ **스텔라브라우저** ]을 터치합니다.

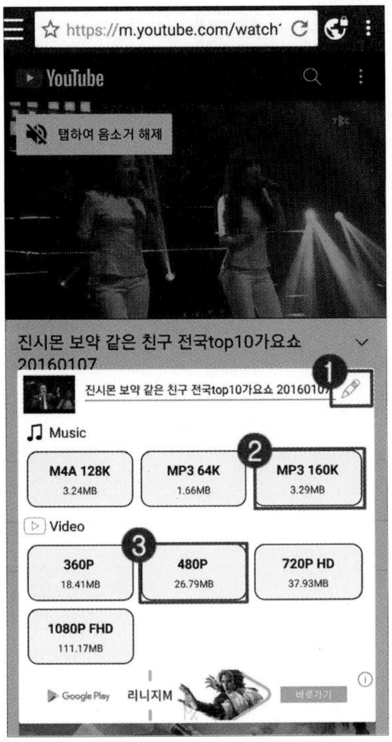


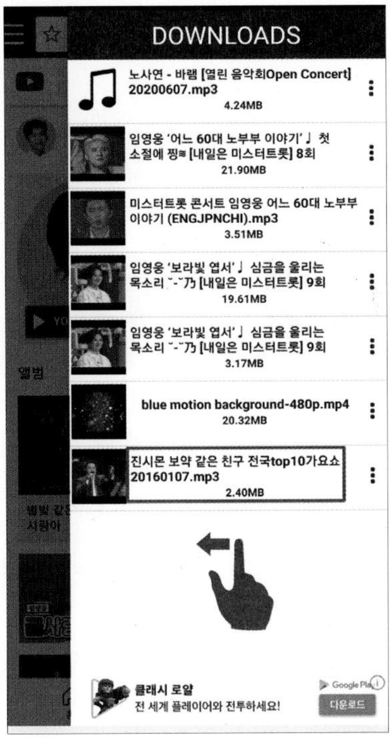


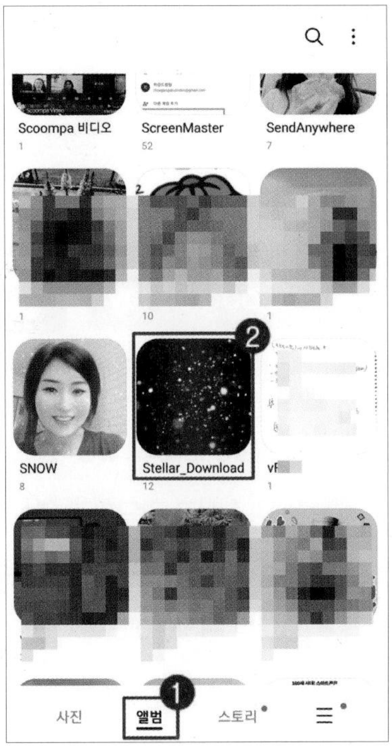


**1** ①[ **연필모양** ]터치후 제목을 변경할 수 있습니다. ②음원만 다운받으려면 뮤직에서 [ **MP3** ]를 터치합니다. ③동영상을 다운받으려면 비디오 에서 [ **480P** ]를 터치합니다. **2** 다운로드된 음원 과 동영상은 스텔라브라우저 화면에서 [ **좌측으로** ] 드래그 하면 다운로드된 리스트가 보입니다. **3** 다운로드된 동영상은 ①갤러리 [ **앨범** ]을 터치합니다. ②[ **스텔라 다운로드** ]폴더에 저장됩니다.

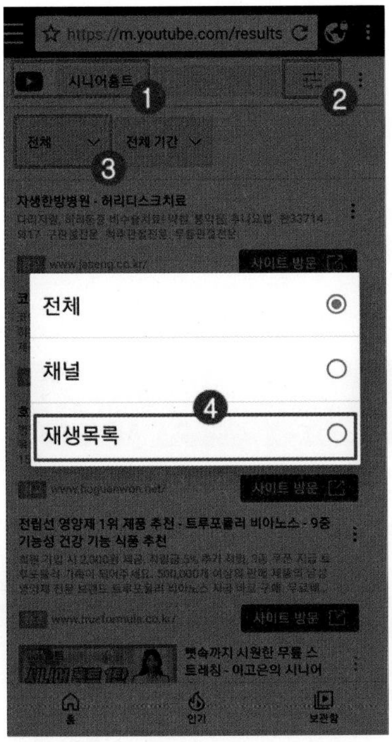

**1** 음악 또는 동영상을 한꺼번에 다운받는방법은 [ **유트브** ]검색창에 ①[ **시니어홈트** ]입력 ②[ **필터** ]를 터치합니다. ③[ **전체** ]를 터치합니다. ④[ **재생목록** ]에 체크합니다. **2** [ **원하는영상** ]을 터치합니다.
**3** 한꺼번에 모두 다운로드 하고싶을때는 하단에 [ **다운로드 아이콘** ]을 터치하시면 됩니다.

# 수백만원짜리 동영상 편집 이제 무료로 만들기 - 멸치

[ 멸치 ] - 앱(App)의 활용

- 누구나 쉽고 간단하게 영상을 제작과 편집을 할 수 있습니다.
- 고퀄리티 영상 제작을 무료로 할 수 있습니다.
- 유튜브 크리에이터에게 최적화된 어플입니다.
- 임팩트하고 다양한 탬플릿을 제공합니다.
- 홍보 영상을 만들어 편집까지 한 번에 해결하 수 있습니다.

**1** [ Play 스토어 ]에서 [ **멸치** ]을 검색하여 설치한 후 열기를 합니다. **2** 화면 상단에 ①[ **카테고리** ]를 좌우로 밀어서 원하는 카테고리를 선택합니다. 템플릿을 선택한 후 [ ♥ ]를 터치 하면 즐겨찾기 ②[ ♥ ] 카테고리에 추가됩니다. **3** 영상을 만들기 위해 카테고리 [ **유튜브 클로징** ]을 선택하고 [ **봄 느낌이 강한 벚꽃 클로징** ]을 터치합니다.

**1** ①[ 00:11 ]은 영상 재생 시간이며 ②[ ♥ ]를 터치하면 홈화면 좌측상단 [ ♥ ]템플릿에 추가됩니다. 영상을 만들기 위해 ③[ **사진1장** ], [ **텍스트 4개** ]가 필요합니다. 영상을 만들기 위해 ④[ **이 영상으로 만들어 볼까요?** ]를 터치합니다. **2** ①사진을 터치한 후 ②[ **교체** ]를 터치하여 변경하고 싶은 사진을 선택하고 ③[ **완료** ]를 터치합니다. **3** 각각의 [ **텍스트** ]를 수정후 [ **완료** ]를 터치합니다.

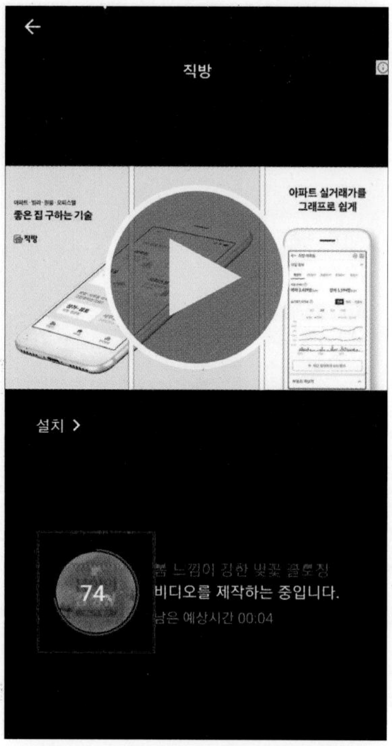


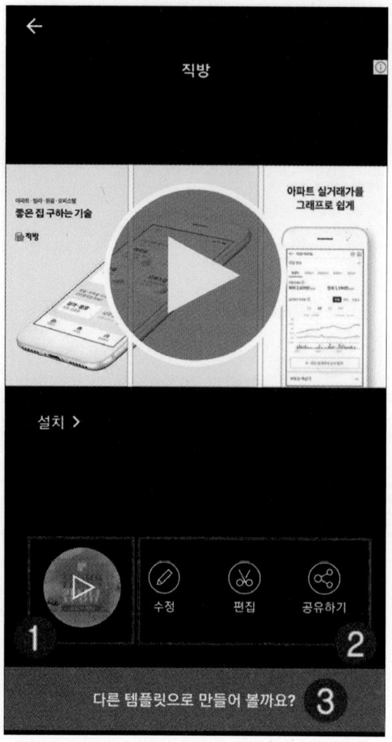


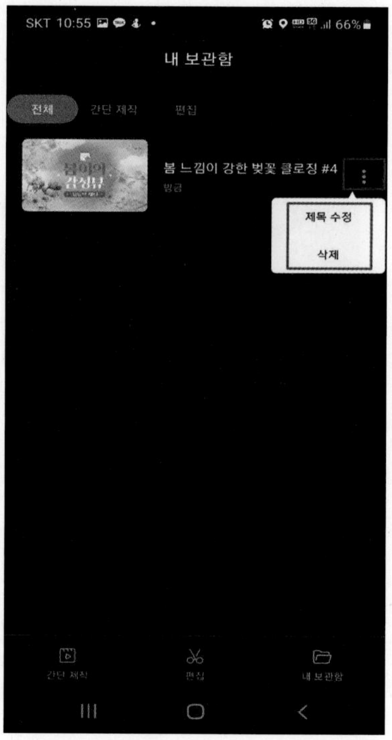


1 [ **비디오를 제작하는 중입니다.** ]가100% 되면 완성됩니다. 완성된 영상은 멸치 [ **내 보관함** ]과 스마트폰 갤러리 [ **MelchiEncoded** ] 앨범에 저장됩니다.

2 완성된 영상을 ①[ **플레이** ]해서 확인합니다. ②[ **수정** ]은 '간단제작'에서 수정이고, [ **편집** ]은 영상 '편집'에서 수정입니다. [ **공유하기** ]는 SNS 채널 공유를 할 수 있습니다. ③터치하여 다양한 템플릿을 계속하여 만들수 있습니다.

3 [ **내 보관함** ]에 저장된 영상을 수정하고자 할 때 [ **⋮** ]더보기를 터치하여 [ **제목 수정** ], [ **삭제** ]를 할 수 있습니다.

**CHECK 리스트**

# 나만의 감동 영상 편지 만들기 - 슬라이드 메시지

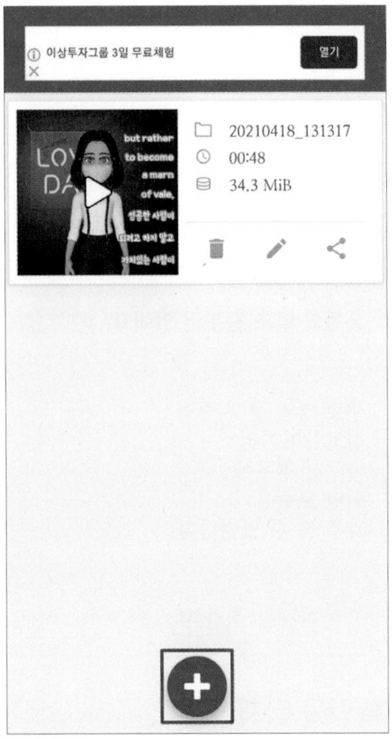


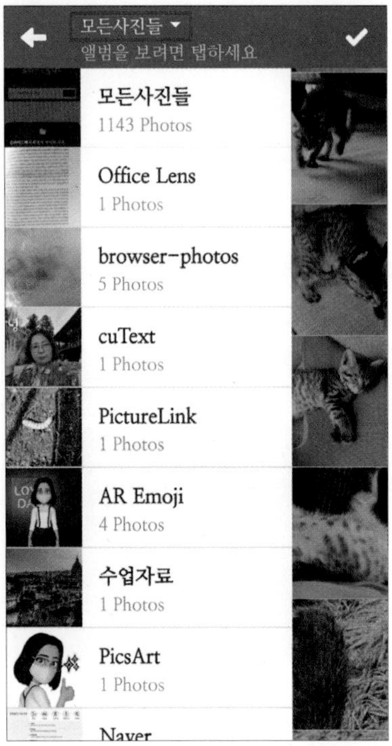


❶ Google [ Play스토어 ] 검색창에 [ **슬라이드메시지** ]를 입력하여 설치한 후 [ **열기** ] 또는 설치된 [ **앱** ]을 터치하고 기기의 사진, 미디어, 파일에 엑세스하도록 허용합니다. ❷ 초기화면에 있는 동그라미안에 [ ✚ ]를 터치합니다. ❸ 상단에 [ **모든사진들** ]을 터치하여 스마트기기에 있는 [ **앨범** ]을 볼 수 있습니다.

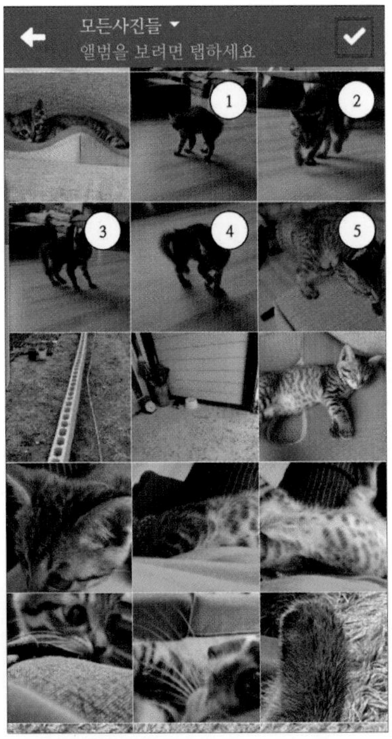

❶ 앨범안에 있는 사진을 한 장 누르면 다른 사진도 선택할 수 있고 원하는 사진을 고른 후에 [ ✔ ]를 터치합니다. ❷ [ **영상제작** ]화면에서 하단에 좌우로 드레그하면 총10개의 편집 아이콘이 있습니다. ❸ ①번 아이콘 [ **정렬** ]을 터치하면 사진의 순서를 변경, 삭제 또는 추가할 수 있고 크기도 조정할 수 있습니다.

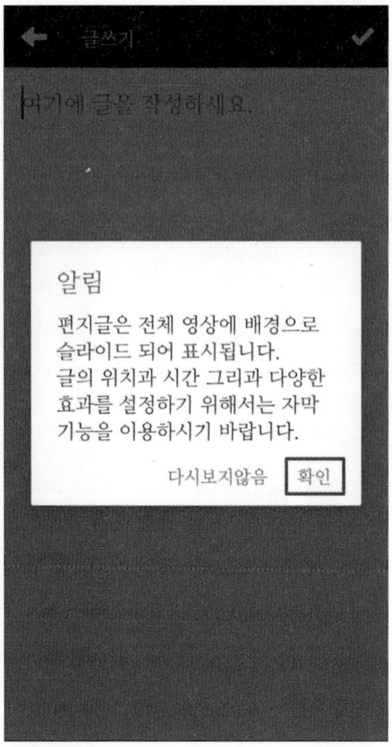


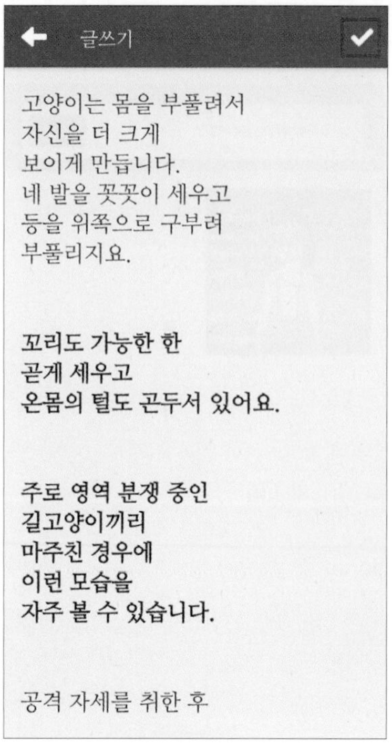

1 [ **편지** ]를 터치하면 알림이 뜨고 확인을 터치합니다.

2 [ **글쓰기** ] 화면에 원하는 글씨를 입력하고 [ ✔ ]를 터치합니다.

3 하단에 좌우로 드래그하면 총7개의 글 편집 아이콘이 있습니다.

①번[ **삭제** ]를 터치하면 글을 전체삭제 할 수 있고 ②번 [ **편집** ]을 터치하면 입력한 글을 수정할 수 있습니다.

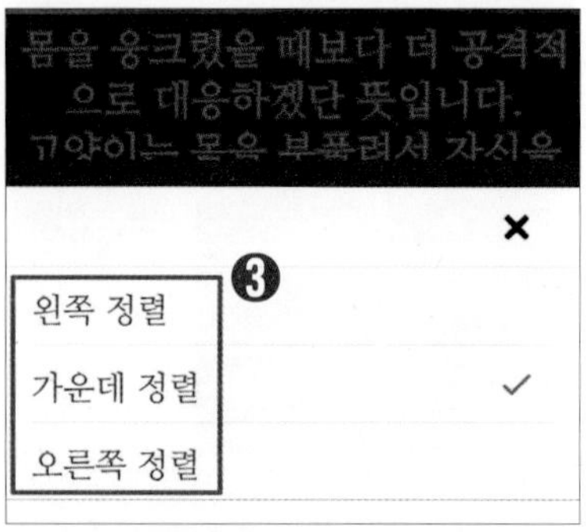


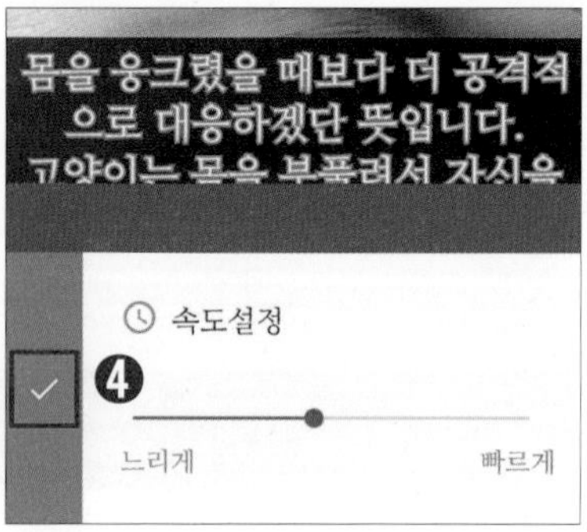

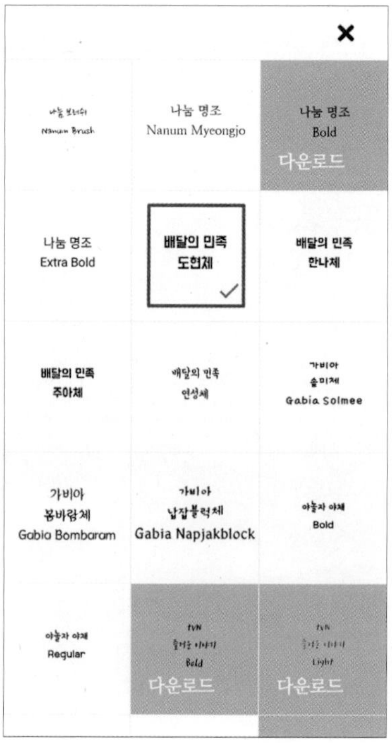


1 ③번 [ **정렬** ]은 글을 왼쪽, 가운데, 오른쪽 순으로 터치하여 정렬할 수 있습니다. ④번 [ **속도설정** ]은 좌우로 드래그하여 느리고 빠르게 설정할수 있습니다. 2 ⑤번, ⑥번, ⑦번은 [ **폰트** ]와 [ **글자크기** ], [ **글자색상** ]을 변경할 수 있습니다. 3 ⑤번 [ **폰트** ]는 글자폰트를 다운로드하거나 변경할 수 있습니다.

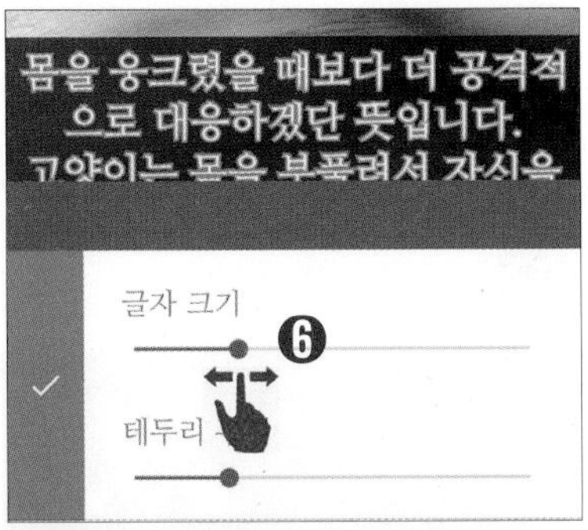

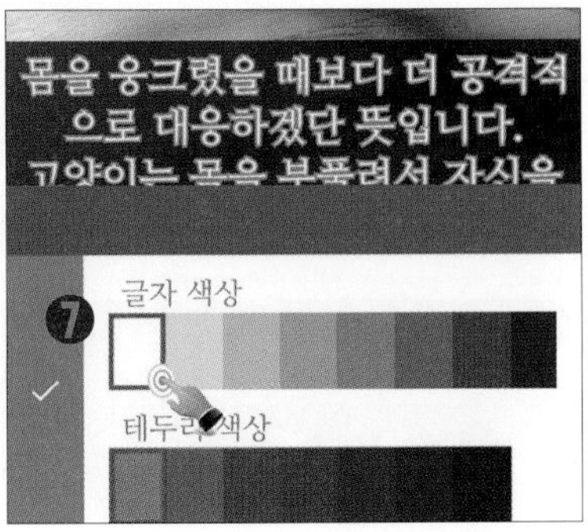

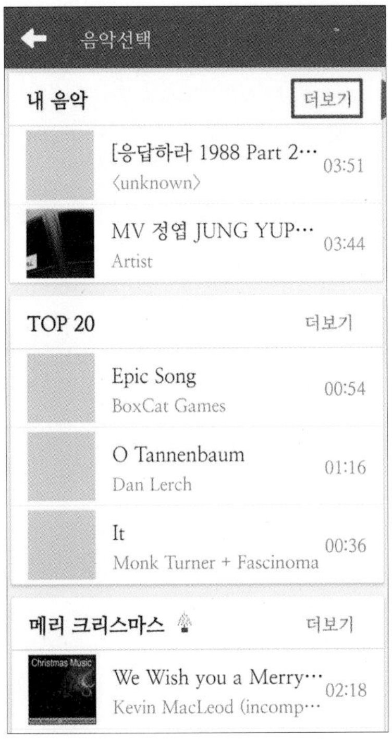

1 ⑥번 [ **사이즈** ]는 글자크기와 테두리를 변경할 수 있고 ⑦번 [ **색상** ]은 글자색 과 테두리색을 변경할 수 있습니다. 2 [ **영상제작** ]의 ③번 [ **음악** ]을 터치하면 음악을 추가할 수 있습니다. 내음악은 내 기기안에 있는 음악으로 더보기를 터치하여 선택할 수 있습니다. 3 곡을 선택하여 [ **사용하기** ]를 터치합니다.

1 [ ▶ ] 를 터치하여 미리보기 합니다. 2 [ **영상제작** ] ④번 [ **시간** ]을 터치하면 영상의 [ **설정시간** ]과 [ **음악시간** ]을 변경할 수 있습니다. 3 ⑤번 [ **자막** ]을 터치하여 자막을 입력하고 하단의 [ **효과** ]를 터치합니다.

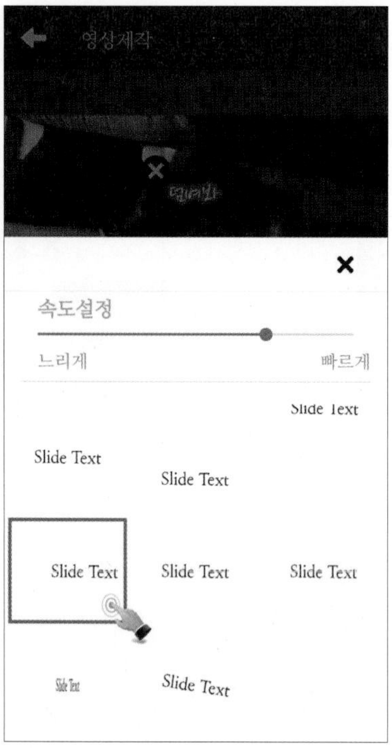


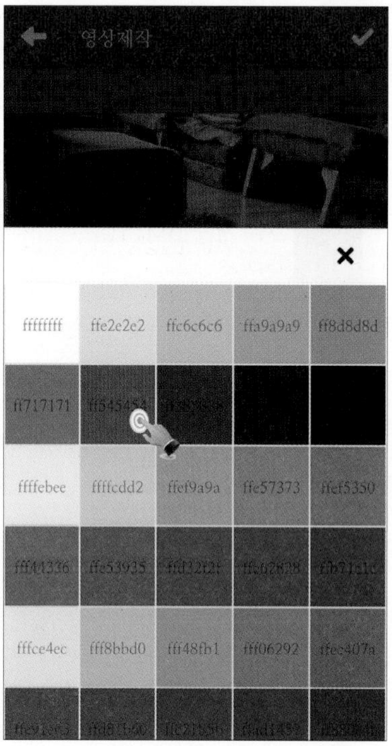


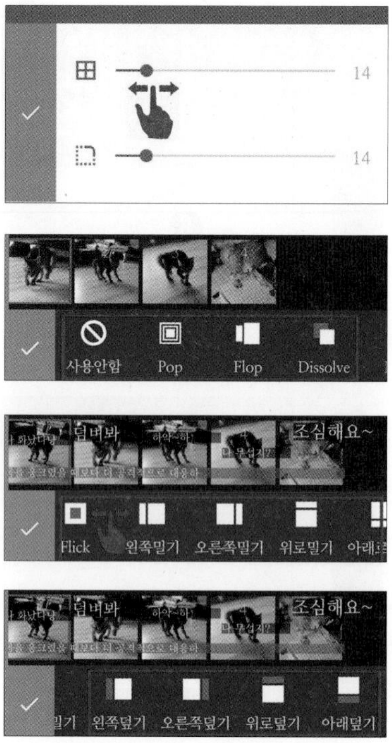


1 자막의 움직이는 효과를 줄 수 있고 좌우로 조절하여 속도를 조절할 수 있습니다. [ **자막** ]의 다른아이콘은 편지글사용법과 같습니다. 2 ⑥번 [ **배경** ]은 배경색을 변경할 수 있습니다. 3 ⑦번 [ **테두리** ]는 테두리크기와 모양을 수정합니다. ⑧번 [ **화면전환** ]은 총13개의 화면전환효과를 넣을 수 있습니다.

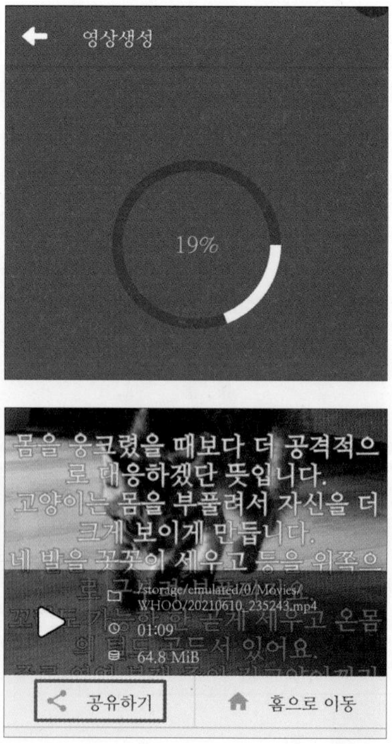


1 [ **영상제작** ] ⑨번 [ **필터** ]는 여러가지 필터효과를 넣을 수 있습니다. 2 ⑩번 [ **스티커** ]는 선택하여 총6개의 효과설정을 할 수 있습니다. 오른쪽 상단의 [ ✔ ]를 터치하고 화면에서 [ ▶ ]를 터치하여 미리보기를 한 후 마지막으로 [ ✔ ]를 터치하여 [ **영상생성** ]을 합니다. 3 [ **공유하기** ]를 터치하여 공유할 수 있습니다. 또한 갤러리의 [ WHOO ] 앨범으로 자동저장됩니다.

# 나만의 인생스토리 영화관 만들기

QR-CODE를 스캔하시면
키네마스터 교육 영상을
시청하실 수 있습니다.

[ 키네마스터 ] 앱(App)의 활용

[ 특징 ]

- 멀티 에이어, 혼합모드, 속도 조절, 전문가 수준의 오디오 기능, 크로마키, 음성녹음 등 다양한 기능을 이용하여 멋진 영상을 만들 수 있습니다.
- 직관적인 편집, 실시간 미리 보기, 멀티 트랙 오디오
- 미디어와 레이어의 미디어, 음성, 오디오의 각각의 길이를 조절할 수 있습니다.

[ 장점 ]

- 사용자 입장에서 편하게 사용할 수 있게 하는 디자인으로 직관적이고 쉬워서 누구나 쉽게 만들 수 있습니다.
- 무료로 앱(app)을 쉽게 사용할 수 있습니다.
- 거의 모든 기능을 무료로 사용할 수 있습니다.
- **[ 에셋 스토어 ]**라는 스토어 안에서 장면전환, 폰트, 스티커, 음악, 효과 등을 저작권 없이 갖다 쓸 수 있습니다.

### ▶ 키네마스터 설치하기

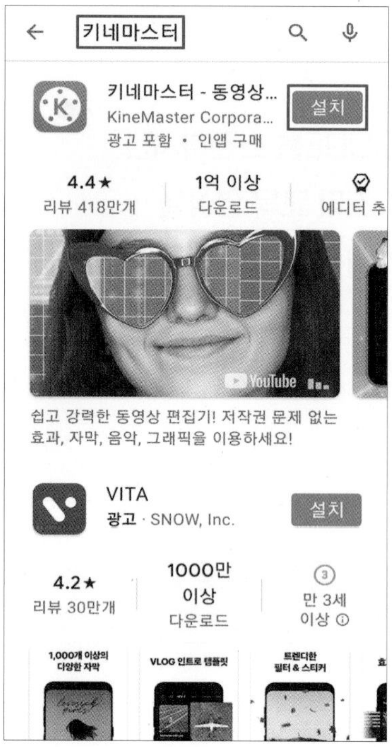

1 [ Play 스토어 ]에서 [ **키네마스터** ]을 검색하여 설치한 후 [ **열기** ]를 터치합니다.

2 이용 안내 화면이 나오면 [ **확인** ]을 터치합니다. 3 접근 권한 화면에서 [ **허용** ]을 터치합니다.

4 KineMaster에서 기기의 사진, 미디어, 파일에 액세스하도록 허용하시겠습니까?에서 [ **허용** ]을 터치합니다. 화면에서 왼쪽으로 끝까지 밀어서 [ **시작하기** ]가 나오면 터치합니다.

### ▶ 키네마스터 시작하기

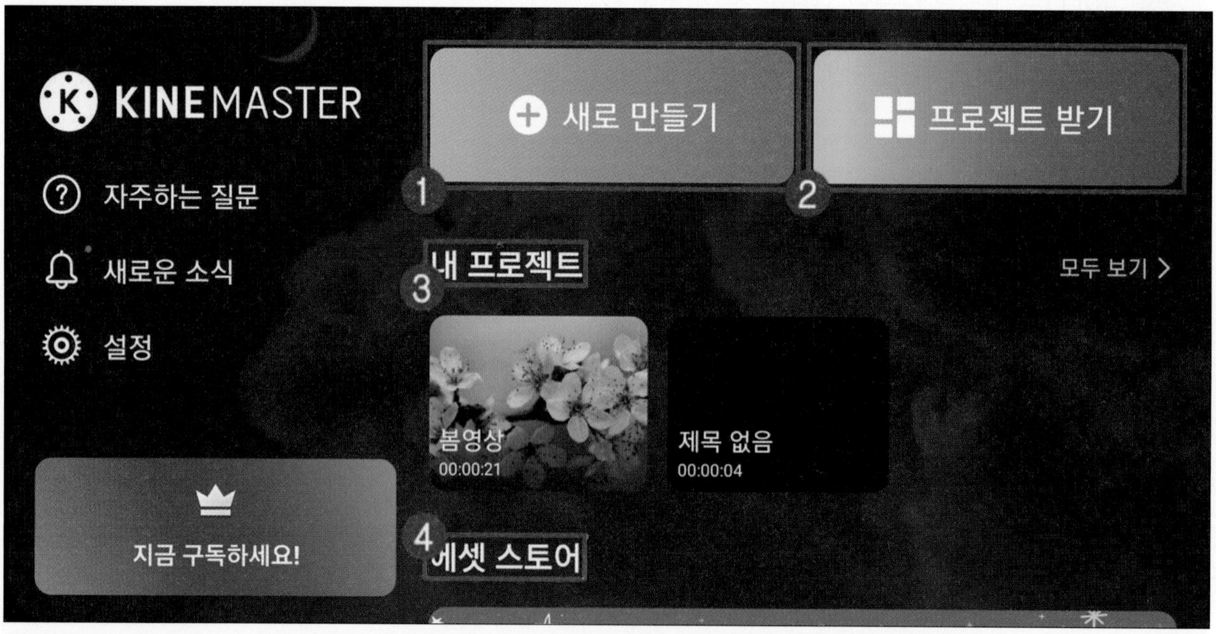


1 ①[ **새로 만들기** ] : 새 프로젝트 만들기, 프로젝트 실행합니다. ②[ **프로젝트 받기** ] : 프로젝트 받기 메뉴에서 전문가들의 프로젝트를 나만의 버전으로 편집할 수 있습니다.

③[ **내 프로젝트** ] : 완성된 프로젝트들이 있는 곳입니다.

④[ **에셋 스토어** ] : 장면전환, 폰트, 스티커, 음악, 효과 등을 저작권 없이 갖다 쓸 수 있습니다.

### ▼ [ 화면 비율 ] 선택하기

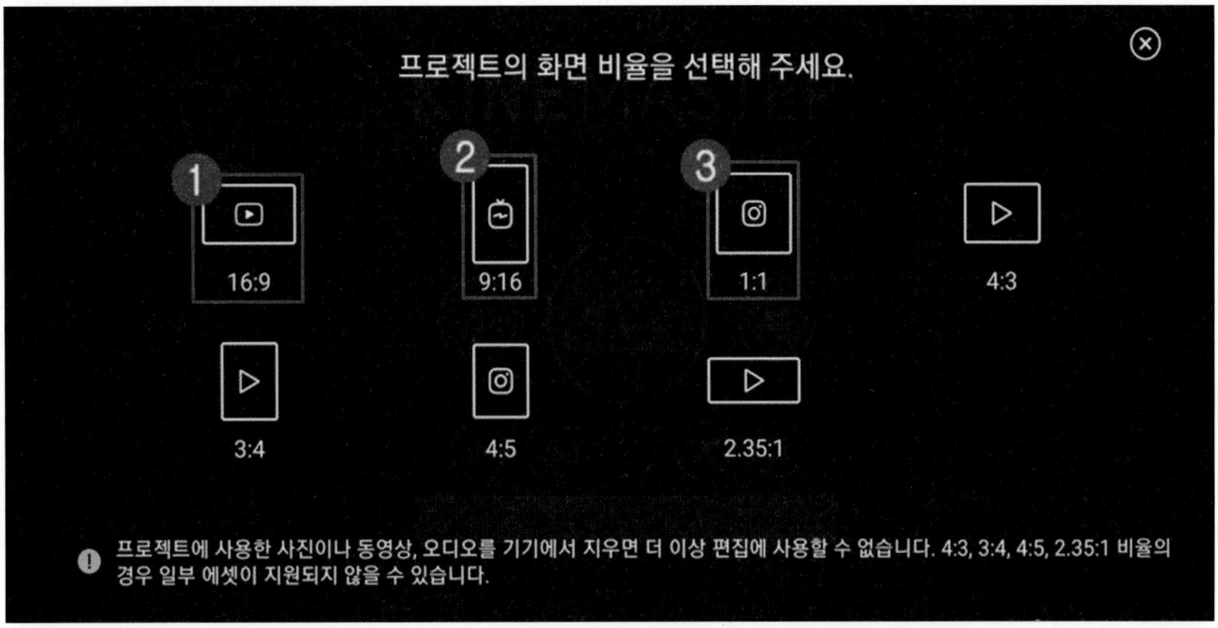


1 ①와이드 영상을 구현하려면 [ 16:9 ] 1920 * 1080 (사람들이 가장 많이 사용)
②특별한 경우가 아니면 사용하지 않음. [ 9:16 ] ③인스타그램이나 페이스북에 올리고자 할 때 [ 1:1 ]

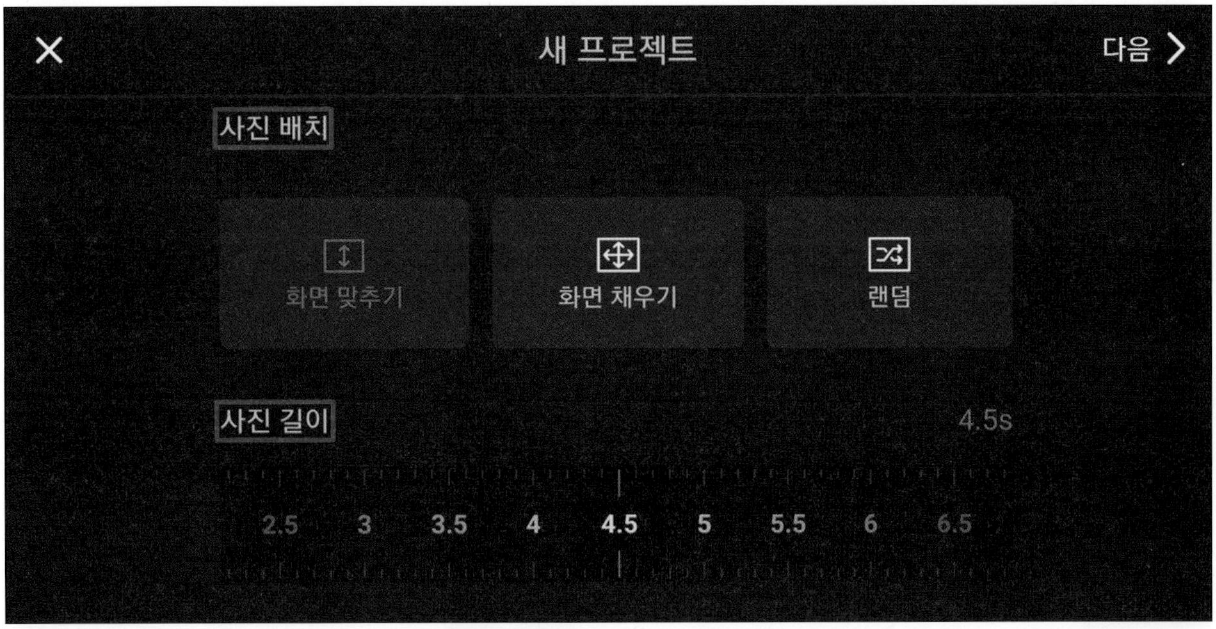


1 **[ 사진 배치 ]** : 화면 맞추기, 화면 채우기, 랜덤으로 구성되어 있습니다.
**[ 화면 맞추기 ]** 이미지를 화면 크기에 맞출 수 있습니다. 프로젝트의 비율과 화면의 가로세로 비율이 맞지 않으면 검정색 공간이 나타날 수 있습니다.
**[ 화면 채우기 ]** 화면을 채워 검정 공간 없이 이미지를 화면에 맞춘 경우에도, 화면의 가로세로 비율이 프로젝트 비율과 맞지 않을 수도 있습니다. **[ 랜덤 ]** 이미지가 재생하는 동안 천천히 줌인 또는 줌 아웃 됩니다. 줌의 방향은 시작과 끝 위치에 따라 임의로 결정됩니다.
**[ 사진 길이 ]** : 사진의 재생 시간을 설정할 수 있습니다. 기본으로 4.5초로 되어 있습니다.

## ▶ 프로젝트 초기 화면 구성

**1 미디어 패널**

①**미디어** : 스마트폰에 저장된 영상이나 사진을 추가로 불러옵니다

②**레이어** : 각종 효과를 적용할 수 있습니다(미디어, 효과, 텍스트, 오버레이, 손글씨)

③**오디오** : 스마트폰에 저장된 음악을 불러옵니다(음악, 효과음 등)

④**녹음** : 영상에 소리를 녹음해서 추가합니다

## ▶ 화면구성 요소 알아보기

### 액션바 구성

| | |
|---|---|
| | *실행 취소 |
| | *다시 실행 |
| | *캡쳐 후 저장<br>*캡쳐 후 클립으로 추가<br>*캡쳐 후 레이어로 추가 |
| | *설정(프로젝트 설정)<br>*오디오, 비디오, 편집 |
| | *타임라인 확장 및 축소 |
| | *건너뛰기(맨 앞 or 맨 뒤)<br>*프로젝트 편집 창에서 클립의 앞 뒤로 이동 |
| | *삭제(사진, 음악, 영상을 선택 했을 때) |

### 미디어 패널 구성

| | |
|---|---|
| | *내보내기(프로젝트 편집 끝난 후 나가기 할 수 있다) |
| 미디어 | *사진이나 동영상 선택하여 추가 할 수 있다. |
| 레이어 | *사진이나 동영상 위에 쌓는 기능 (PIP)<br>*미디오, 효과, 오버레이, 텍스트, 손글씨 적용 |
| 오디오 | *오디오 삽입 (오디오 브라우저)<br>*음악에셋, 효과음에셋, 녹음, 곡 앨범추가 |
| 녹음 | *음성 녹음 |
| | *미리보기 재생 |
| | *에셋 스토어(스티커, 화면효과, 음악, 장면전환 등) 다운로드 |

## ▶ 미디어 브라우저

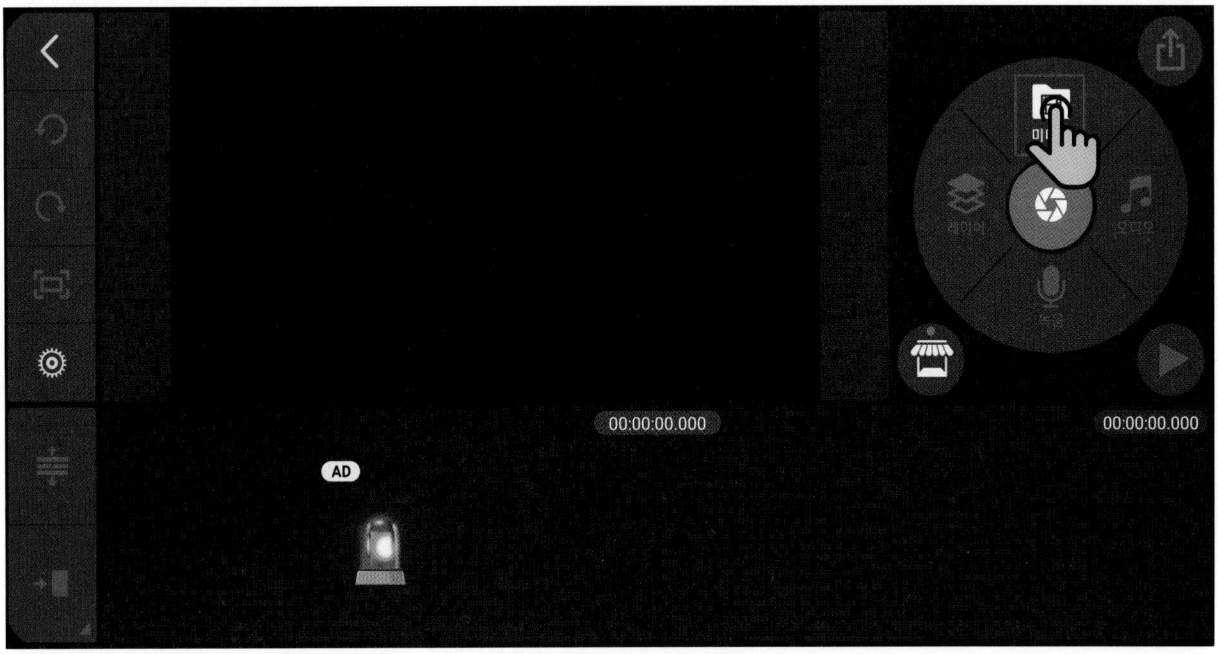


1 미디어 패널에서 [ **미디어** ]를 선택하여 동영상을 추가하여 시작합니다.

1 ①미디어를 선택하면 [ **미디어브라우저** ] 창이 나오고 영상이 있는 앨범으로 들어가서 영상을 선택합니다.

②영상 선택이 끝나면 상단에 [ ✕ ]를 터치합니다.

단색배경이나 타이틀 배경 이미지를 불러올 때는 [ **미디어 브라우저** ]에서 [ **이미지** ]에 들어가면 됩니다.

**CHECK 리스트**

## 액션바 구성

| | |
|---|---|
| | * [ 새로운 에셋 ] : 음악, 스티커 등 새로운 에셋들이 업데이트 되는 곳 |
| | * [ 화면효과 ] 사진에 효과를 줄 때 사용 합니다. [ 레이어 ]메뉴 |
| | * [ 장면전환 ] : 사진과 사진 사이에 전환 효과를 줄 때 사용 |
| | * [ 스티커 ] : 사진이나 영상위에 애니메이션, 스티커, 텍스트를 넣을 때 사용 [ 레이어 ]메뉴 |
| | * [ 음악 ] |
| | * [ 효과음 ] [ 음악 ]메뉴 |
| | * [ 클립 그래픽 ] : 사진이나 영상을 선택했을 경우 나타남 |
| | * [ 비디오 ] : 영상을 다운로드 받는 곳 |
| | * [ 이미지 ] : 배경으로 사용할 이미지를 다운로드 받는 곳 |

## ▶ 다양한 장면전환효과 에셋 스토어에서 다운로드 받기

1 ①사진과 사진 사이에 있는 [ ✚ ]를 터치합니다.
②더 많은 효과를 다운로드 받기 위해서 [ 에셋 스토어 ]를 터치합니다.

CHECK 리스트

1 ①장면효과 단추를 터치합니다. ②폴라로이드를 받기 위해서 [ **그래픽** ]을 터치합니다. ③[ **폴라로이드** ]를 터치합니다. ④[ **다운로드** ]를 터치합니다.

다른 장면효과도 터치해서 [ **다운로드** ]를 받을 수 있습니다. [ **다운로드** ] 받은 효과를 확인할 때는 상단에 [ my ]안에서 확인할 수 있습니다.

## ▶ 사진, 영상에 장면전환 효과 적용하기

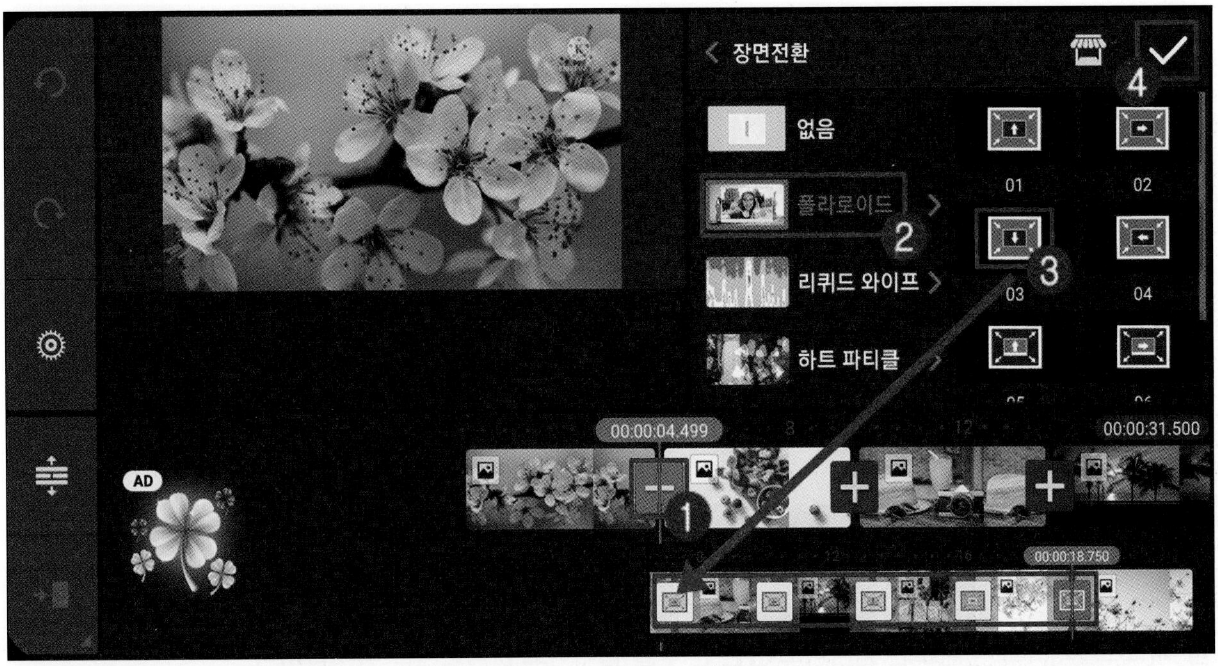


1 ①사진과 사진 사이의 [ ✚ ]를 터치합니다. ②장면전환 효과 종류에서 [ **폴라로이드** ]를 터치합니다. ③원하는 효과를 터치합니다. ( [ ✚ ] 마다 눌러서 하나씩 선택을 해줍니다.) ④장면전환 효과 추가가 끝나면 [ ✔ ]를 터치합니다.

장면전환 효과를 수정하고자 할 때는 바꾸고자 하는 효과 모양을 터치해서 다른 효과를 선택해 주면 됩니다.

## ▶ 타이틀 - 자막 넣기

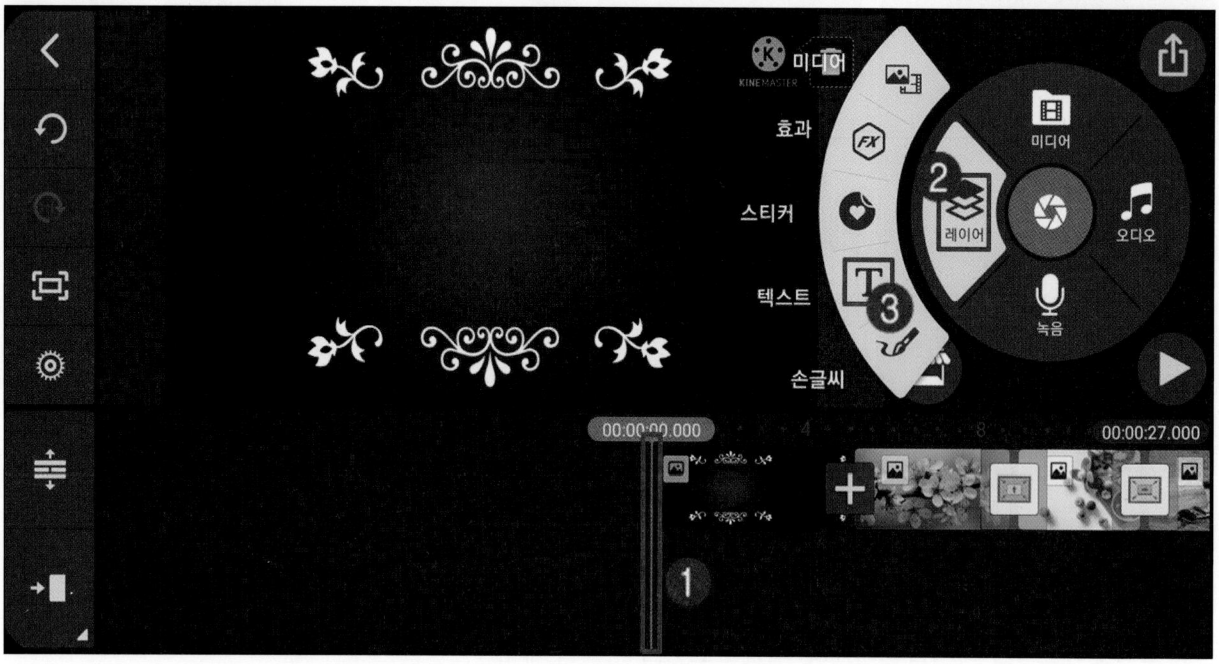


**1** ①[ **미디어** ]를 터치한 후 [ **이미지** ]에 들어가서 타이틀에 넣고자 하는 이미지를 추가합니다. [ **플레이 헤드** ]를 자막을 넣을 위치에 가져다 놓습니다. ②[ **레이어** ]를 터치합니다. ③[ T ]를 터치합니다.

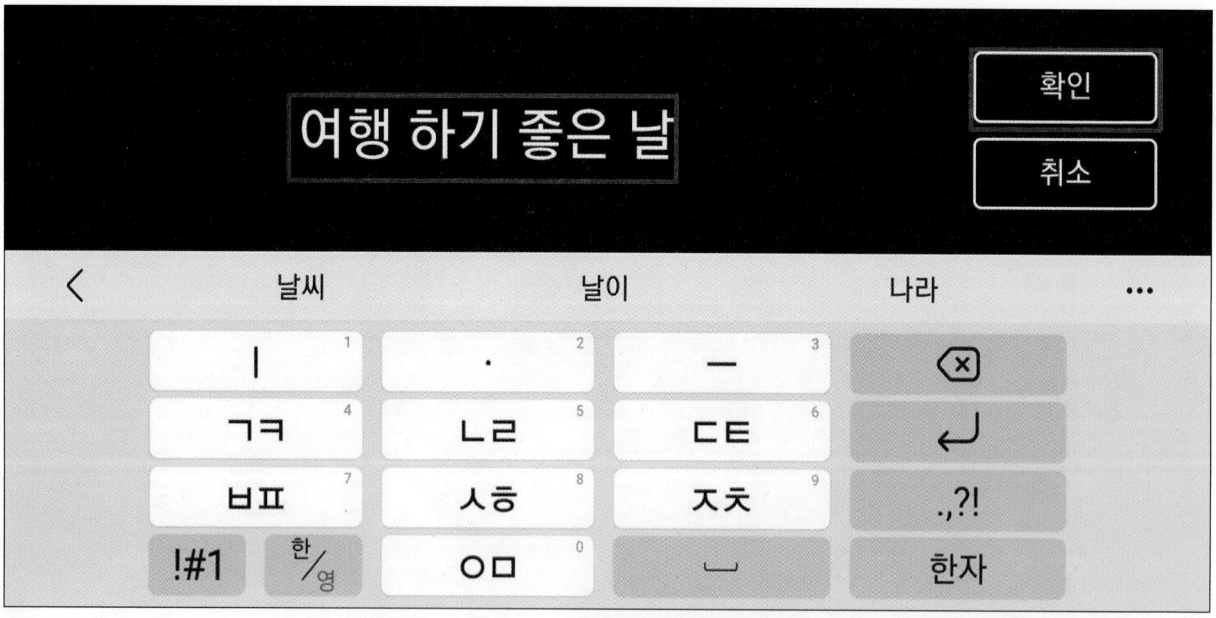


**1** 텍스트 : 키보드가 나오면 입력하고 싶은 문구를 입력하고 [ **확인** ]를 터치합니다.

CHECK 리스트

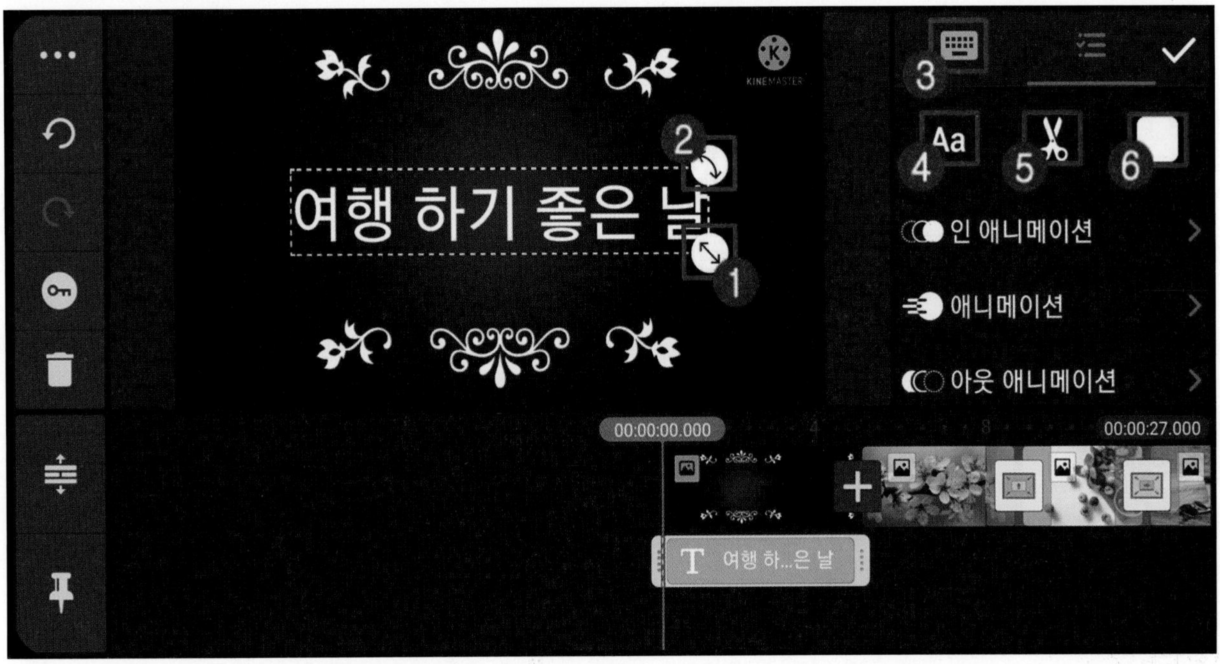


1 ①[ 크기 ] 글자 크기를 조절합니다.
②[ 회전 ] 글자를 회전할 때 사용합니다. ③[ 수정 ] 글자를 수정할 때 사용합니다.
④[ 폰트 ]를 정할 수 있습니다. ⑤[ 자르기 ] 트림 / 분할을 할 수 있습니다.
⑥[ 색상 ]을 정할 수 있습니다.

## ▶ 다양한 폰트 다운로드 받기

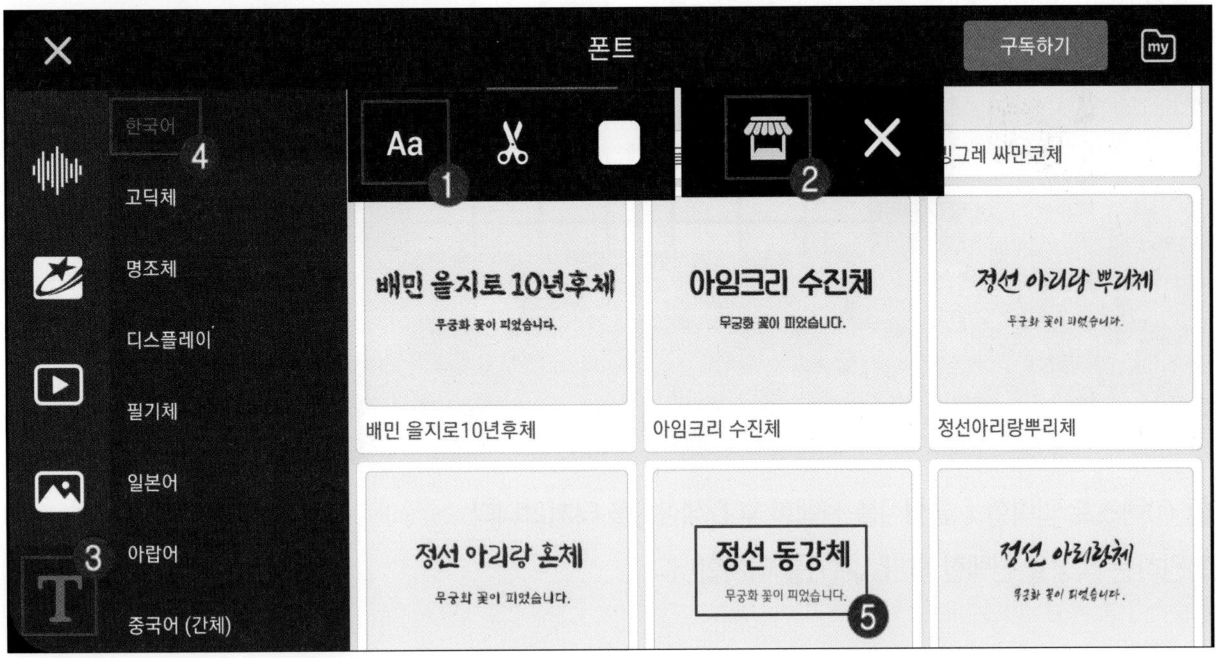


1 ①텍스트 입력한 [ 클립 ]를 선택한 후 [ Aa ]를 터치합니다.
②[ 에셋 스토어 ]를 터치합니다.
③[ T ]를 터치합니다. ④[ 한국어 ]를 터치합니다. ⑤다운 받고자 하는 글꼴을 터치한 후
[ 다운로드 ]를 터치합니다. ( 다양한 글꼴들도 [ 다운로드 ]를 해주면 됩니다. )

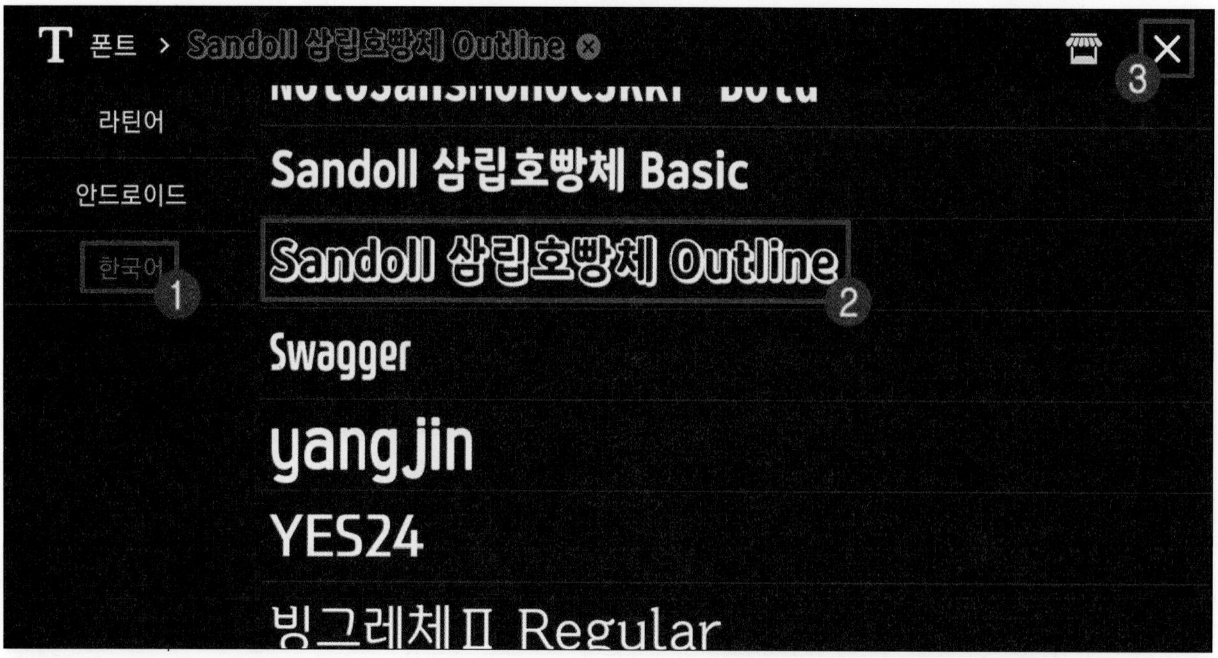

1 텍스트 입력한 [ 클립 ]을 선택한 후 [ Aa ]를 터치합니다. ①[ 한국어 ]를 터치합니다.
②원하는 글꼴을 터치합니다. ③[ ✖ ]를 터치하면 편집 화면으로 이동이 됩니다.

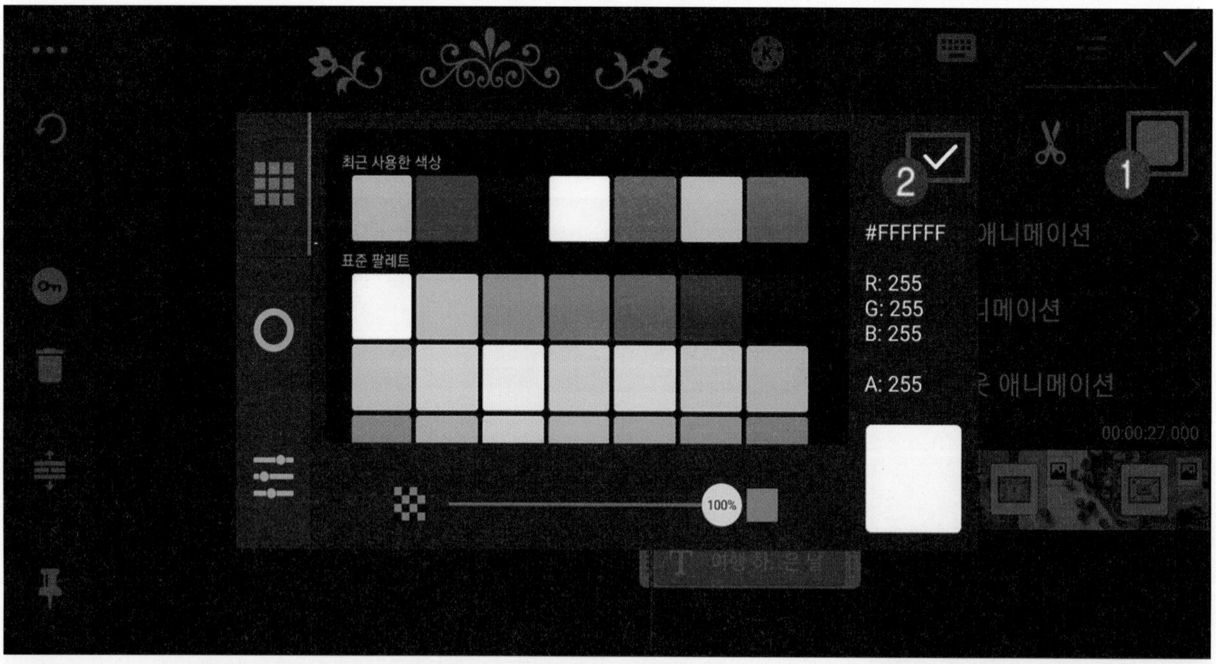

1 ①텍스트 입력한 [ 클립 ]를 선택한 후 [ 색상 ]을 터치합니다.
②원하는 색상을 선택한 후 [ ✔ ]를 터치합니다.

CHECK 리스트

## ▶ 텍스트 효과 주기

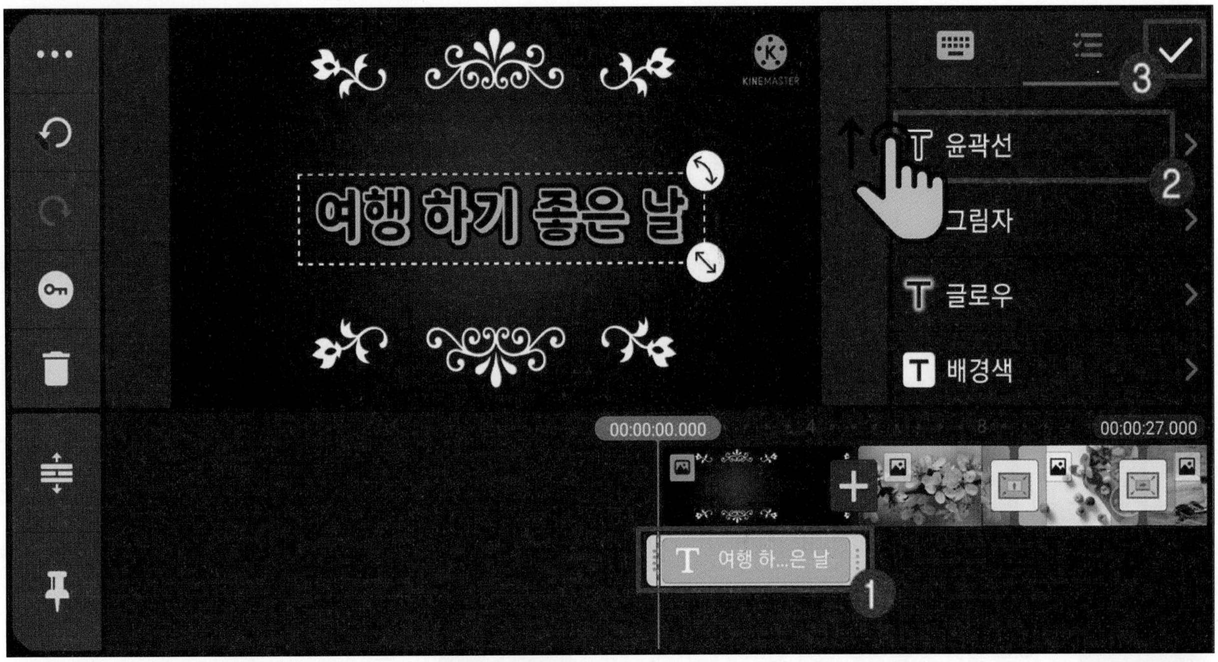


1 ①텍스트를 입력한 [ **클립** ]을 터치합니다. ②오른쪽 화면을 위로 올려서 [ **윤곽선** ]을 선택 - 다른 옵션을 선택하여 다양한 효과를 줄 수 있습니다. [ **인 애니메이션, 애니메니션, 아웃 애니메이션, 알파(불투명도), 회전 / 미러링, 혼합, 텍스트옵션, 윤곽선, 그림자, 글로우, 배경색, 정보 등이 있습니다.** ] ③[ **윤곽선** ] 선택이 끝나면 [ ✔ ]를 터치합니다. ( 윤곽선의 색상은 검정으로 적용한 예문입니다. )

자막에 배경을 넣고자 할 경우는 [ **배경색** ]을 켜 주면 됩니다.

## ▶ 텍스트에 애니메이션 넣기

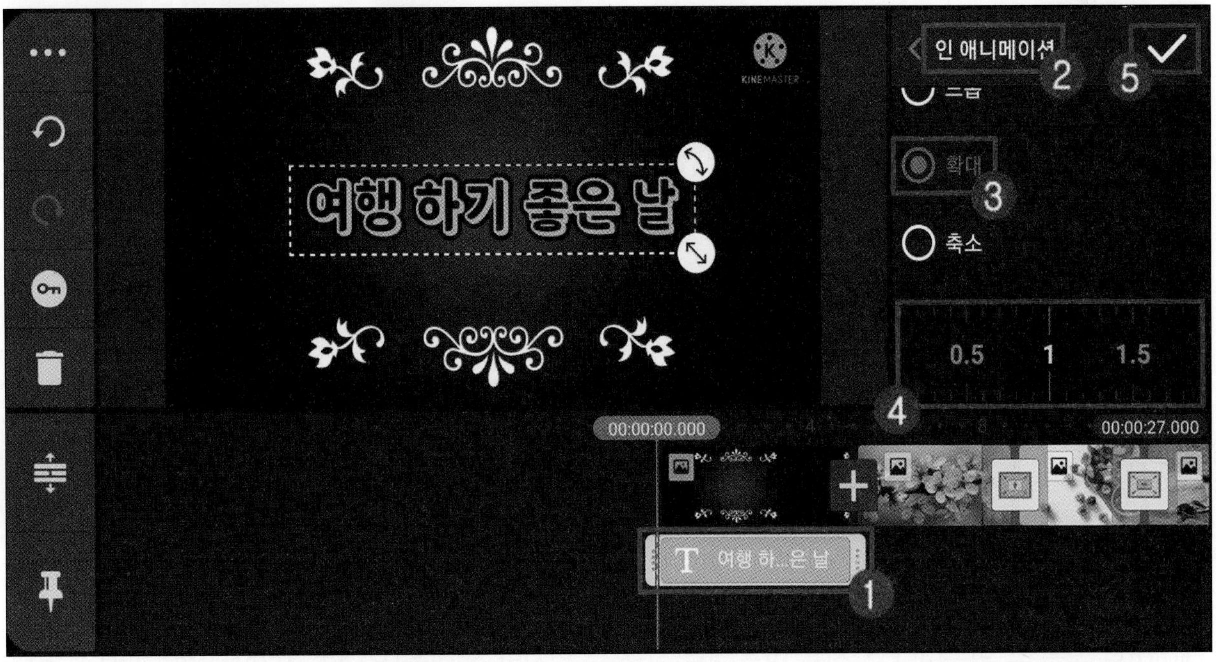


1 ①텍스트 입력한 [ **클립** ]을 터치합니다. ②[ **인 애니메이션** ]을 터치합니다. ③[ **확대** ]를 터치합니다. (다른 효과를 선택해도 됩니다.) ④속도 시간을 설정합니다. ⑤선택이 끝나면 [ ✔ ]를 터치합니다.

## ▶ 레이어의 미디어 상세옵션

| | |
|---|---|
| | * [ 자르기 ] 트림 / 분할 |
| | * [ 화면 분할 ] 화면에 채우기 할 때<br>* 화면을 분할에서 배치 할 때 |
| | * [ 회전 / 미러링 ] 좌,우,상,하로 미러링 좌우 회전 |
| | * [ 인 애니메이션 ] 페이드 팝, 오른쪽으로 밀기, 왼쪽으로 밀기 등 |
| | * [ 애니메이션 ] 느리게 깜박이기 점멸, 펄스, 진동, 분수, 회전, 프롤팅 등 |
| | * [ 아웃 애니메이션 ] 페이드, 팝, 오른쪽으로 밀기, 왼쪽으로 밀기 등 |
| | * [ 크로마키 ] 동영상 내에서 지정한 색을 지우거나 투명화하여 색을 없애는 기능 |

| | |
|---|---|
| | * [ 크롭 ] 마스크를 활성화하여 영상의 다양한 형태의 모양을 만든다. |
| | * [ 알파(불투명) ] 영상의 투명도를 조절 |
| | * [ 필터 ] 따뜻한 차가운, 선명한 모노 흐린 느낌을 만들어 낼 수 있다. |
| | * [ 조정 ] 밝기 조절 |
| | * [ 혼합 ] 혼합 모드를 이용하여 흑백의 배경을 없애고 이중 노출의 영상을 만들 때 |
| | * [ 미디어 교체 ] 선택한 미디어를 다른 사진이나 영상으로 교체할 때 사용합니다. |

## ▶ 레이어에서 미디어 추가하기 (PIP 기능)

1 [ 레이어 ] : 쌓는다는 개념으로 이해하시면 됩니다. [ 미디어 ] : 영상이나 사진에 다른 사진이나 영상을 레이어로 넣을 수 있습니다. 사진은 마음대로 넣을 수 있지만, 영상은 휴대폰 기기에 따라 넣을 수 있는 개수가 다를 수 있습니다. ①플레이 헤드를 원하는 영상위치에 놓습니다. ①[ 레이어 ]선택합니다.
②[ 미디어 ]를 선택합니다.

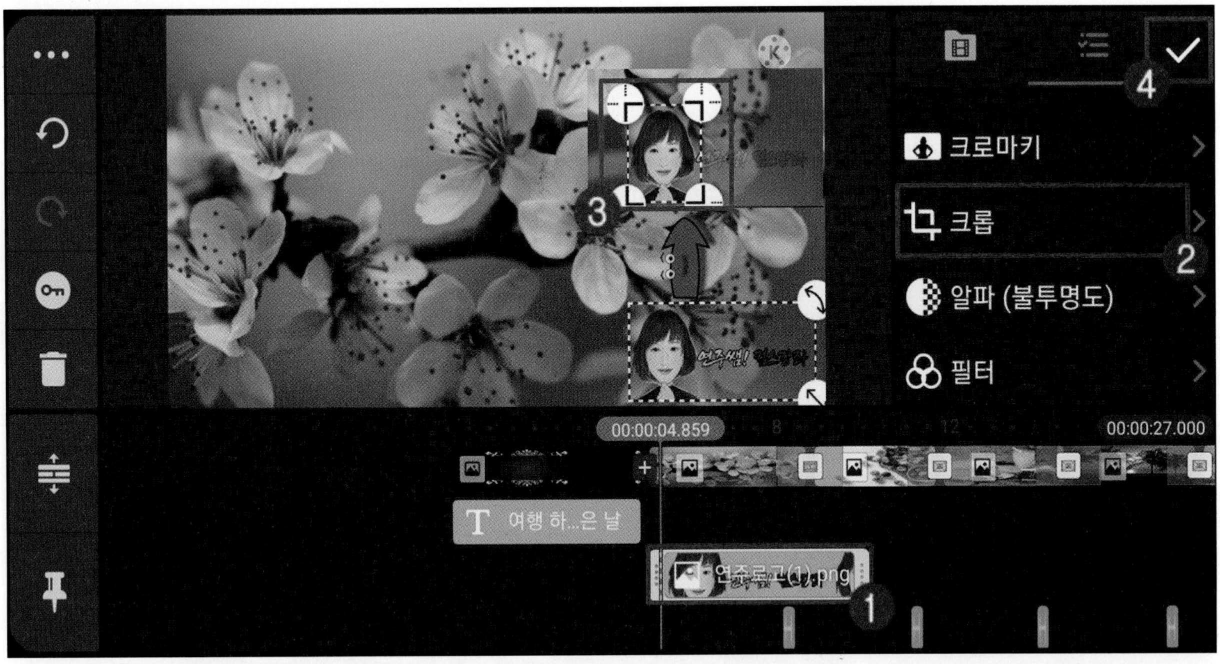


**1** **[ 미디어 브라우저 ]**가 다시 나오면 사진이나 동영상을 선택하여 넣을 수 있습니다.
사진을 조절할 수 있는 조절 단추가 생깁니다. 원하는 위치로 이동시킵니다.
①추가된 사진의 크기를 조절하고자 할 때는 사진 **[ 클립 ]**을 선택합니다.
②**[ 크롭 ]**을 선택합니다. ③원하는 크기를 조절합니다.
④크기를 조절한 후 원하는 위치로 가져다 놓고 [ ✔ ]를 터치합니다

## ▶ 음성 / 오디오 옵션

| | |
|---|---|
| | * [ 오디오 ] 음성녹음이나 오디오 추가 시 볼륨을 조절합니다. |
| | * [ EQ ] 이퀄라이저라고 하며 녹음 또는 스피커의 특성을 바로 잡거나, 노래의 높은 음을 강조하기 위하여 주로 사용합니다. |
| | * **[ 상세볼륨 ]** [ G+ ]: 음조절점을 이용하여 구간 구간 소리의 크기를 변경할 수 있습니다.<br>[ G- ]:음조절점을 삭제할 수 있습니다. |
| | * **[ 잔향효과 ]** 동굴 속 또는 목욕탕에서 말할때처럼 소리가 울리도록 변경해주는 기능입니다. |
| | * [ Ducking ] 오디오에 나레이션과 음악이 동시에 있을 때 나레이션에 맞게 음악의 소리를 낮추거나 올리는 기능 |

| | |
|---|---|
| | * **[트림/분할]** 음악의 길이를 자르거나 분할 할 때 사용합니다. |
| | * ① 플레이헤드의 왼쪽을 트림(자른다) |
| | * ② 플레이헤드의 오른쪽을 트림(자른다) |
| | * ③ 플레이헤드에서 분할(나눈다) |
| | * **[ 음성 변조 ]** 음성을 변조합니다. |
| | * **[ 반복 ]** 음악을 반복해서 재생할 때 사용 |

## ▶ 효과음 및 배경음악 넣기

### ▼ 효과음

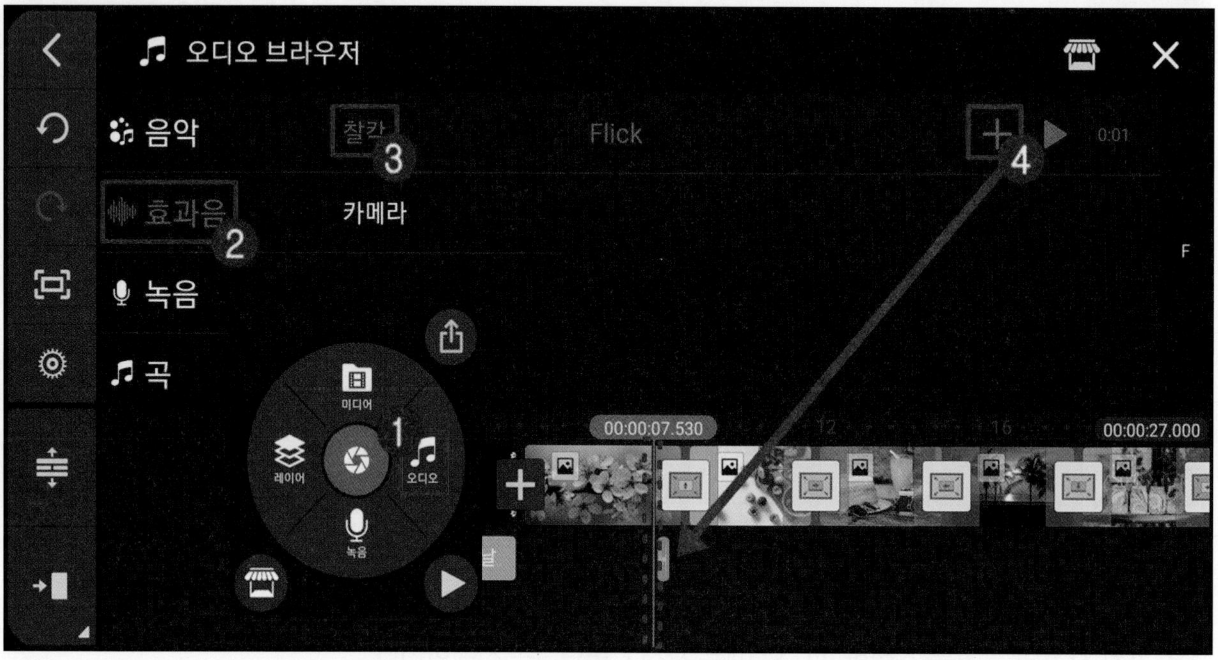


**1** ①[ **플레이헤드** ]를 효과음을 넣고자 하는 곳에 가져다 놓은 후 [ **음악** ]을 터치합니다. ②[ **효과음** ]을 선택합니다. ③[ **찰칵** ]을 터치합니다. ④[ ✚ ]를 터치합니다. ⑤타임라인에서 옆으로 이동한 후 [ **효과음** ]을 넣을 위치에 [ **플레이헤드** ]를 가져다 놓고 [ ✚ ]를 눌러 추가를 해주면 됩니다.

마음에 드는 효과음을 찾기 위해 [ **오디오 에셋스토어** ]에 가서 [ **다운로드** ]하여 설치합니다. [ **다운로드** ]가 끝나면 [ ✖ ]를 터치합니다.

**예)** 찰칵은 [ **효과음** ] - [ **기계 & 도구** ]에서 다운로드 받으시면 됩니다.

**CHECK 리스트**

## ▼ 배경음악

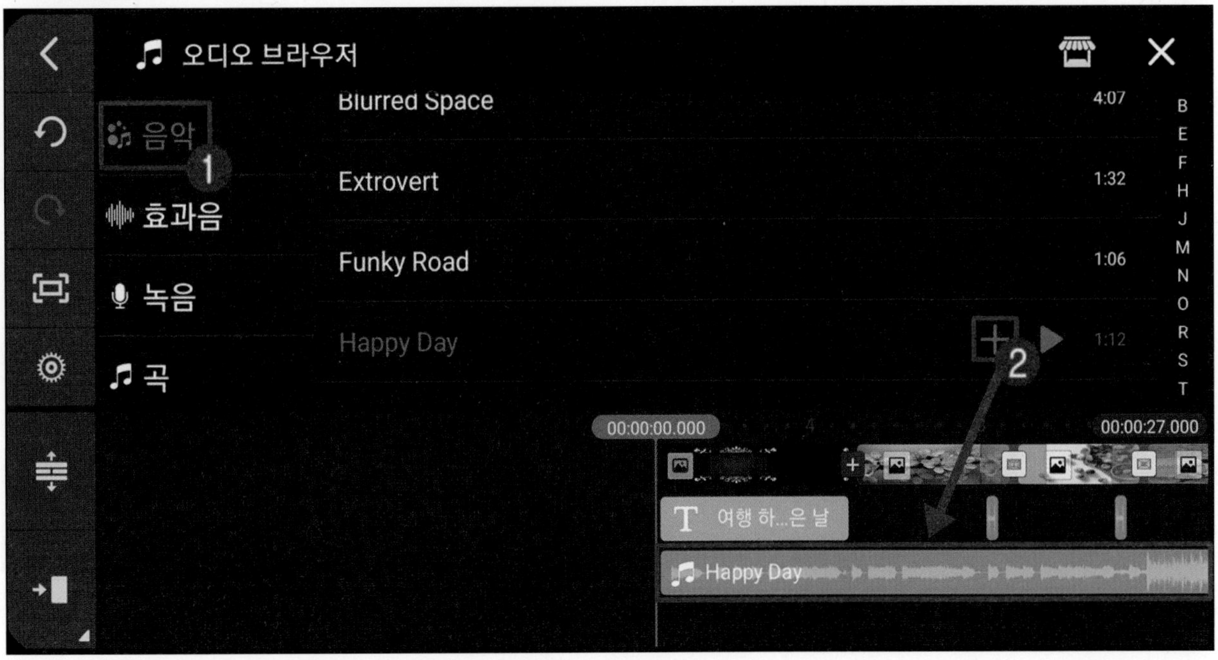


1 ①[ **플레이헤드** ]를 배경음약을 넣고자 하는 곳에 가져다 놓은 후 [ **음악** ] - [ **음악** ]을 터치합니다. ②원하는 음악에서 ▶[ **미리듣기** ]을 한 후 마음에 들면 [ ✕ ]를 터치합니다.

마음에 드는 음악을 찾기 위해 [ **오디오 에셋스토어** ]에 가서 [ **다운로드** ]하여 설치합니다. [ **다운로드** ]가 끝나면 [ ✕ ]를 터치합니다.

[ **오디오** ]가 추가되었고 오디오 선택하면 노란색 테두리가 생기면서 오디오 조절할 수 있는 옵션이 보입니다. 여기에서 다양한 효과를 주어봅니다. 클립을 선택하면 노란 테두리 됐을 때 맨 마지막 끝에서 터치 드래그하여 사진이나, 동영상 길이에 맞게 조절하시면 됩니다.

**CHECK 리스트**

### ▼ 액션 바의 프로젝트 설정

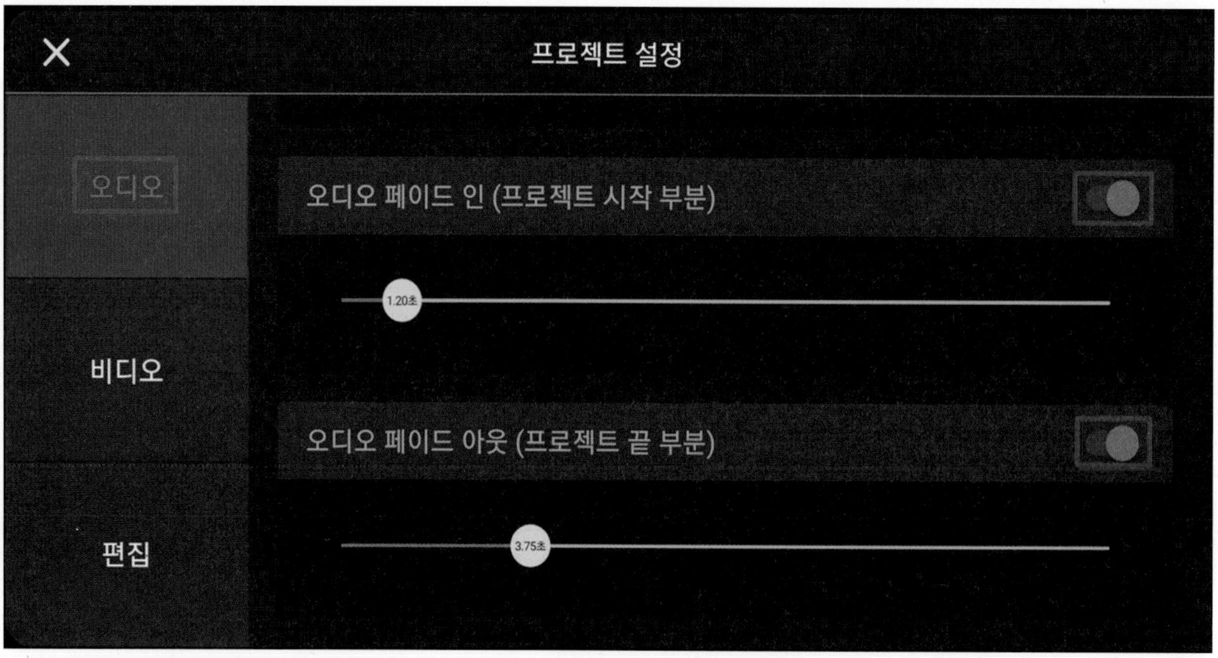


1 [ 프로젝트 설정 ] - [ 오디오 ] 선택합니다.

[ 오디오 페이드 인 ], [ 오디어 페이드 아웃 ]을 켜줍니다.

음악이 시작부분과 끝 부분을 자연스럽게 들을 수 있도록 설정합니다.



### ▶ 영상 컷 편집(트림 / 분할)

동영상에서 불필요한 부분을 잘라서 버리는 방법입니다.

1 ①아래 동영상 [ 클립 ]을 선택합니다.(영상이나 사진에 노랗게 표시가 되면 선택된 것입니다.)
②자르고자 하는 위치에 [ 플레이헤드 ]를 가져다 놓고 가위모양의 [ 트림 / 분할 ]을 선택합니다.

가위를 선택하면 [ 트림/분할 ]을 할 수 있습니다.

### ▶ 트림 / 분할 메뉴

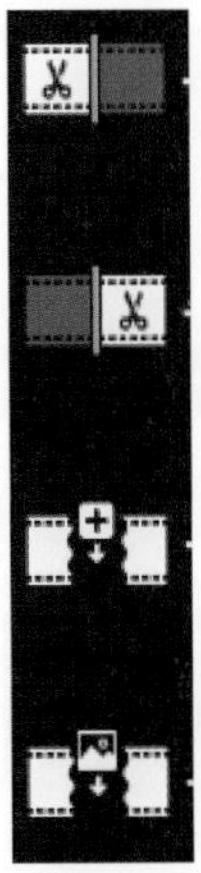

**[ 플레이헤드의 왼쪽을 트림 ]** : 플레이 헤드의 위치에서 왼쪽 영상이 잘려서 삭제가 됩니다.

**[ 플레이헤드의 오른쪽을  트림 ]** : 플레이 헤드의 위치에서 오른쪽 영상이 잘려서 삭제가 됩니다.

**[ 플레이헤드에서 분할 ]** : 화면은 그대로 있는데 영상이 두개로 분할이 되어 나타납니다.

**[ 분할 및 정지화면 삽입 ]** : 플레이헤드를 중심으로 중간에 사진이 캡처가 되어서 삽입이 되어 나타납니다.

[ 원본 영상 ]

[ 플레이헤드의 왼쪽을 트림 ]

[ 원본 영상 ]

[ 플레이헤드의 오른쪽을  트림 ]

[ 원본 영상 ]

[ 플레이헤드에서 분할 ]

[ 원본 영상 ]

[ 분할 및 정지화면 삽입 ]

CHECK 리스트

## ▶ 내보내기(저장하기)

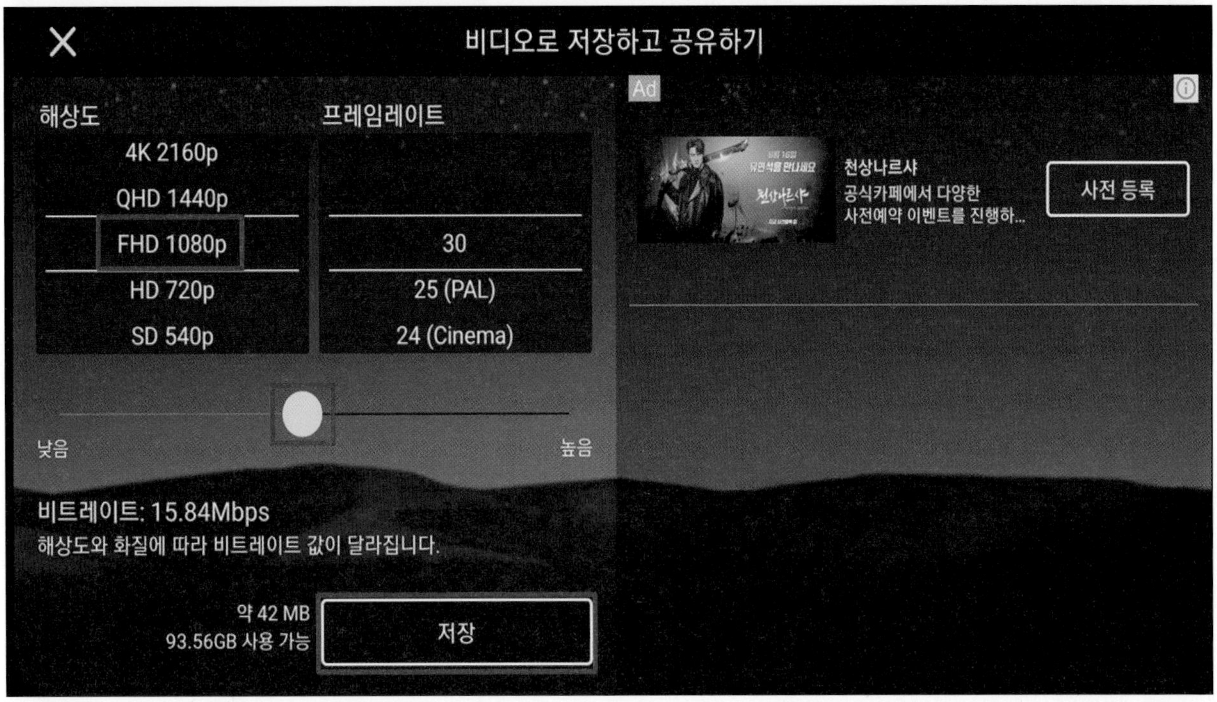


1 프로젝트를 완성했으면 [ **내보내기** ]를 터치합니다.

[ **해상도** ] FHD 1080p – 영상의 화질

[ **프레임레이트** ] 30 – 1초에 화면을 30개의 사진을 돌린다는 의미입니다.

[ **저장** ] 갤러리에 저장 할 수 있습니다.

[ **저장** ]을 터치한 후 [ **건너뛰기** ]를 터치하면 저장이 됩니다.

내보내기가 끝나면 스마트폰 갤러리의 앨범 중에서 [ Export ]를 선택하여 확인하면 됩니다.

## ▶ 프로젝트 관리하기

**1** 완성된 프로젝트들이 있는 곳입니다. 여기서 선택을 해서 수정할 수도 있습니다.
[ **내 프로젝트** ]의 [ **모두 보기** ]를 터치합니다.

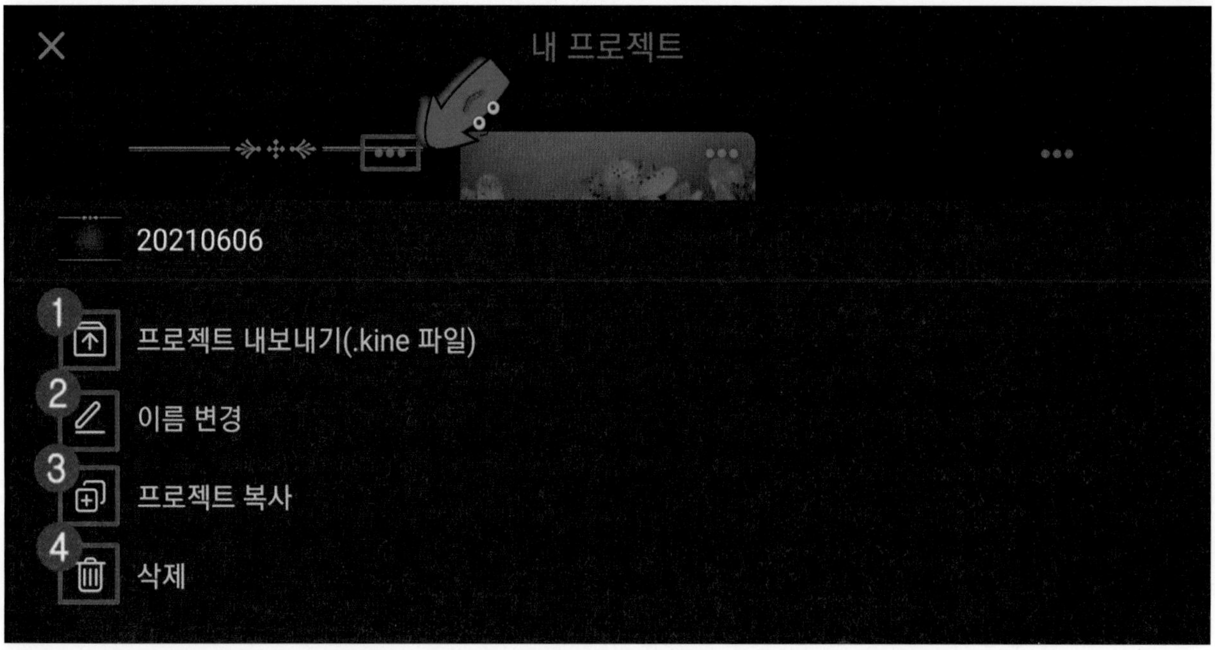


**1** [ **•••** ]를 선택합니다.

①[ **프로젝트 내보내기** ] : 프로젝트를 저장해서 다른 곳으로 공유를 할 수 있습니다.

②[ **이름 변경** ] : 프로젝트에 제목을 넣고자 할 때 사용합니다.

③[ **프로젝트 복사** ] : 프로젝트를 복제할 때 사용합니다.

④[ **삭제** ] : 프로젝트를 삭제하고자 할 때 사용합니다.

# 이미지 합성 어플 활용하기 - 포토퍼니아

위 QR코드 스캔하시면
[ 포토퍼니아 이미지 합성사진 만들기 ]
유튜브 영상을 보실 수 있습니다.
영상 보시면서 따라 하시면 더욱 쉽게 하실 수 있습니다.

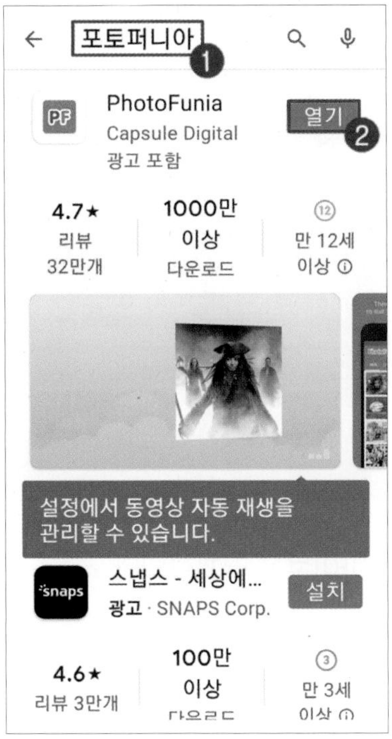

1 [ Play스토어 ]에서 ①[ **포토퍼니아** ]를 검색합니다. 설치 완료 후 ②[ **열기** ]를 터치하여 실행합니다.

2 포토퍼니아 첫 화면에서 좌측 상단에 위치한 가이드 메뉴 중 ③[ **카테고리** ]를 터치합니다.

3 카테고리 화면을 위로 드래그 하여 ④[ **갤러리** ]를 터치합니다.

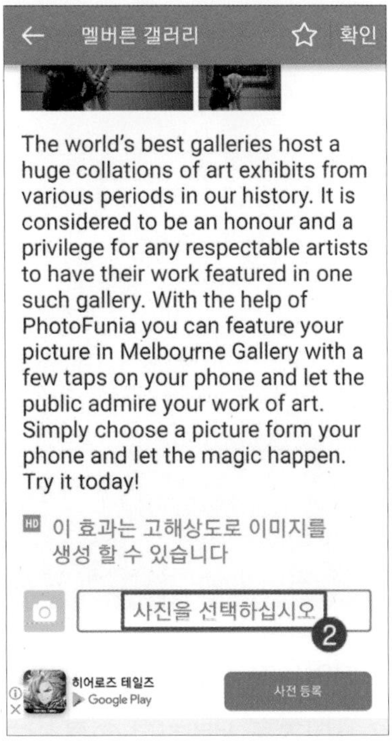


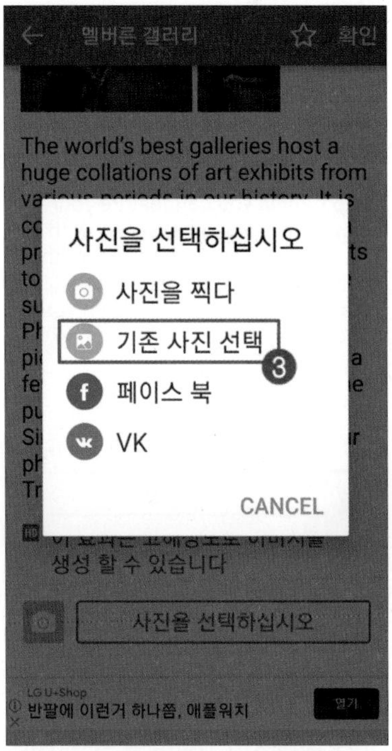


1 갤러리 효과 중 ①[ **멜버른 갤러리** ]를 터치합니다 2 멜버른 갤러리 화면이 나오면 ②[ **사진을 선택하십시오** ]를 터치합니다. 3 ③[ **기존 사진 선택** ]을 클릭하여 갤러리에서 합성하고 싶은 이미지를 불러옵니다.

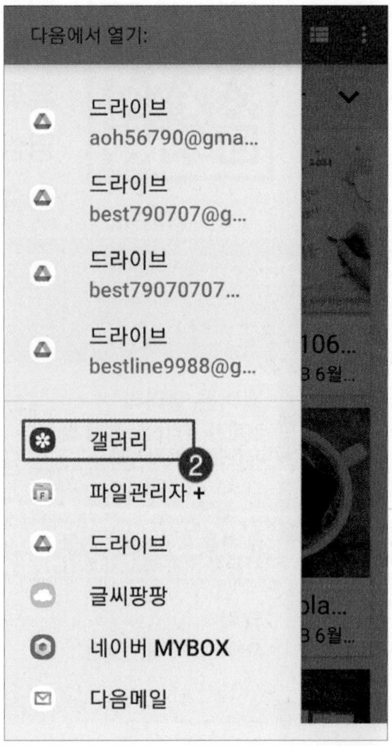

1 최근 사진이 보입니다. 더 많은 사진을 보기 위해 좌측 상단에 ①[ **삼선** ]아이콘을 터치합니다.

2 ②[ **갤러리** ]를 터치하여 합성에 필요한 사진을 가져옵니다.

3 ③[ **확인** ]을 터치하여 다음으로 진행합니다.

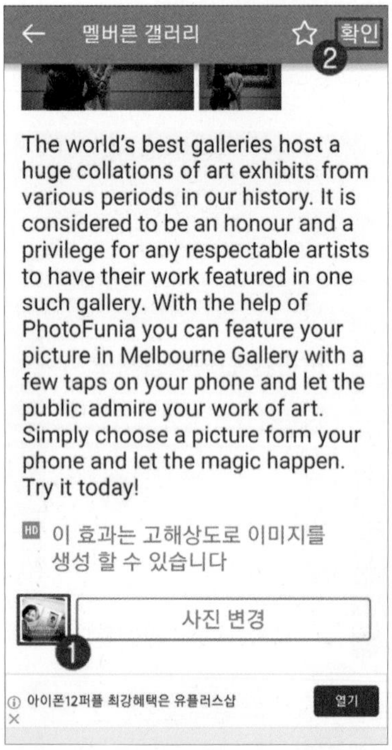

1 합성하고자 하는 사진이 ①에 첨부되었는지 확인 후 ②[ **확인** ]을 터치합니다. 2 ③이미지 합성을 하기 위해서 다운로드 중입니다. 3 ④사이즈를 선택하고 ⑤를 터치하면 갤러리에 저장이 됩니다. ⑥을 터치하면 다른 곳으로 공유할 수 있습니다.

# 사진작가들이 가장 많이 사용하는 카메라 필터 어플 - 피크닉(풍경 사진에 최적화 된 앱)

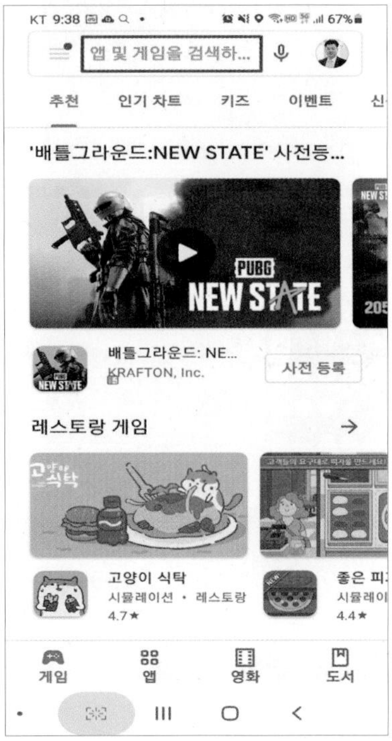

1 [ **피크닉** ] 앱을 다운받기 위해 [ **Play 스토어** ]를 터치합니다. 2 상단 검색창을 터치합니다.
3 검색창에 [ **피크닉** ]이라고 입력합니다.

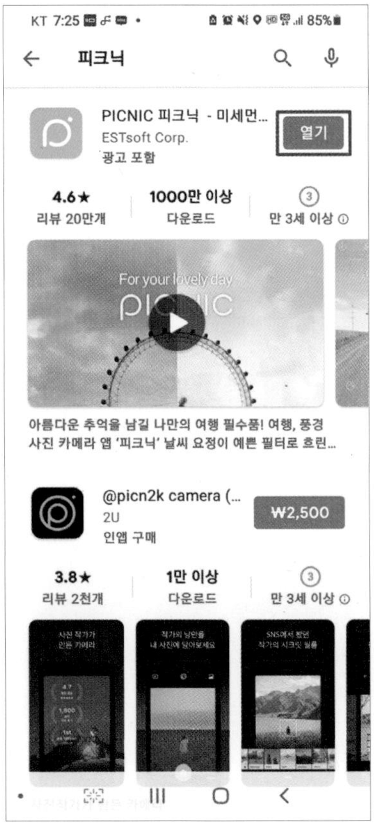

1 [ **피크닉** ] 앱 설치가 완료되면 [ **열기** ]를 터치합니다.
2 [ **피크닉** ] 앱 화면 하단 왼쪽에 [ **갤러리** ]를 터치합니다. 3 액세스 [ **허용** ]을 터치합니다.

1 상단 **[ 전체 사진 ]**을 터치하면 자신의 스마트폰 갤러리에 있는 **[ 앨범 ]**들이 보이고 원하는 사진을 가져올 수 있습니다.

2 **[ 전체 사진 ]** 밑에 있는 사진들은 최근 사진들이 보여집니다. 하늘이 있는 사진을 한 장 선택합니다.

3 선택된 사진 밑에 카메라 필터 앱들이 보여지는데 맨 왼쪽에 [ Original ]로부터 오른쪽으로 5칸을 이동하면 [ Alps ]필터를 터치하면 흐린 하늘에 구름이 생성되는 것을 볼 수 있습니다.

**CHECK 리스트**

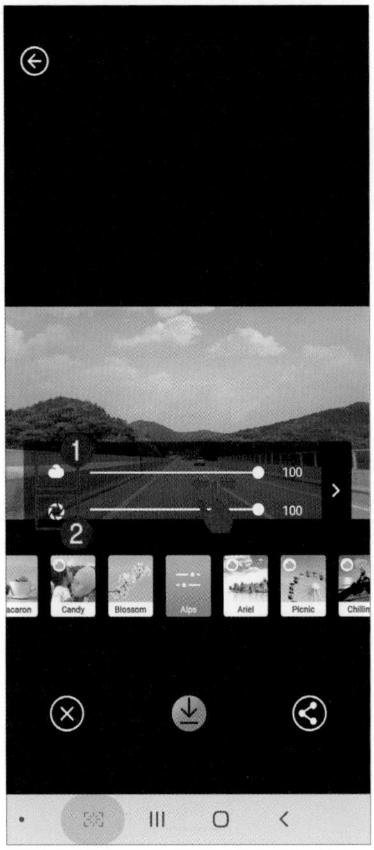

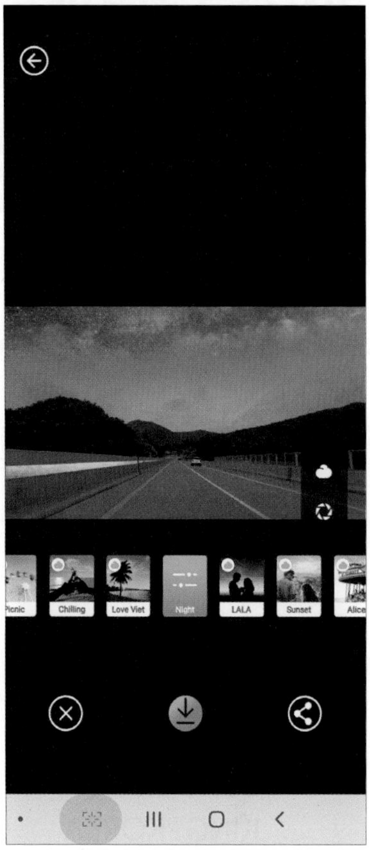

1 가져온 사진 우측 하단에 ①[ **구름 아이콘** ]을 터치하면 [ **구름** ]을 없앨 수 도 있고 만들 수 도 있습니다. ②[ **아래로 화살표 아이콘** ]을 터치하면 [ **갤러리** ]에 저장됩니다. 2 ①[ **구름 아이콘** ]을 터치하면 [ **원형 점** ]이 100에 위치하고 있는데 손가락으로 좌우로 드래그하면 구름을 없앨 수도 만들 수도 있습니다. ②[ **톱니바퀴** ] 아이콘을 터치하면 채도나 명도를 조절할 수 있습니다. 3 [ Night ] 필터를 선택하면 하늘에 수많은 별들이 나타납니다. 이처럼 [ **피크닉** ] 앱은 하늘 이미지에 다양한 필터를 적용할 수 있습니다.

**CHECK 리스트**

# 키오스크 활용하기 - 버거킹

[ 버거킹 ] 앱(App)의 활용

[ 특징 ]

- 버거킹의 다양한 메뉴를 스마트폰으로 편리하게 주문할 수 있습니다.
- 버거킹 회원이라면 별도의 가입절차 없이 바로 주문 가능합니다.
- 회원가입을 하지 않아도 비회원으로 햄버거를 주문할 수 있습니다.



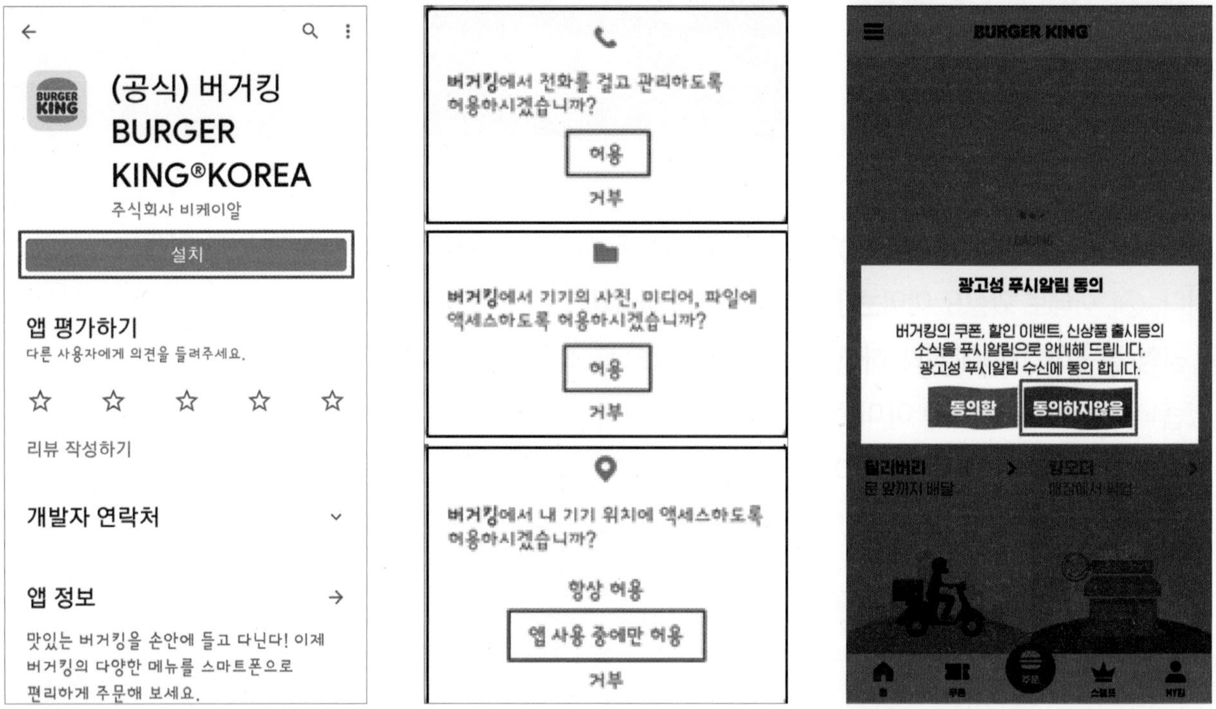


1 구글 [ Play 스토어 ]에서 버거킹 앱을 설치한 후 [ **열기** ] 해줍니다. 2 접근권한을 [ **허용** ]해 줍니다.
3 광고 알림이 오는 광고성 푸시알림은 [ **동의하지않음** ]으로 터치하셔도 무관합니다.

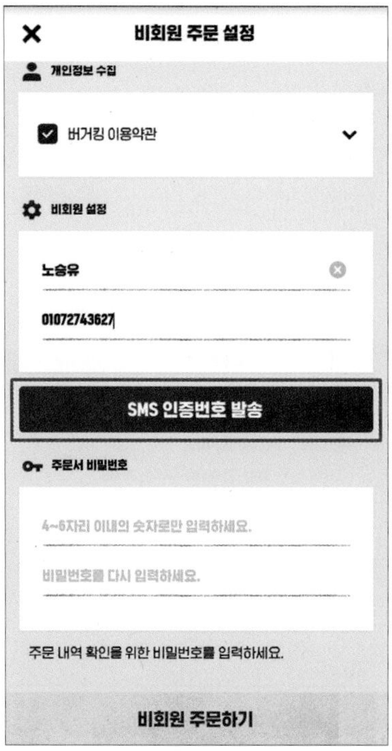


1 스마트폰으로 주문하고 매장에서 픽업하는 킹오더를 주문해 보겠습니다. [ **킹오더** ]를 터치합니다.

2 하단의 [ **비회원 주문** ]을 터치합니다.

3 버거킹 이용약관에 체크하고 이름과 전화번호 입력 후 [ **SMS 인증번호 발송** ]을 터치합니다.

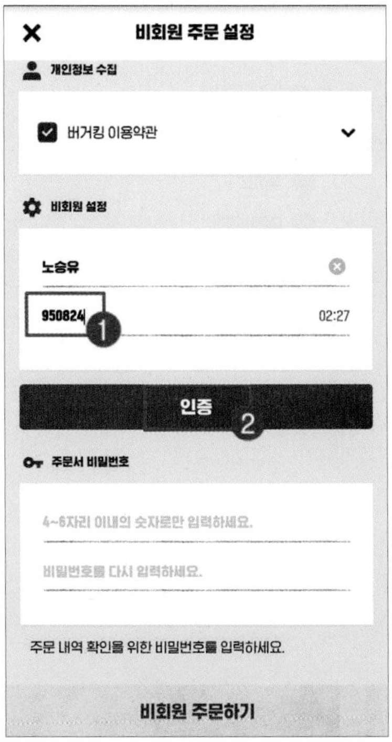

1 ①메시지로 인증번호가 발송되면 휴대번호 입력했던 자리에 인증번호를 입력합니다. ②[ **인증** ]을 터치합니다. 2 ①임의의 비밀번호 4자리 이상을 입력합니다. ②[ **비회원 주문하기** ]를 터치합니다. 3 킹오더를 다시 한번 터치하고 킹오더 주문 후 버거를 찾아갈 매장을 터치합니다.

1 [ **매장 선택하기** ]를 터치합니다.

2 [ **킹오더** ] 메뉴에서 [ **프리미엄** ] 카테고리에서 [ **통새우와퍼** ]를 선택해 보겠습니다.

3 통새우와퍼 라지세트, 세트, 단품 중에 통새우와퍼 단품을 구매해 보도록 하겠습니다. [ **통새우와퍼 단품** ]을 터치합니다.

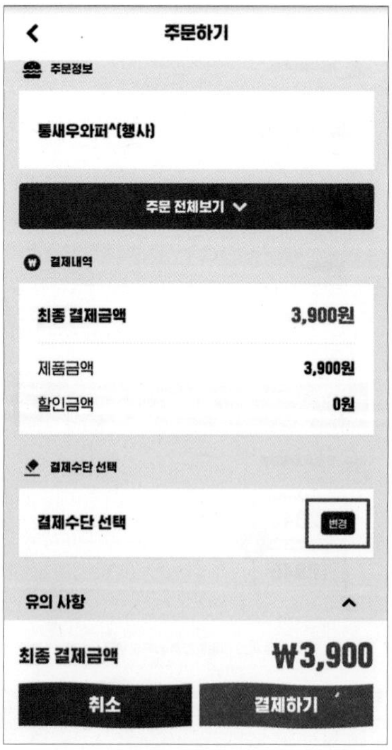


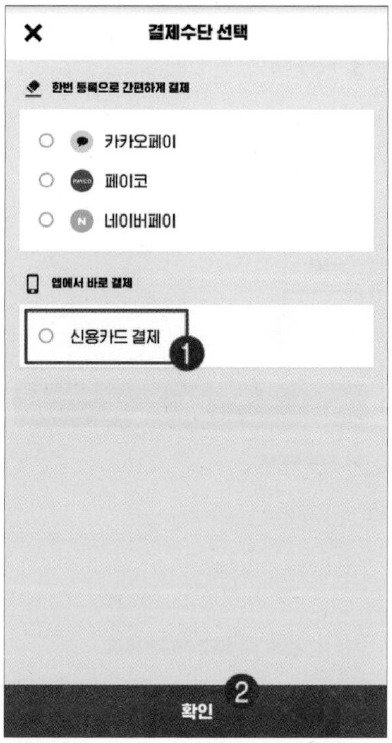


1 [ **킹오더 카트** ]에 버거가 담기고 [ **메뉴 추가 ✚** ]를 터치하면 메뉴를 더 추가할 수 있습니다. 추가할 메뉴가 없다면 [ **주문하기** ]를 터치합니다. 2 결제수단 변경을 위해 결제수단 선택에서 [ **변경** ]을 터치합니다. 3 ①[ **신용카드 결제** ]를 선택하고 ②[ **확인** ]을 터치합니다.

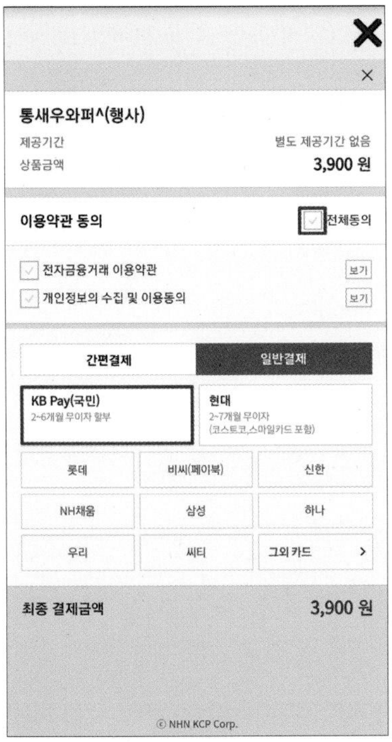


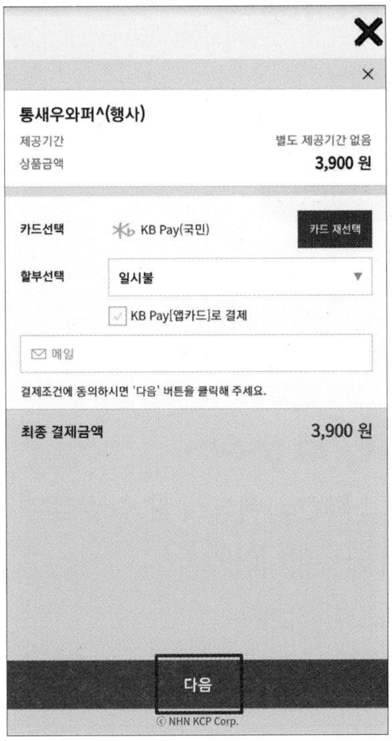


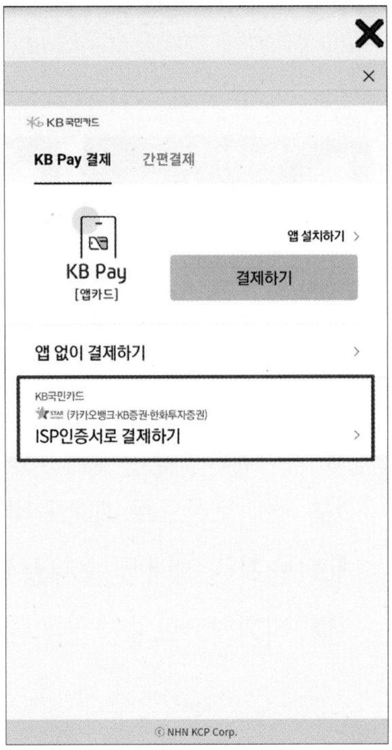


1 이용약관 전체동의를 체크하고 일반결제에서 국민카드를 선택해 보겠습니다.

2 할부를 선택하고 하단의 [ **다음** ]을 터치합니다.

3 [ **ISP인증서로 결제하기** ]를 진행해 보도록 하겠습니다.

*** kb 국민카드 간편결제에서 카드번호를 입력하고 ARS 결제를 진행할 수도 있습니다.**

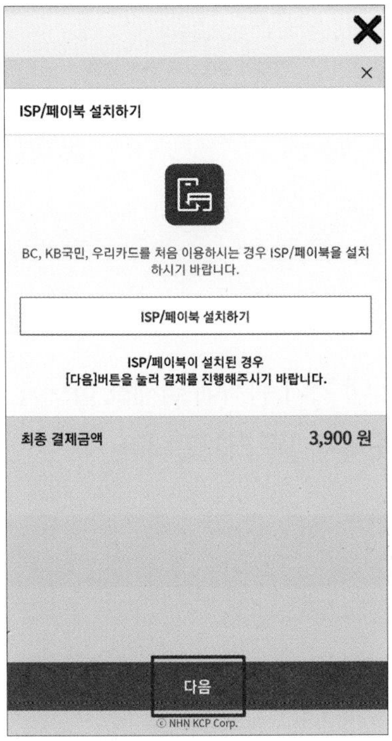


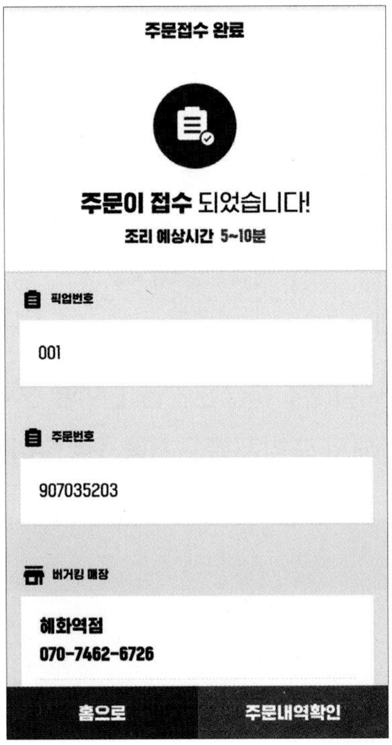


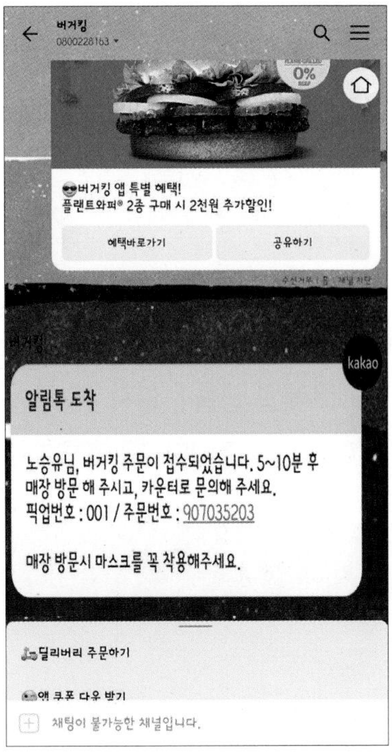


1 ISP/페이북이 설치되어있다면 [ **다음** ]을 터치합니다. 2 결제가 진행되고 주문이 완료되었습니다.

3 카카오톡으로 주문접수 완료 메시지가 오고 픽업번호와 주문번호가 발송된 것을 확인할 수 있습니다.

# 키오스크 활용하기 - 코레일톡

[ 코레일톡 ] 앱(App)의 활용

[ 특징 ]

- 코레일톡은 코레일의 승차권 예약 앱 입니다.
- 스마트폰으로 예매도 바로 하고 확인도 빠르게 할 수 있습니다.
- 승차권 예매 및 승차권 확인이 가능합니다.
- 비회원으로 승차권을 예매할 수 있습니다



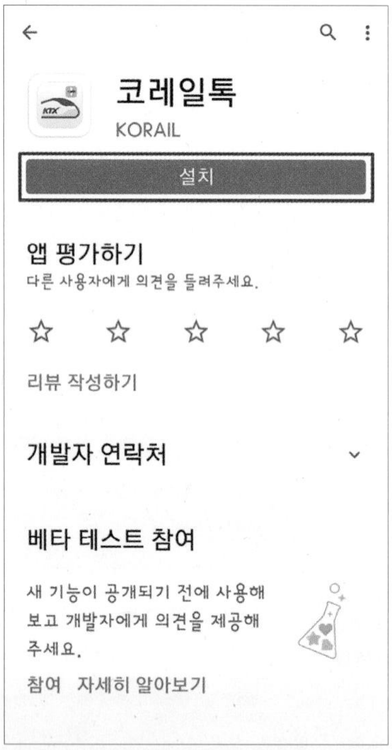


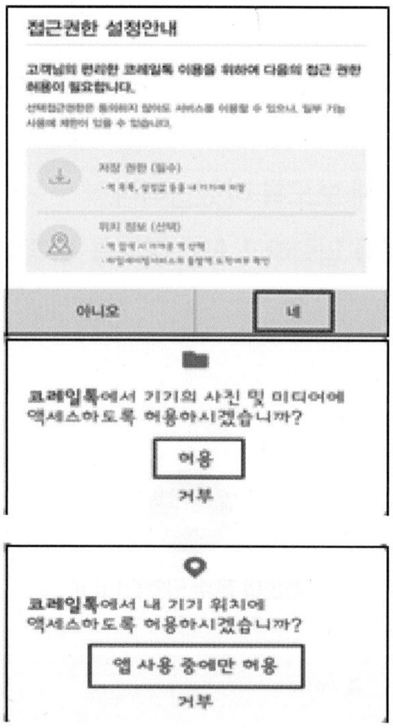


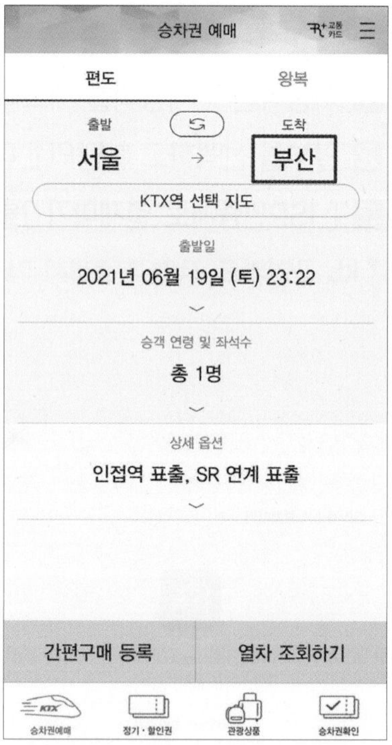


1 코레일 앱을 [ **설치** ]하고 열어줍니다. 2 접근권한을 [ **허용** ]해 주고 내 기기 위치에 엑세스 하도록 [ **허용** ]해 줍니다. 3 출발지를 터치해서 출발지를 [ **서울** ]로 정하고 [ **도착지** ]를 터치합니다.

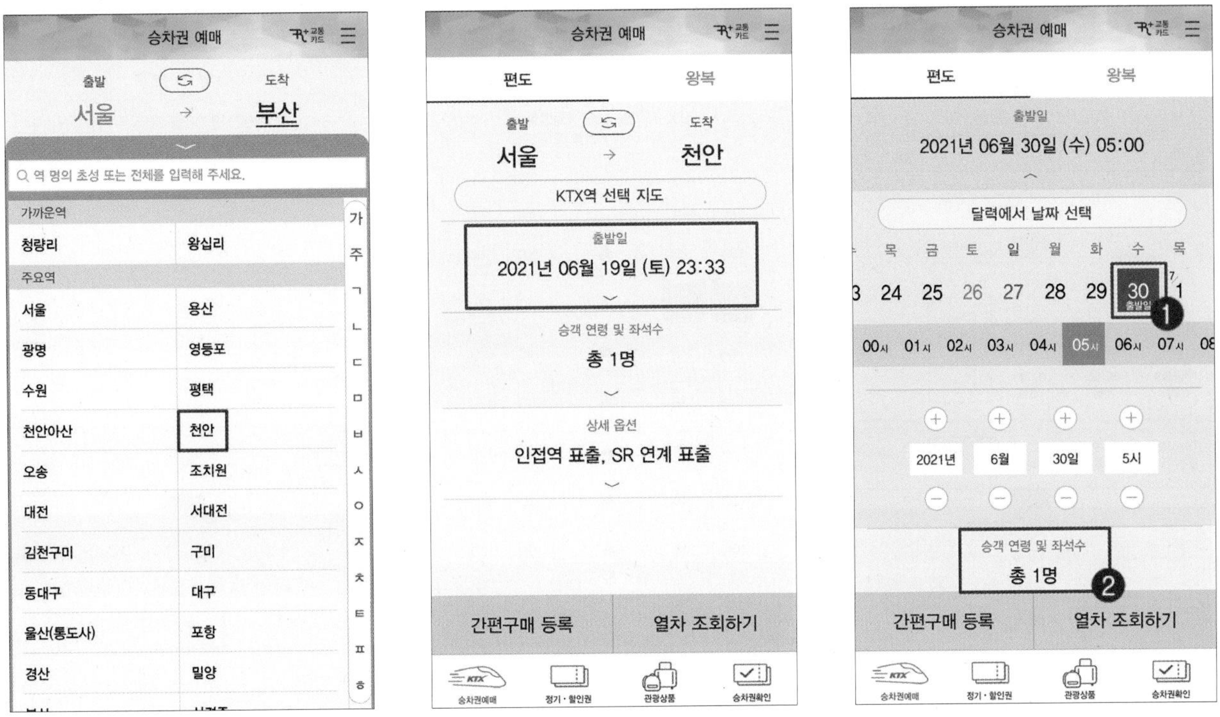


1 도착지를 [ **천안** ]으로 선택해서 상단에 도착지가 바뀌었는지 확인합니다.

2 [ **출발일** ]을 터치합니다.

3 출발할 날짜를 터치하고 [ **승객 연령 및 좌석수** ]를 터치해서 탑승할 인원수를 선택합니다.

1 어른 1명과 경로우대 [ ✚ ]를 터치해서 경로우대 1명을 추가합니다.

2 [ **열차 조회하기** ]를 터치합니다.

3 ITX-새마을 06시 16분 열차 일반실을 선택하겠습니다. [ **일반실** ]의 운임요금을 터치합니다.

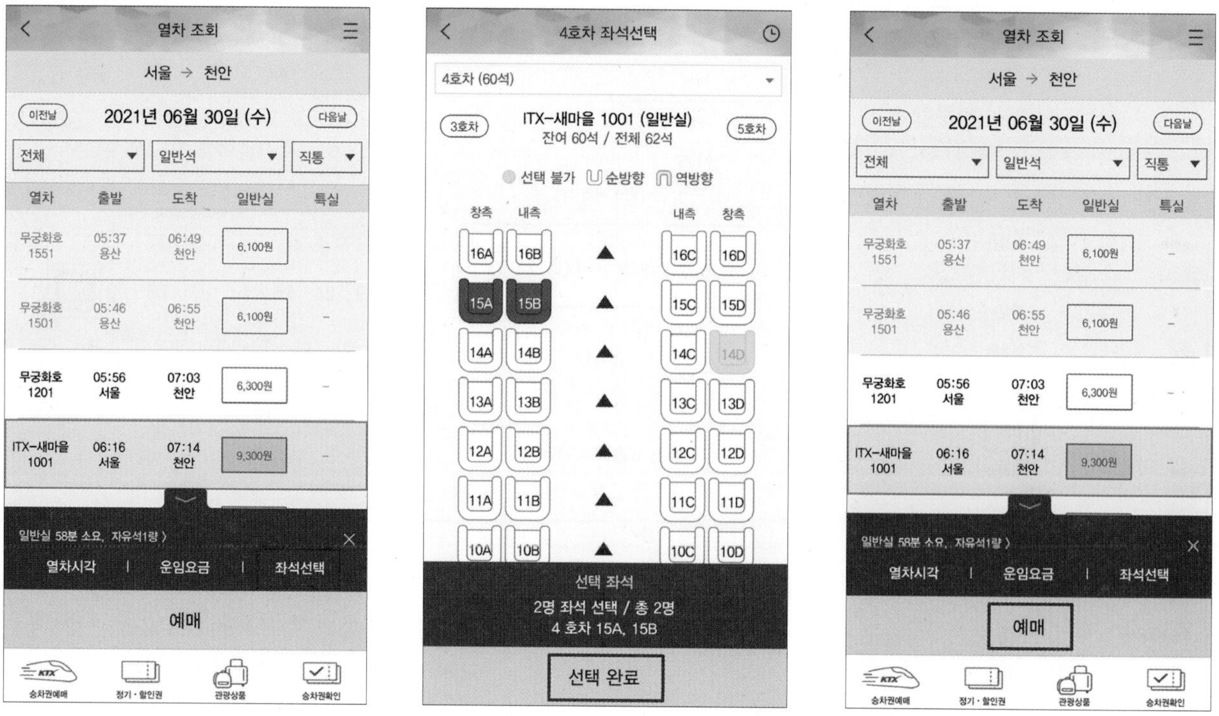


1 [ **좌석선택** ]을 터치합니다. 2 15A, 15B 두 좌석을 선택하고 [ **선택 완료** ]를 터치합니다.
3 [ **예매** ]를 터치합니다.

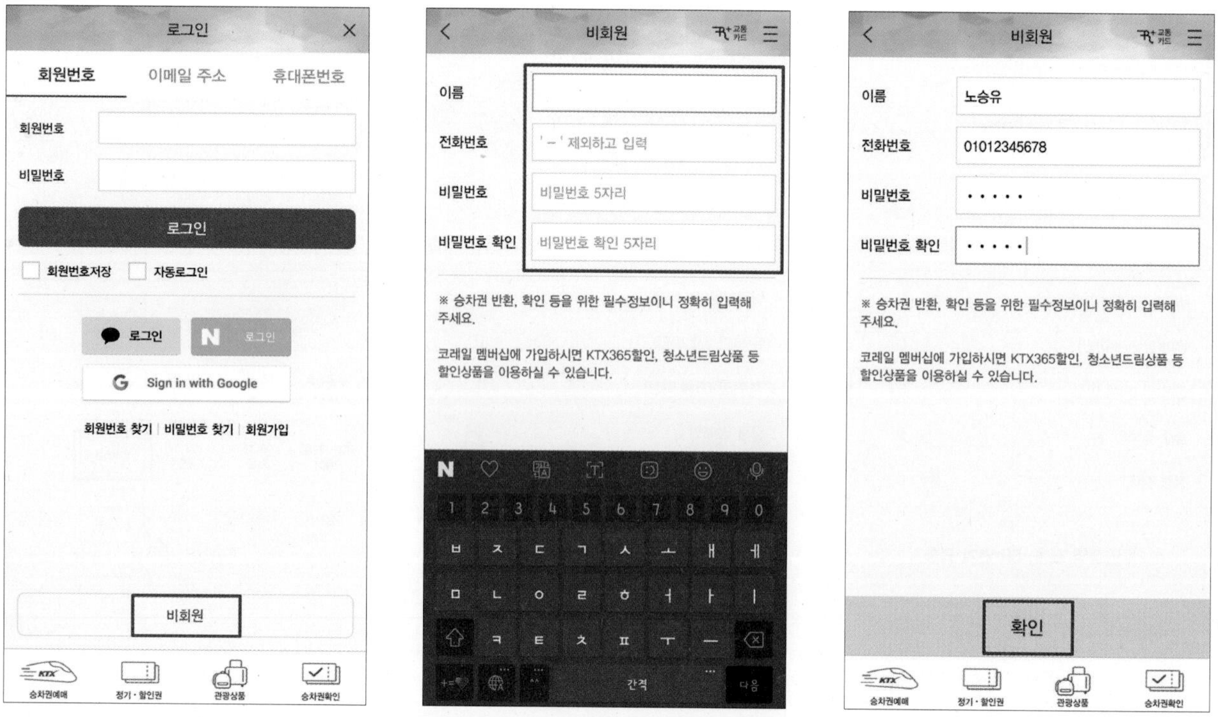


1 회원가입이 되어있지 않으면 비회원으로 열차표를 예매할 수 있습니다. [ **비회원** ]을 터치합니다.
2 이름, 전화번호, 임이의 비밀번호 5자리를 입력하고 똑같은 비밀번호 5자리를 입력합니다.
3 입력이 완료 되었으면 [ **확인** ]을 터치합니다.

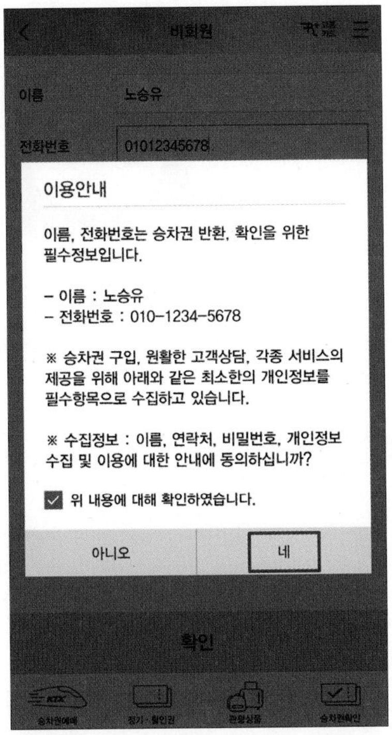


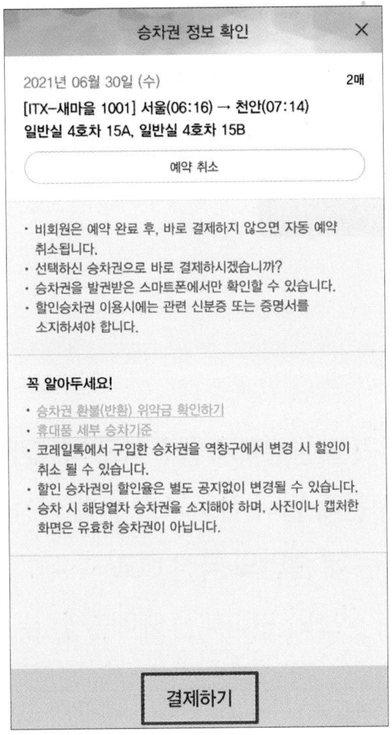

1 승차권 반환이나 확인을 위한 필수정보를 다시 확인하고 [ **네** ]를 터치합니다.

2 예매 승차권을 확인하고 [ **결제하기** ]를 터치합니다.

3 승차권 요금을 확인하고 [ **다음** ]을 터치합니다.

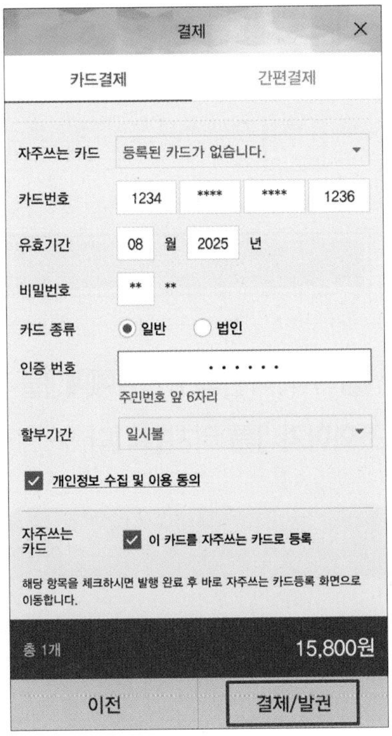

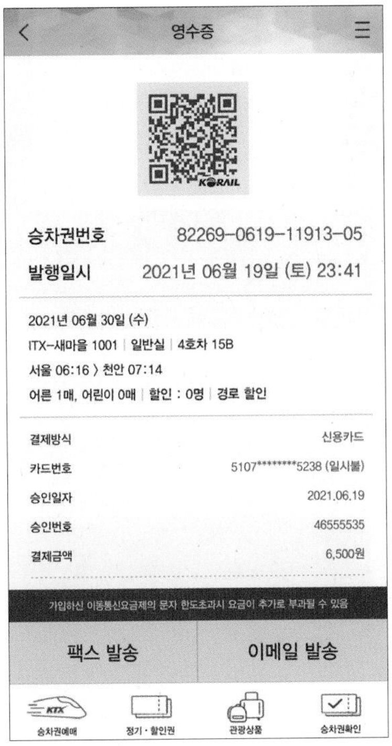


1 카드결제 화면에서 카드번호, 유효기간, 비밀번호, 주민번호 앞6자리를 입력하고 개인정보 수집 및 이용 동의를 해주고 [ **결제/발권** ]을 터치합니다. 2 캡처한 승차권은 사용할 수 없고 부가운임이 발생될 수도 있습니다. 3 운임영수증 [ **QR코드** ]를 터치하면 영수증을 확인 할 수 있습니다.

# 키오스크 활용하기 - 영화티켓 예매하기

다운로드하기 Google Play | Download on the App Store

[ CGV ] 앱(App)의 활용

## [ 특징 ]

- 영화 상세 페이지에서 영화 후기를 생생하게 공유하고 빠르게 예매 할 수 있습니다.
- 지금 예매로 극장 별 예매와 시간대 필터 적용이 한 번에 가능합니다.
- 더 빠르게, 더 자주 만날 수 있는 내 손안의 극장 CGV
- CGV 앱으로 더욱 풍부한 영화 정보와 편리해진 예매를 할 수 있습니다.

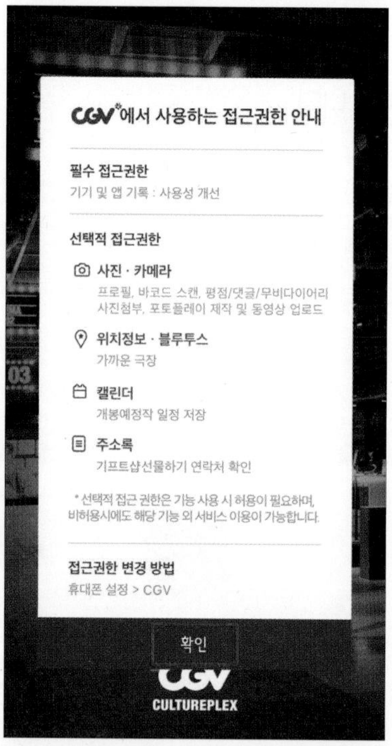

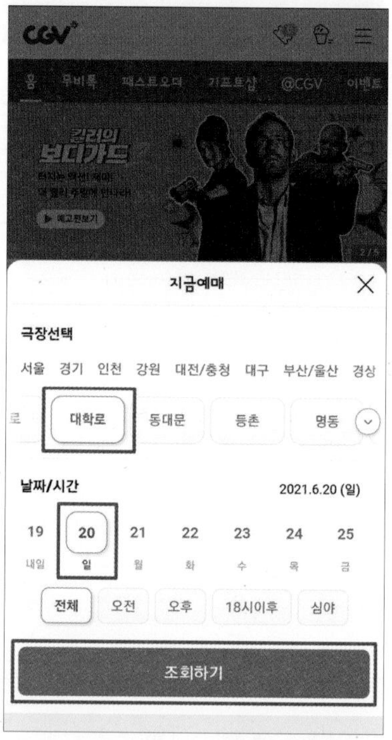


1 CGV 앱을 설치하고 열어줍니다. 필수 접근권한의 **[ 확인 ]**을 터치합니다. 2 우측하단의 **[ 지금예매 ]**를 터치합니다. 3 자주가는 극장을 선택하고 영화를 볼 날짜를 선택한 후 **[ 조회하기 ]**를 터치합니다.

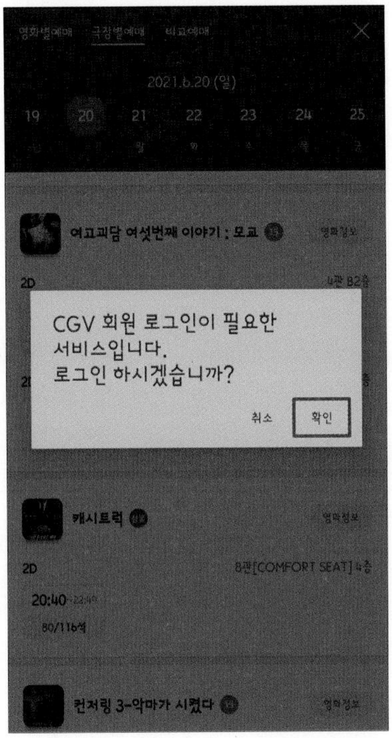

1 상영되는 영화시간을 확인하고 상영시간을 터치합니다. 상영시간 아래쪽에 좌석수도 표시되어 있습니다.

2 CGV 회원 로그인이 필요한 서비스입니다. [ **확인** ]을 터치합니다.

3 회원가입을 했다면 ID와 비밀번호를 입력하고 아니라면 [ **비회원 예매하기** ]를 터치합니다.

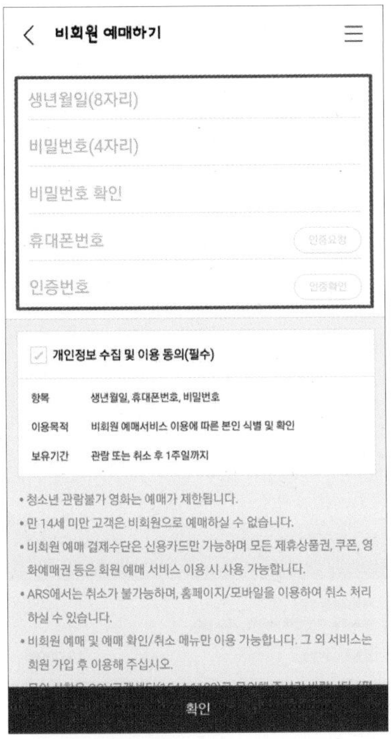


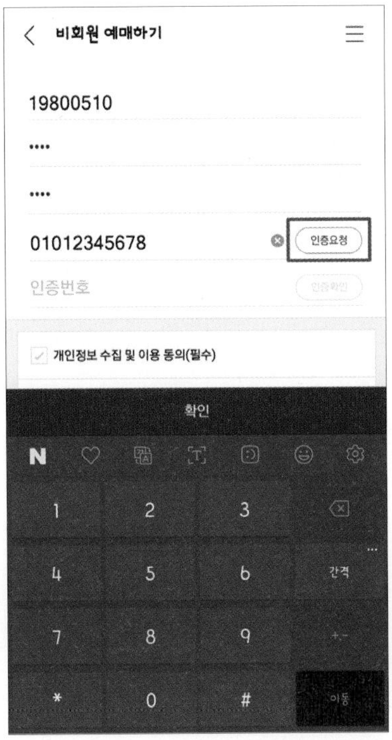


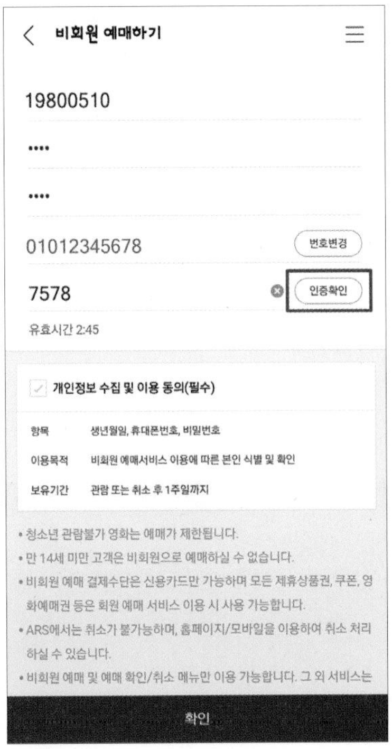


1 생년월일 8자리, 임의의 비밀번호 4자리, 같은 비밀번호로 한 번 더 입력합니다.

2 휴대폰번호를 입력하고 [ **인증요청** ]을 터치합니다.

3 인증번호를 입력하고 [ **인증확인** ]을 터치합니다.

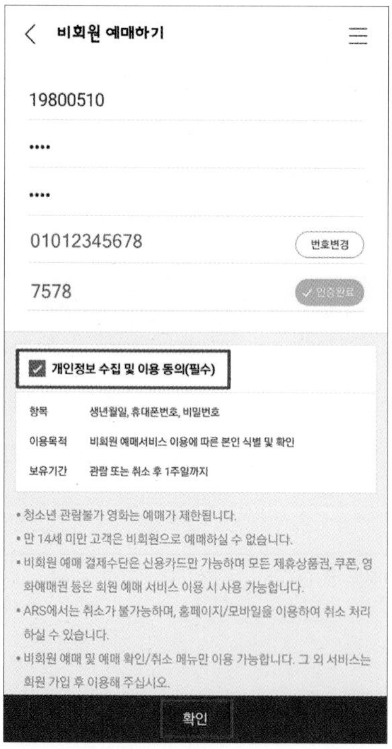


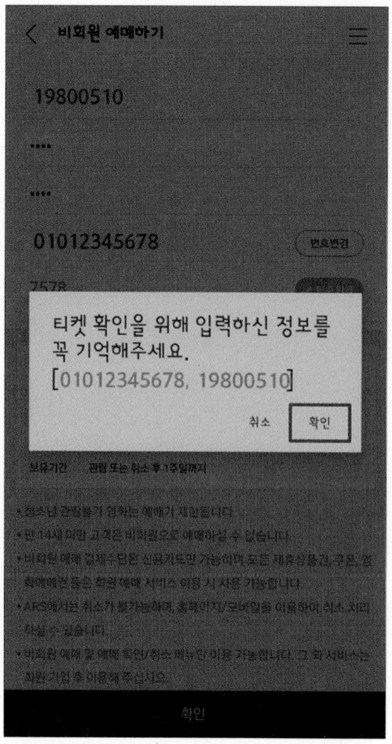

1 개인정보 수집 및 이용동의에 체크를 하고 [ **확인** ]을 터치합니다.

2 티켓 확인을 위한 정보를 다시한번 확인하고 [ **확인** ]을 터치합니다.

3 인증절차가 끝난 후 화면 하단에 [ **인원선택** ]을 터치합니다.

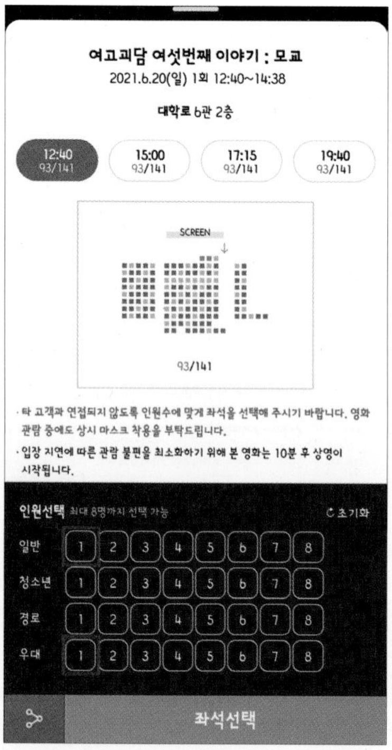


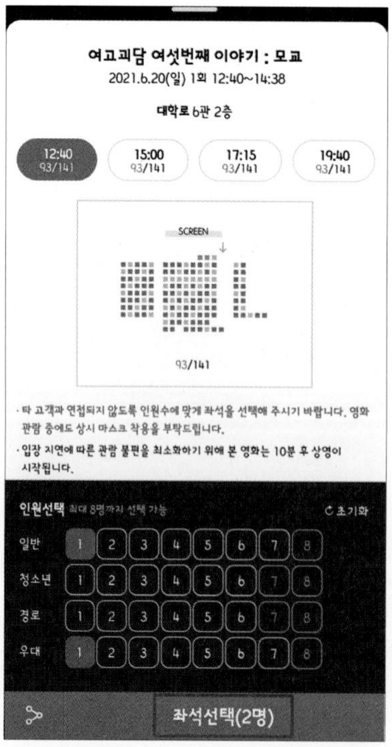


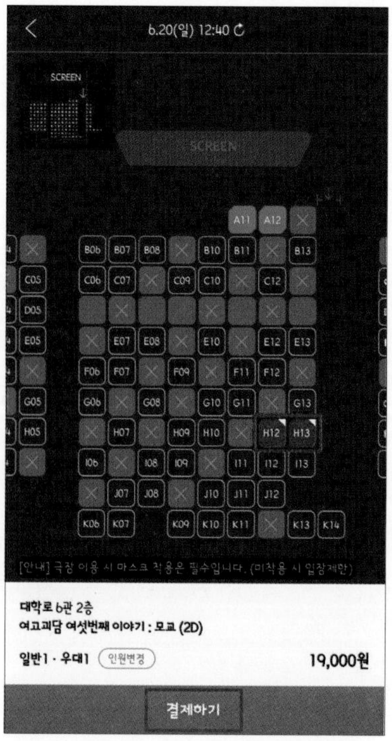


1 영화를 볼 인원수를 터치합니다.

2 하단의 [ **좌석선택** ]을 터치합니다.

3 H12, H13 좌석을 선택하고 [ **결제하기** ]를 터치합니다.

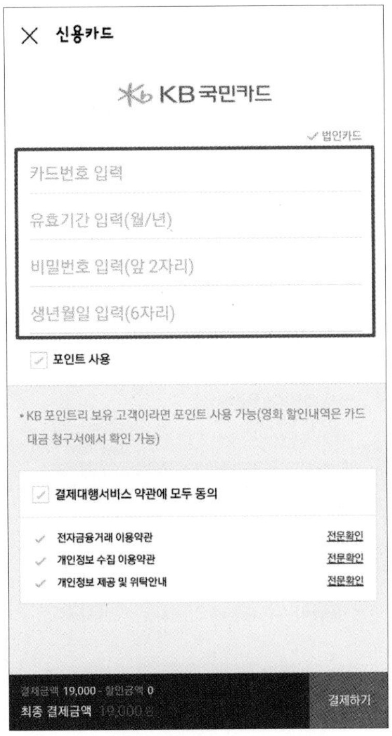


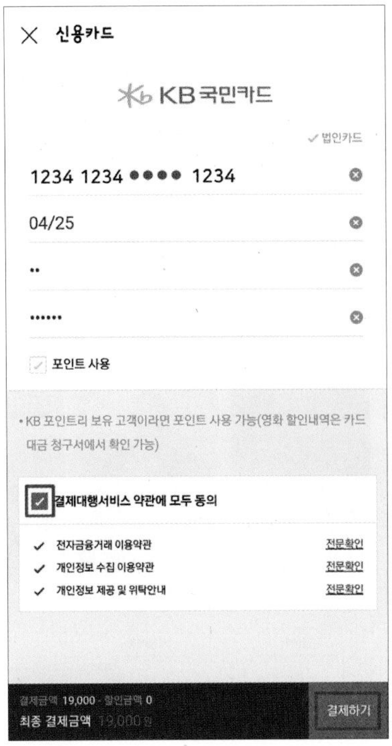


1 신용/체크카드에서 [ **카드** ]를 선택합니다. 국민카드를 선택해 보겠습니다.

2 카드번호와 유효기간, 비밀번호 앞 2자리, 생년월일 6자리를 입력합니다.

3 약관에 동의를 하고 하단의 [ **결제하기** ]를 터치합니다.

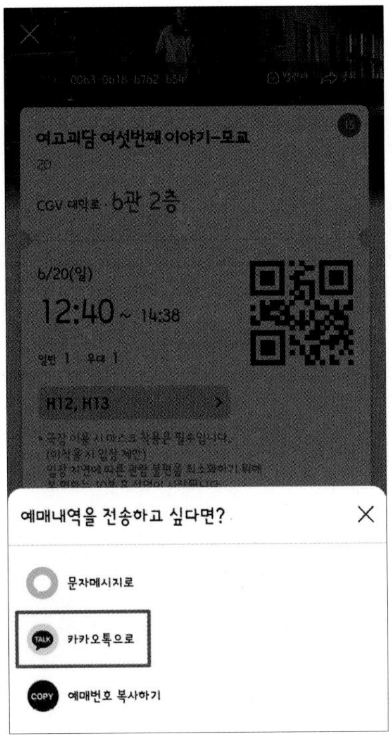


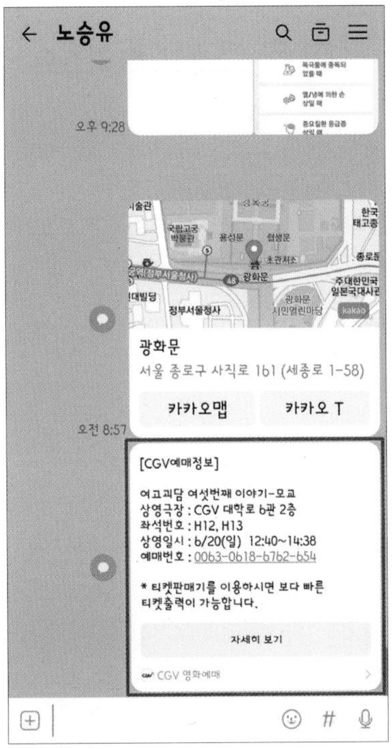


1 영화티켓 예매가 완료되고 예매티켓을 확인할 수 있습니다. 우측상단의 [ **공유** ]를 터치하면 티켓을 공유할 수 있습니다. 2 카카오톡으로 공유해 보겠습니다. 3 카카오톡에 예매번호가 공유된 걸 확인할 수 있습니다.

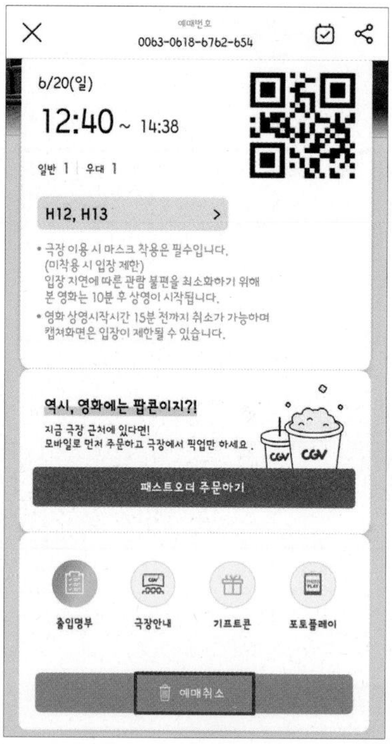

1 영화티켓을 예매한 후 CGV 앱 첫화면 상단에 예매티켓이 표시되어 있는 것을 확인할 수 있습니다. 스마트폰을 흔들어서 확인할 수도 있습니다.

2 예매티켓 취소를 원하시면 티켓 제일 하단에서 **[ 예매취소 ]**가 가능합니다. **[ 예매취소 ]**를 터치합니다.

3 예매티켓이 취소되고 카드취소가 되며 환불처리 된 것을 확인할 수 있습니다.

CHECK 리스트

# 키오스크 활용하기 - 응급의료정보제공

## [ 응급의료정보제공 ] 앱(App)의 활용

### [ 특징 ]

- 병원안내, 약국안내, 진료병원, 명절(설, 추석) 병원/약국, 연휴병원/약국, 응급처치, 자동심장충격기 등 정보를 제공합니다.
- 보건복지부는 응급의료 수요증가 및 급변하는 IT(정보기술) 환경에 부응하기 위하여 스마트폰을 이용한 응급의료 관련 정보제공을 시작합니다.

### [ 장점 ]

- 지도를 중심으로 실시간 진료 가능한 병원을 찾을 수 있습니다.
- 즐겨찾기로 자주 가는 병의원 및 약국을 모아볼 수 있습니다.
- 야간/주말 진료 가능한 병의원 및 약국을 찾을 수 있습니다.
- 명절 응급의료기관(휴일지킴이 약국) 찾기를 할 수 있습니다.

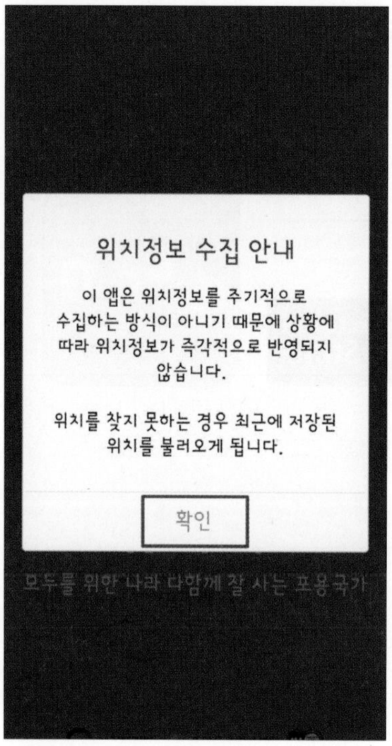


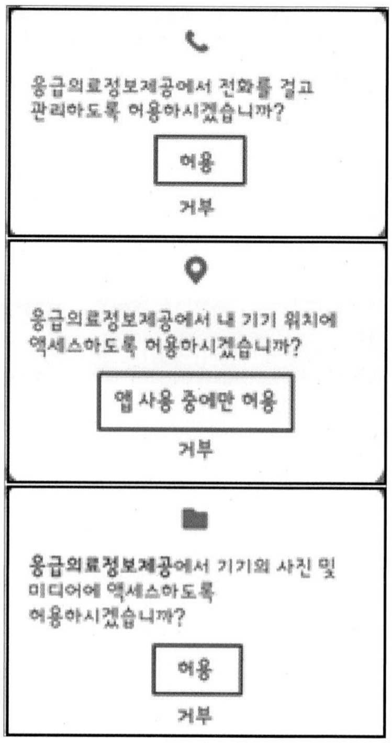


1 구글 [ Play 스토어 ]에서 [ **응급의료정보제공** ]을 설치한 후 열기 해주시고 3G/LTE 알림 [ **확인** ]을 터치합니다. 2 위치정보 수집 안내 [ **확인** ]을 터치합니다.

3 응급의료정보제공 앱 사용을 위한 권한을 [ **허용** ] 해줍니다.

1 하단 옵션 메뉴에서 [ **병의원** ]을 터치합니다.

2 상단의 검색창에서 병의원을 검색할 수도 있습니다.

3 진료중인 병의원 터치하면 더 상세한 정보를 볼 수 있습니다. [ **혜화가정의원** ]을 터치합니다.

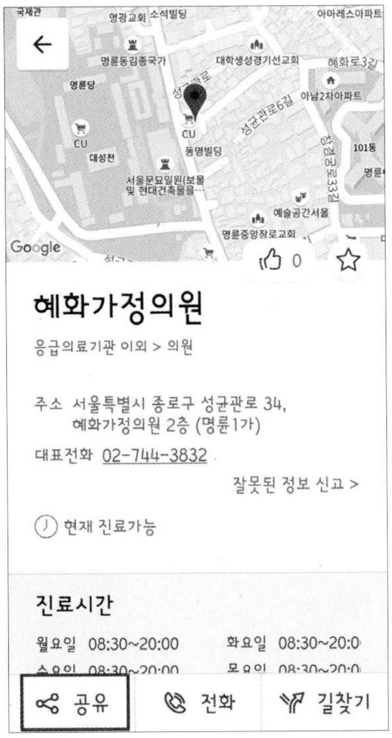

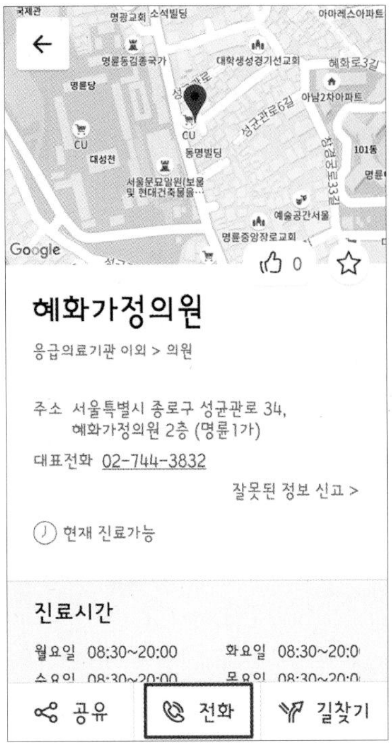


1 좌측 하단의 **[ 공유 ]** 메뉴를 터치합니다.

2 카카오톡이나 페이스북으로 공유할 수 있습니다.

3 하단 중앙에 있는 **[ 전화 ]** 메뉴를 터치합니다.

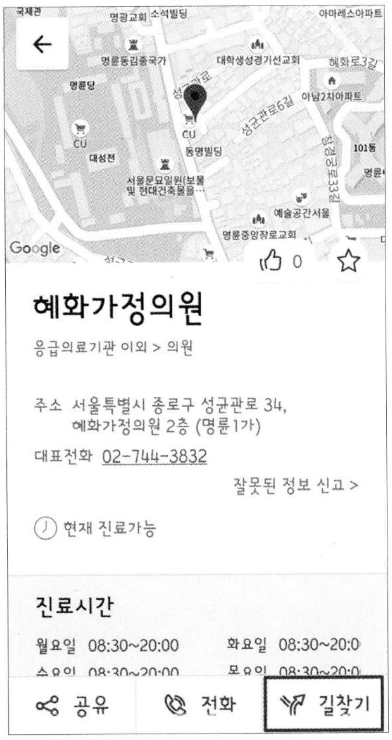

1 병원으로 바로 전화를 걸 수 있습니다.

2 우측 하단의 **[ 길찾기 ]** 메뉴를 터치합니다.

3 카카오맵으로 연결이 되고 병원까지 찾아가는 경로를 보여줍니다.

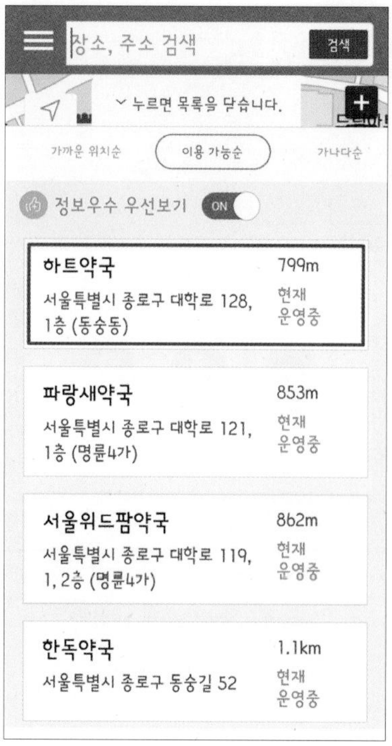

1 ①하단 옵션 메뉴에서 [ **약국** ]을 터치합니다. ②[ **누르면 목록이 나타납니다** ]를 터치하면 약국목록을 볼 수 있습니다. 2 운영중인 약국을 터치합니다.

3 약국에 대한 정보가 뜨고 하단메뉴를 사용해서 [ **공유** ], [ **전화** ], [ **길찾기** ] 정보를 이용할 수 있습니다.

1 하단 옵션메뉴에서 [ **응급처치** ]를 터치합니다.

2 [ **상황별 응급처치요령** ]을 터치합니다.

3 상황별 응급처치에 대한 정보를 열람할 수 있습니다.

# 키오스크 활용하기 - 카카오택시

1 ①Play스토어 검색창에 [ **카카오 T** ]를 검색합니다. ②설치 후 [ **열기** ]를 터치합니다.

2 서비스 이용 권한 허용에 [ **확인** ]을 터치하여 진행합니다.

3 서비스 이용 권한 설정을 위해 3번의 [ **허용** ]을 터치하여 진행합니다.

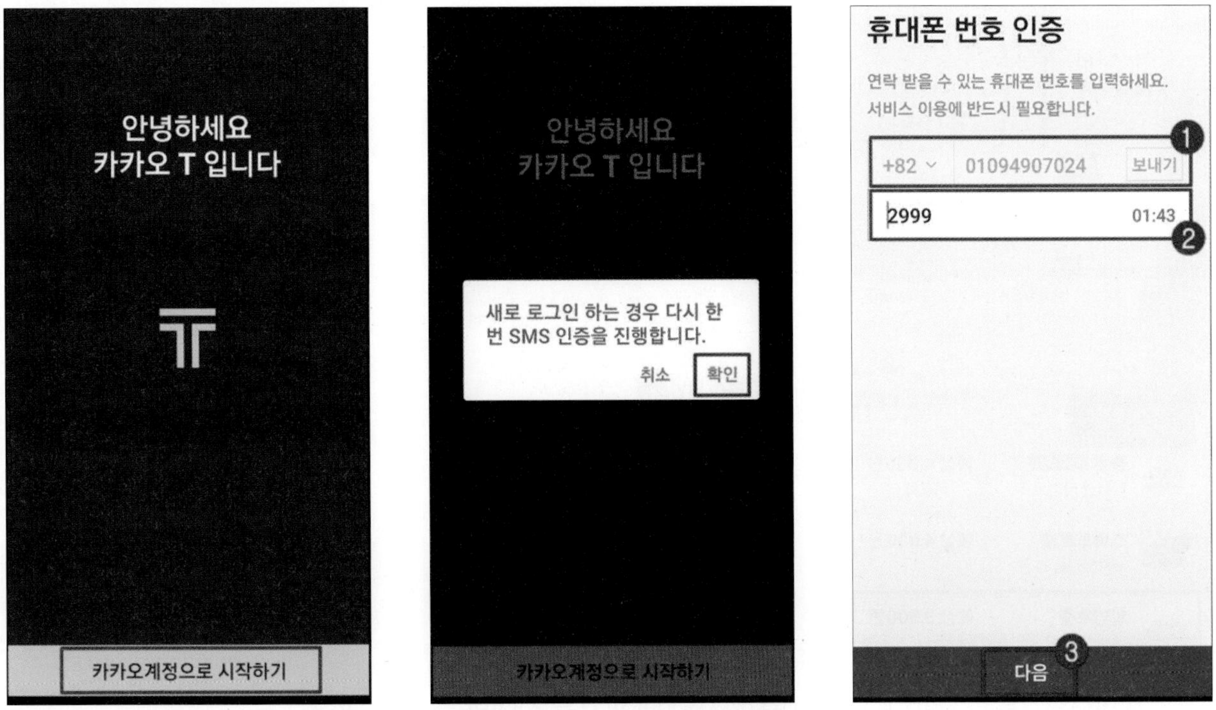


1 [ **카카오계정으로 시작하기** ]를 터치합니다. 2 [ **확인** ]을 터치합니다.

3 ①휴대폰 인증을 위해 전화번호를 입력 후 [ **보내기** ]를 터치합니다. ②문자로 전송된 [ **인증번호** ]를 입력합니다. ③[ **다음** ]을 터치합니다.

1 인증 절차가 끝났습니다. 카카오 T 첫 화면입니다. **[ 택시 ]**를 터치합니다. 2 ①위치 정보에 허용하였기에 **[ 현재 위치 ]**가 보입니다. ②**[ 어디로 갈까요? ]**를 터치합니다. 3 ①**[ 도착지 주소 ]**를 입력합니다. ②정확한 주소를 확인 후 **[ 도착 ]**을 터치합니다

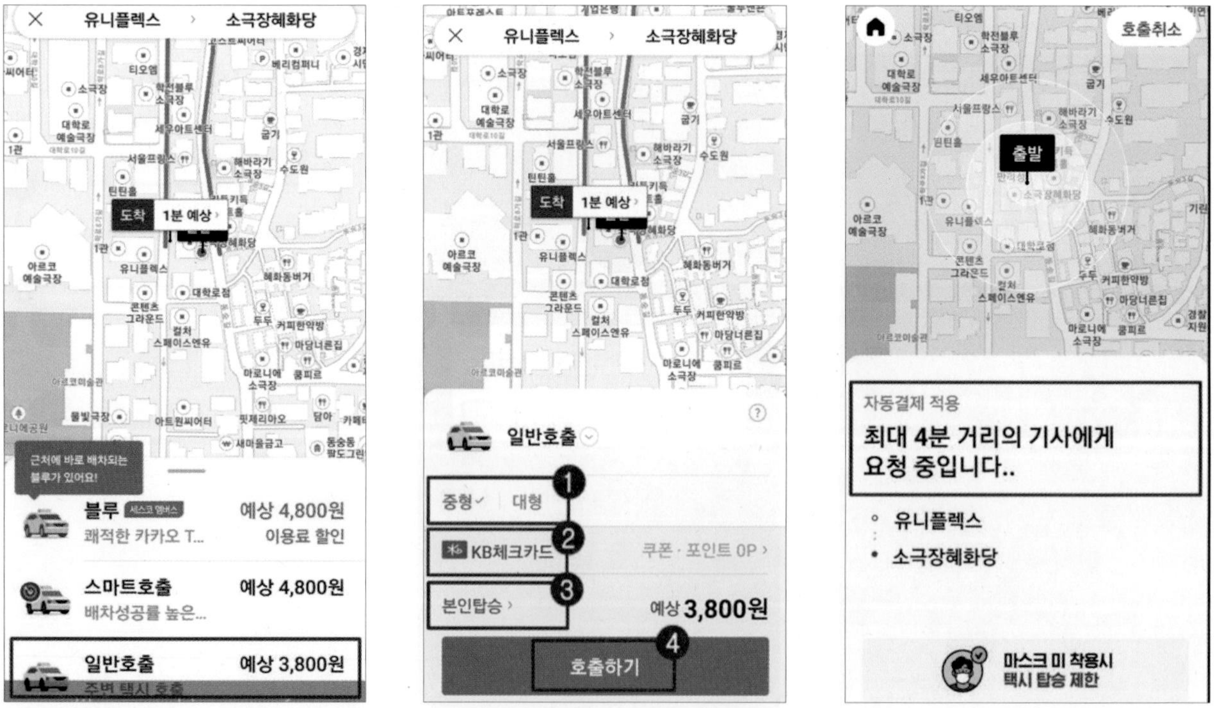


1 **[ 일반호출 ]**을 터치합니다. 2 ①중형 차와 대형 차를 선택할 수 있습니다.
②택시비 지불할 카드를 등록할 수 있습니다. ③본인 승차가 아닐 경우 연락처를 선택할 수 있습니다.
④**[ 호출하기 ]**를 터치합니다. 3 가장 가까운 거리에 있는 기사에게 요청이 되고 호출이 정상적으로 접수되면 기사님의 현재 위치, 도착 시간, 차량번호까지 확인할 수 있습니다.

# 키오스크 활용하기 - 배달(배민 등)

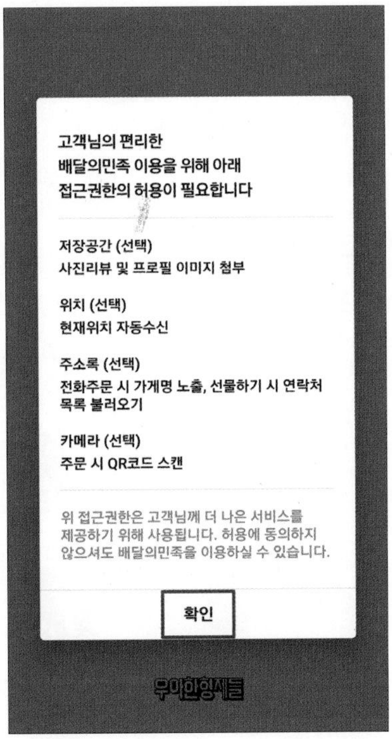


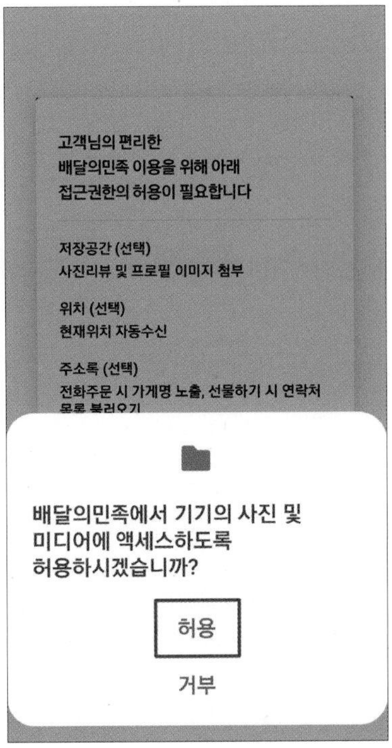


1 ①Play 스토어에서 [ **배달의민족** ]을 검색하여 설치 후 ②[ **열기** ]를 터치합니다.

2 권한 허용에 대한 안내가 보이고 [ **확인** ]을 터치합니다.

3 [ **허용** ]을 터치하여 진행합니다.

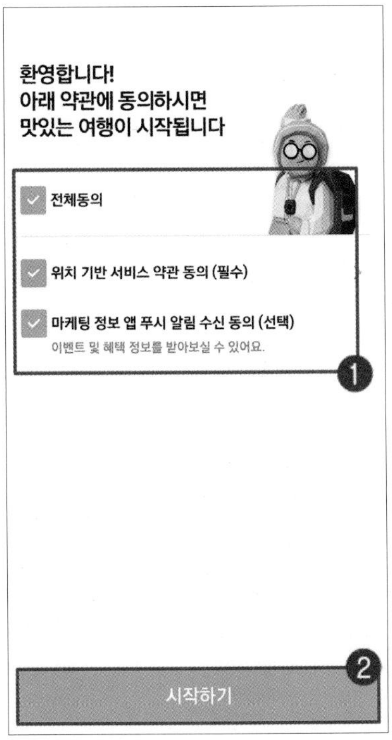


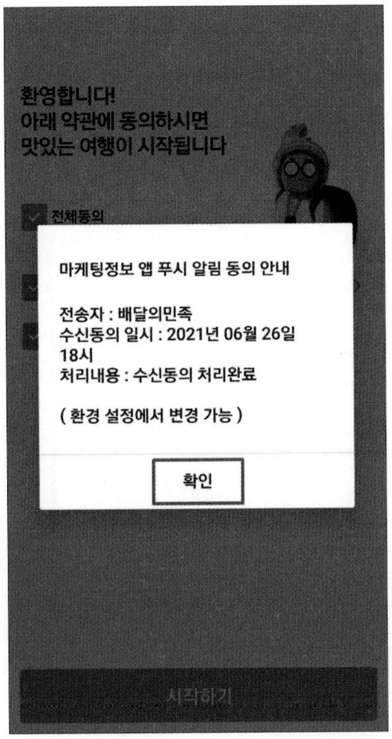


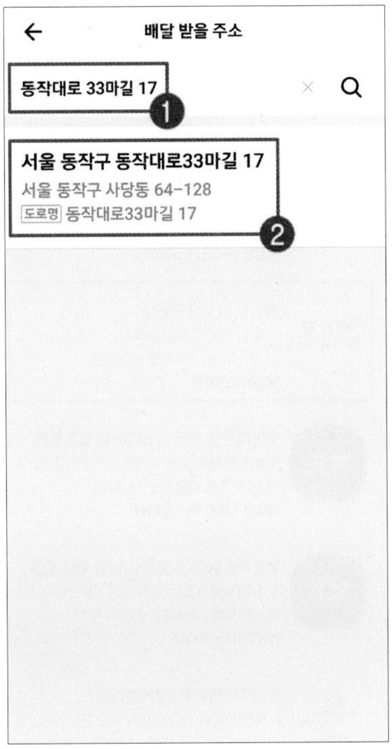


1 ①약관에 [ **전체동의** ]를 체크합니다. ②[ **시작하기** ]를 터치합니다.

2 [ **확인** ]을 터치하여 진행합니다.

3 ①주소를 검색합니다. ②배달 받을 주소를 선택합니다.

1 ①[ **상세주소** ]를 정확하게 입력 후 ②[ **완료** ]를 터치합니다.

2 메인화면에서 [ **배달** ]을 터치합니다.

3 ①음식 카테고리에서 ②원하는 메뉴를 선택합니다.

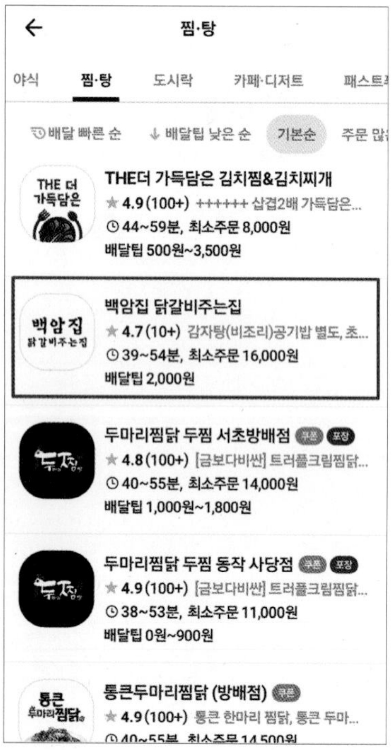


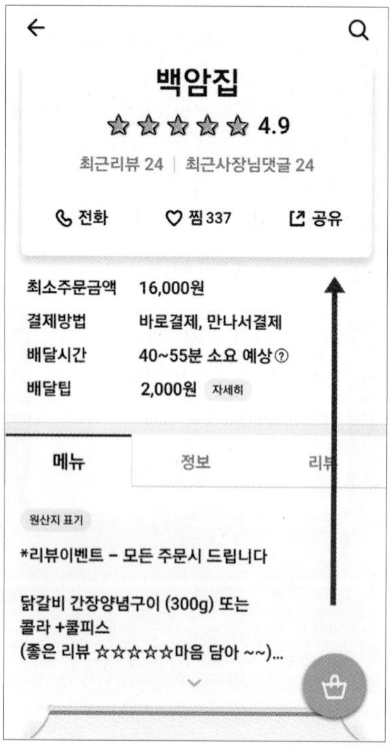

1 화면에 노출되는 배달 음식점은 입력한 주소에 맞춰 갱신됩니다. 음식점을 선택합니다.

2 음식점을 터치하여 화면을 드래그해서 메뉴를 확인합니다.

3 ①선택한 배달 음식점의 메뉴를 분류하여 빠르게 검색할 수 있습니다. ②원하는 음식을 선택합니다.

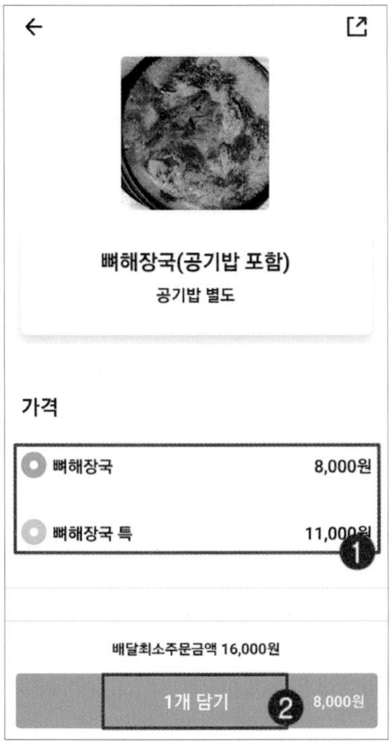


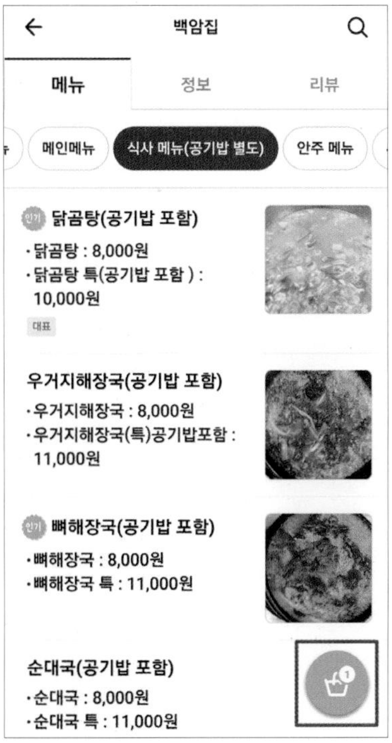


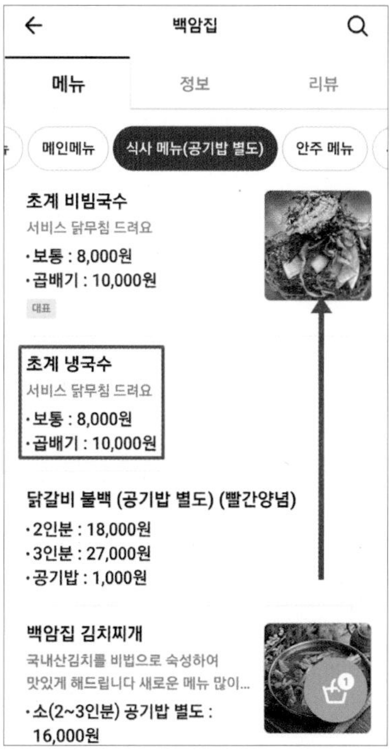


**1** ①선택한 음식에 따라 조금씩은 다르지만 음식의 양이나 기호를 선택할 수 있는 화면입니다. ②1개 담기를 선택하여 음식을 장바구니에 담아주세요. **2** 선택한 음식이 장바구니에 담겨 1 표시가 생긴 걸 확인할 수 있습니다. **3** 추가 음식을 장바구니에 담을 수 있습니다.

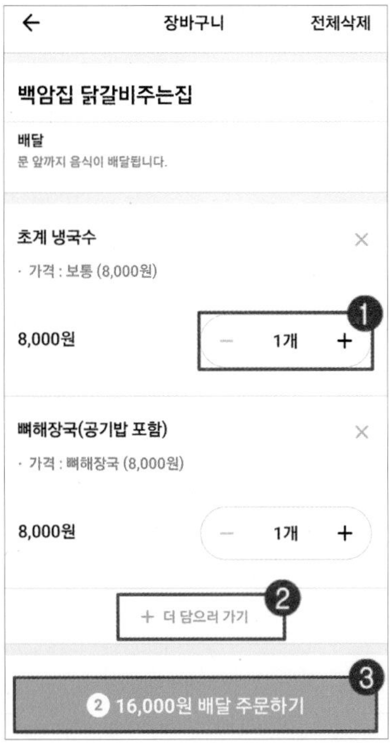


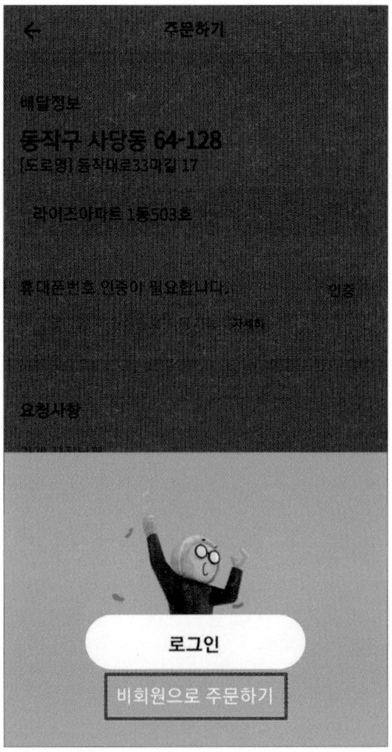


**1** 장바구니 아이콘을 터치합니다. **2** ①선택한 음식의 개수를 바꿀 수 있습니다.
②추가할 음식이 있다면 **[ ✚ 더 담으러 가기 ]**를 선택하여 진행합니다.
③음식 담기가 끝났다면 주문 금액을 확인 후 **[ 배달 주문하기 ]**를 터치합니다.
**3** **[ 비회원으로 주문하기 ]**를 기준으로 예시를 진행합니다.

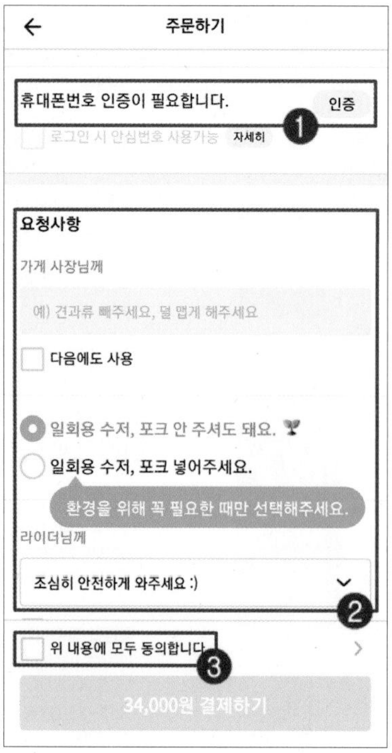

1 ①비회원으로 진행하였기 때문에 배달 중 생기는 문제 해결을 위해 본인의 휴대폰 번호를 인증하여야 합니다. ②요청사항을 통해 배달에 필요한 정보를 추가적으로 음식점에 전달할 수 있습니다. ③[ **위 내용에 모두 동의합니다** ]를 체크합니다. 2 [ **결제하기** ]를 터치하여 결재를 진행하시면 됩니다.

**CHECK 리스트**

# 키오스크 활용하기 - 쇼핑(이마트,네이버 앱 쇼핑)

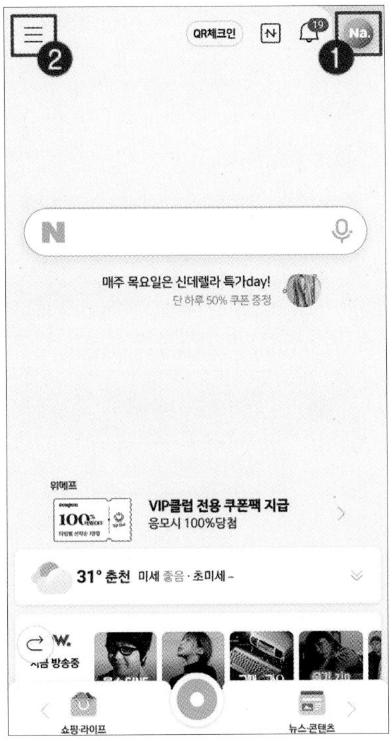

1 네이버 앱 첫 화면입니다. ①네이버 아이디로 로그인합니다. ②**[ 삼선 ]** 메뉴 버튼을 터치합니다.
2 네이버에서 지원하는 많은 기능들의 바로 가기를 확인할 수 있습니다.
전체서비스에서 **[ 네이버 쇼핑 ]**을 터치합니다. 3 ①원하는 상품을 검색할 수 있습니다.
②**[ 삼선 ]**을 터치하면 배송현황 및 장바구니를 확인할 수 있는 **[ 쇼핑 MY ]**에 진입할 수 있습니다.

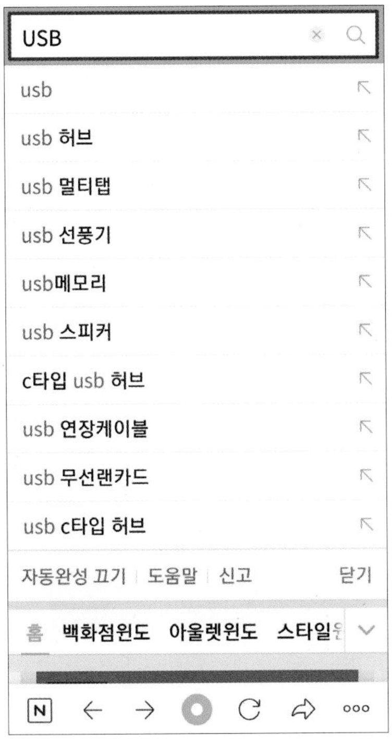


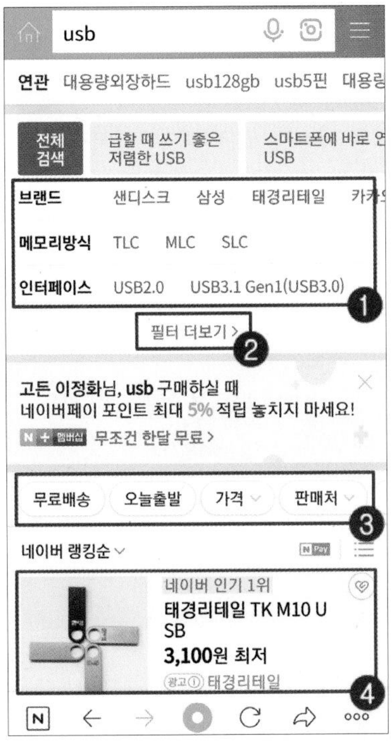

1 검색창에 원하는 상품을 입력 후 돋보기 아이콘 검색을 터치합니다. 2 ①검색한 상품 형식에 맞춰 고를 수 있는 필터가 나옵니다. ②**[ 필터 더보기 ]**를 터치하여 상세한 필터 설정을 통해 원하는 제품을 찾을 수 있습니다. ③판매자 필터를 통해 원하는 조건의 제품을 찾을 수 있습니다. ④조건에 맞는 상품을 터치합니다. 3 **[ 최저가 사러가기 ]**를 터치합니다.

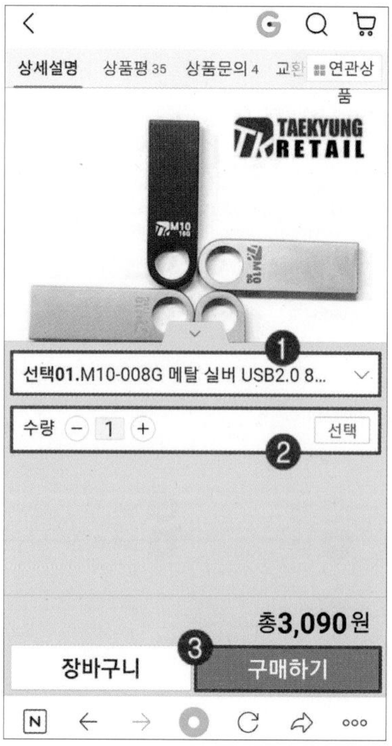


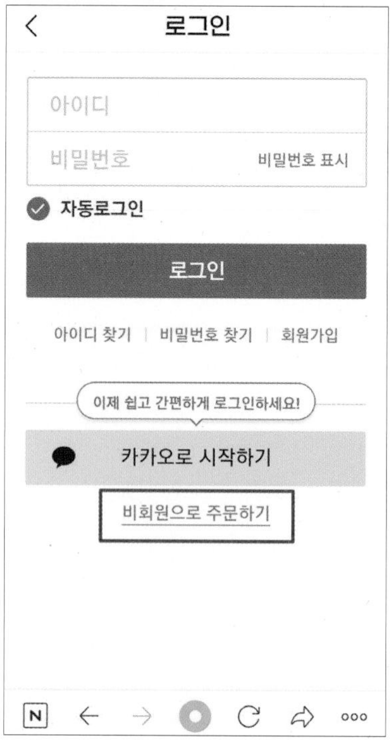


1 제품 옵션 더보기를 터치합니다. 2 ①제품의 색상을 선택할 수 있습니다. ②제품 수량을 선택합니다. ③[ **구매하기** ]를 터치합니다. 3 로그인하지 않아도 비회원으로 주문할 수 있습니다. [ **비회원으로 주문하기** ]를 터치하여 진행합니다.

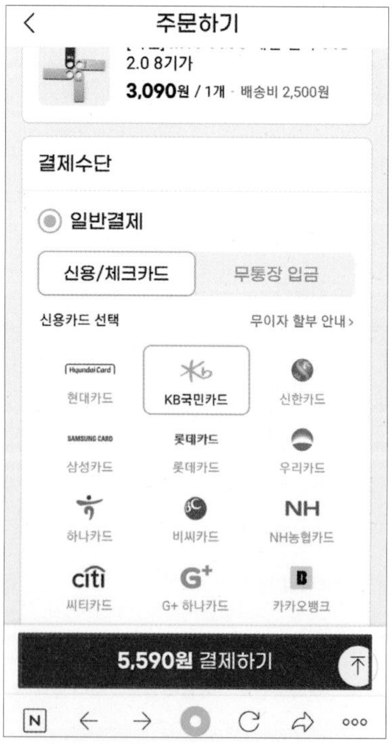


1 ①주문자 이름, 연락처, 이메일, 비회원 주문서이기 때문에 주문한 제품에 대한 정보를 열람하는데 필요한 임시 비밀번호를 입력합니다. ②배송지를 입력합니다. 2 ①주소를 검색하여 입력합니다. ②배송 요청사항을 선택할 수 있습니다. 3 결재할 카드사를 선택 후 하단 화면에 전체 동의에 체크합니다. [ **결제하기** ]를 터치하여 결재를 진행합니다.

# 키오스크 활용하기 - 이마트몰

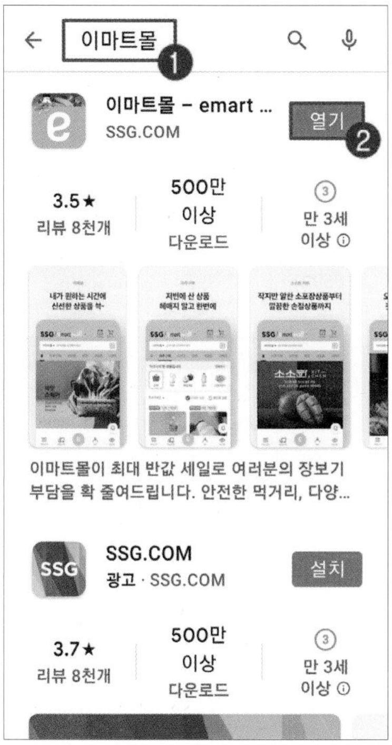

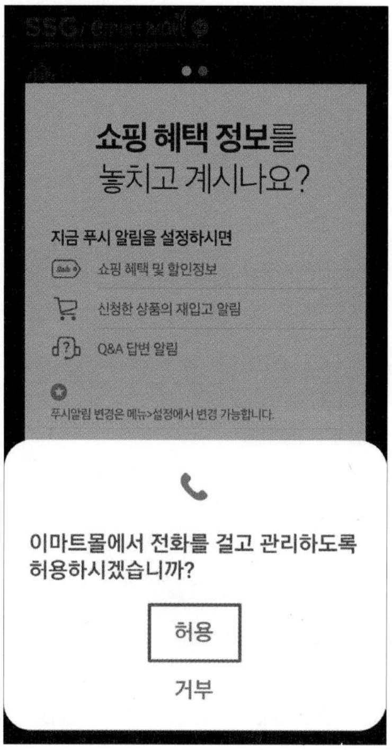


1 ①Play 스토어에서 [ **이마트몰** ]을 검색하여 설치 후 ②[ **열기** ]를 터치합니다.

2 권한 안내 확인 후 [ **확인했어요** ]를 터치합니다. 3 [ **허용** ]을 터치하여 진행합니다.

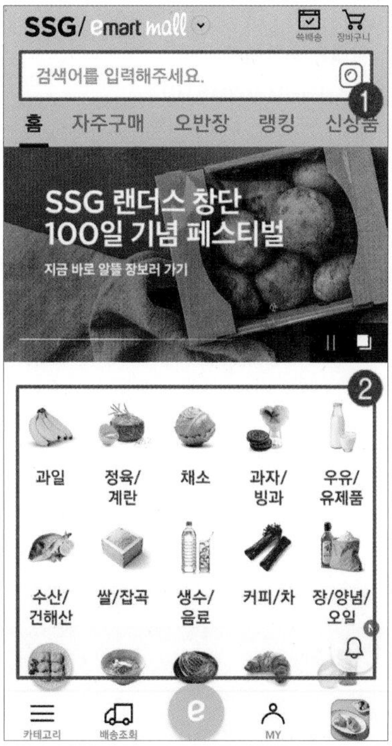


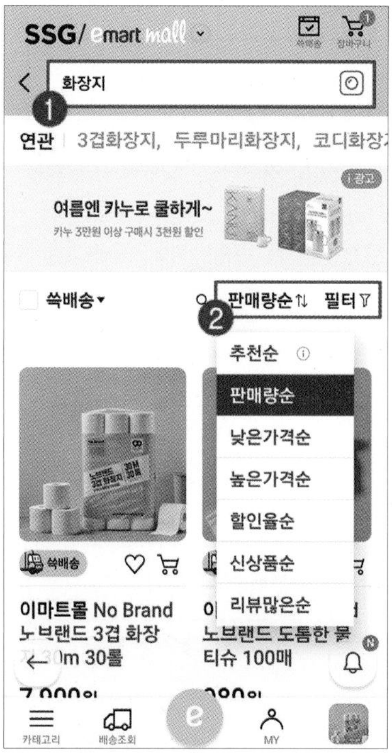


1 쇼핑 광고 알림을 받을지 여부를 선택합니다. 2 이마트몰 홈 화면입니다.

①원하는 상품 키워드를 직접 입력하여 검색할 수 있으며 ②하단 카테고리에서 선택할 수도 있습니다.

3 ①구매할 상품을 입력 후 검색합니다. ②원하는 조건의 필터를 선택할 수 있습니다.

1 ①상품의 수량 및 색상을 선택할 수 있는 옵션 [ **더보기** ]입니다. ②추가로 구매할 상품이 있다면 [ **장바구니** ]를 터치합니다. ③추가 상품이 없다면 [ **바로구매** ]를 터치하여 진행합니다.

2 로그인하지 않아도 비회원으로 주문할 수 있습니다. [ **비회원으로 주문하기** ]를 터치하여 진행합니다.

3 주문자 이름, 연락처, 이메일, 주소, 개인정보 수집 동의 체크 후 [ **주문하기** ]를 터치합니다.

1 ①배송 날짜와 시간을 선택할 수 있습니다. ②일반 배송인지 새벽 배송인지 선택할 수 있습니다. ③[ **계속하기** ]를 터치합니다. 2 배송 수령위치 선택, 요청사항 등을 입력 후 [ **계속하기** ]를 터치합니다. 3 결제할 카드사를 선택합니다. 이용약관 동의 후 [ **결제하기** ]를 터치하고 [ **휴대폰 인증** ] 절차 후 결제를 진행합니다.

# QR-CODE 영상으로 볼 수 있는 키오스크 현장

| KTX 열차 예매하기 | KTX 예매 취소하기 |
|---|---|
| 무인민원 발급기 | 베스킨라빈스31 주문하기 |
| KFC 주문하기 | 맥도널드 주문하기 |
| 버거킹 주문하기 | EDIYA 음료 주문하기 |
| 농협 ATM 사용하기 | 무인점포매장 이용하기 |

# 줌(ZOOM) 참가자용

## 1. 스마트폰에서 참가하기

스마트폰의 경우 앱을 미리 설치해 놓으면 좋습니다.

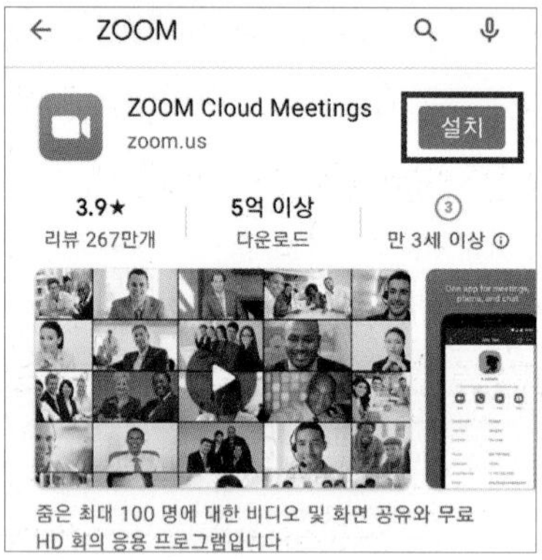


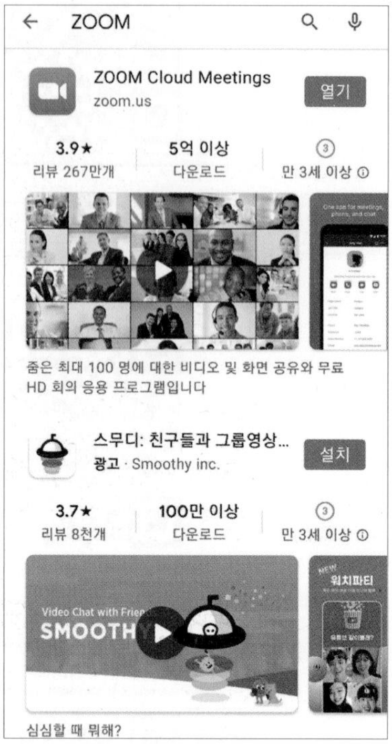


1 [ 구글 play 스토어 ]를 터치합니다. 2 돋보기를 터치하여 ZOOM을 입력하고 글자 옆의 돋보기를 터치합니다. 3 ZOOM Cloud Meetings를 확인하고 [ **설치** ]를 터치합니다.
4 설치가 완료되면 [ play 스토어 ] 창을 닫습니다.

온라인 화상회의 플랫폼 ZOOM(줌)은 초대받은 링크주소를 터치하여 입장하는 방법과, 초대받은 아이디와 비밀번호를 입력하여 입장하는 방법이 있습니다.

### (1) 초대받은 링크주소로 입장하는 방법

1 강사로부터 받은 줌(ZOOM) 링크주소를 터치합니다. (문자, 카톡, 메일등 으로 받을 수 있습니다) 2 이름을 터치합니다. 3 본인 성명을 입력하고 **[ 확인 ]**을 누릅니다. (실명을 입력하여야 강사가 이름을 확인하고 강의실에 입장할 수 있도록 합니다)

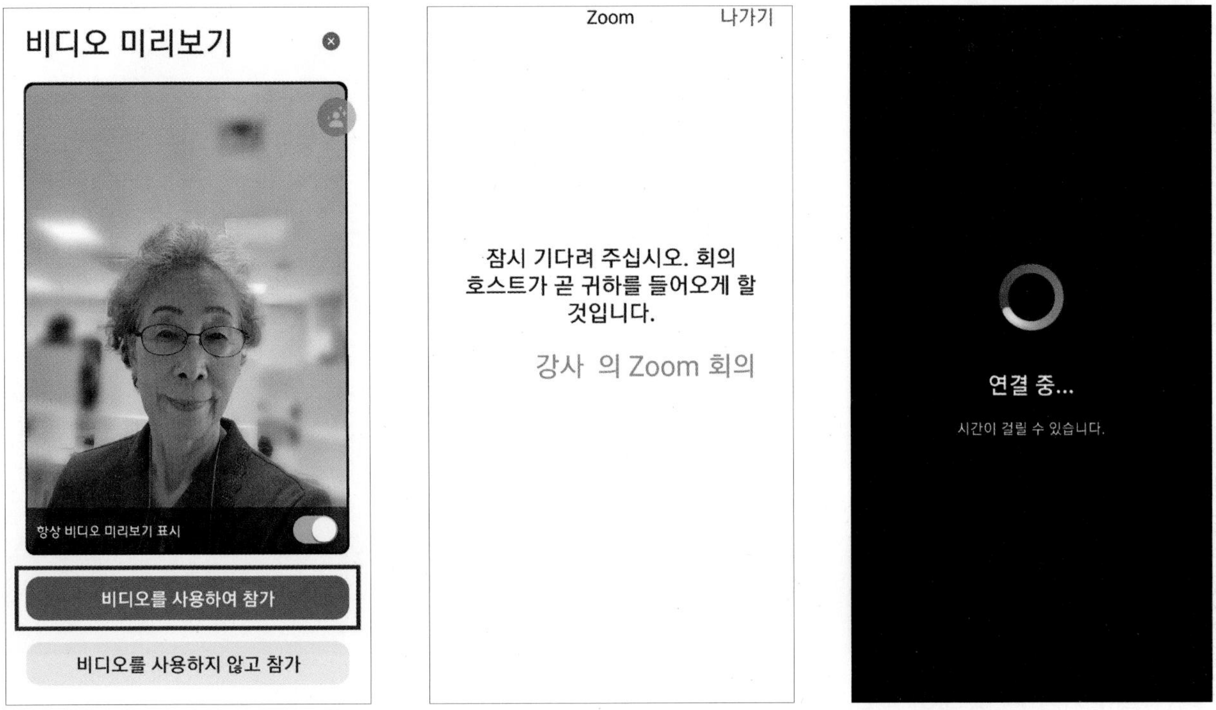


1 폰 화면에 내 얼굴이 보이면 **[ 비디오를 사용하여 참가 ]**를 터치합니다.

2 잠시 기다려 주십시오...라는 창이 뜨게 됩니다. 강사가 수강생 이름을 확인하고 **[ 수락 ]**해 줄때까지 기다립니다. 3 연결 중... 창이 뜹니다.

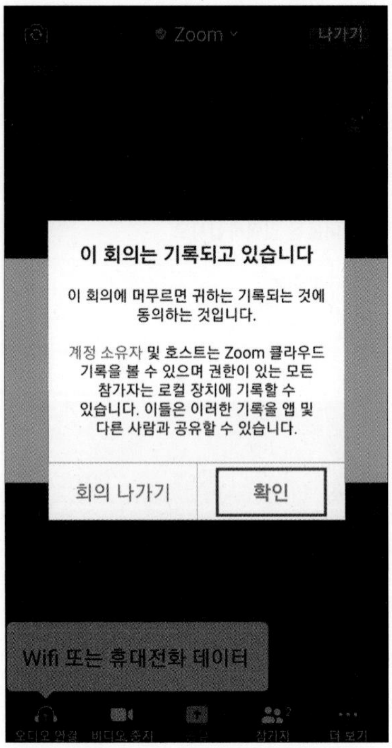

1 [ 확인 ]을 터치합니다. 2 [ **Wifi 또는 휴대전화 데이터** ]를 터치합니다. 3 [ ZOOM ] 줌 강의실 화면에 내 얼굴이 보이면서 입장이 되었습니다. 왼쪽 하단의 [ **음소거** ]를 터치하여 음소거를 합니다.

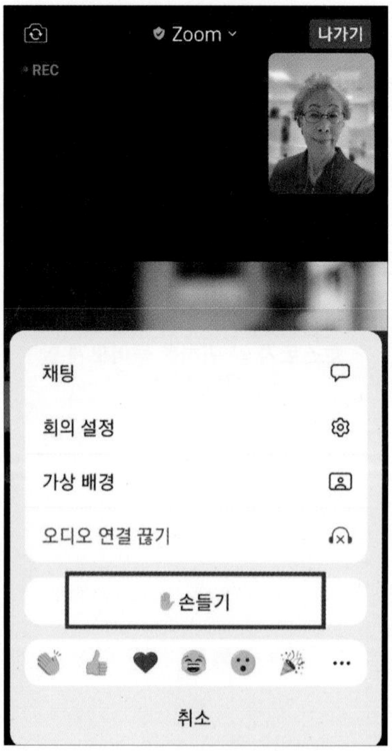

1 ①음소거가 된 상태이고 터치하면 다시 오디오가 연결됩니다. (강의 중에는 음소거로 합니다) ②비디오를 켜고 끌 수 있습니다. ③공유 ④터치하면 참가자들의 이름이 보입니다. ⑤터치하여 채팅이나 손들기를 할 수 있습니다. 2 질문이 있을 경우 [ **손들기** ]를 터치합니다. 3 내 얼굴 옆에 노란색의 손바닥 모양이 나타납니다. 질문이 끝나면 [ **더보기** ] 터치하여 손 내리기를 터치합니다.

이름을 변경하고자 하고자 할 때는 ④번을 터치하여 이름 바꾸기를 합니다.

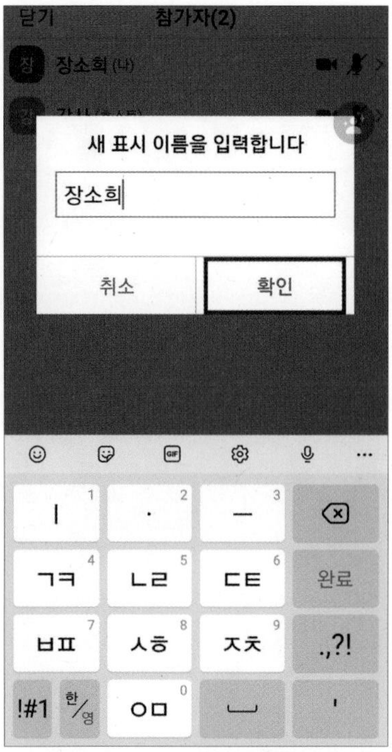


**1** 내 이름을 터치합니다. **2** [ **이름 바꾸기** ]를 터치합니다. **3** 이름을 수정하고 [ **확인** ]을 터치합니다.

**1** 이름이 수정되어졌습니다. 뒤로 버튼을 눌러 강의실로 돌아갑니다.

**CHECK 리스트**

### (2) 초대받은 ID와 비밀번호로 입장하는 방법

① 설치된 [ ZOOM ]을 터치합니다. ② [ **회의 참가** ]를 터치합니다. ③ 초대받은 아이디와 본인 이름을 입력하고 [ **참가** ]를 터치합니다. (아이디와 비밀번호는 카톡이나 문자로 받을 수 있습니다)

① 회의암호를 입력하고 [ **확인** ]을 터치합니다. ② [ **비디오를 사용하여 참가** ]를 터치합니다.
③ 잠시 기다려 주십시오...라는 창이 뜨게 됩니다. 강사가 수강생 이름을 확인하고 [ **수락** ]해 줄때까지 기다립니다.

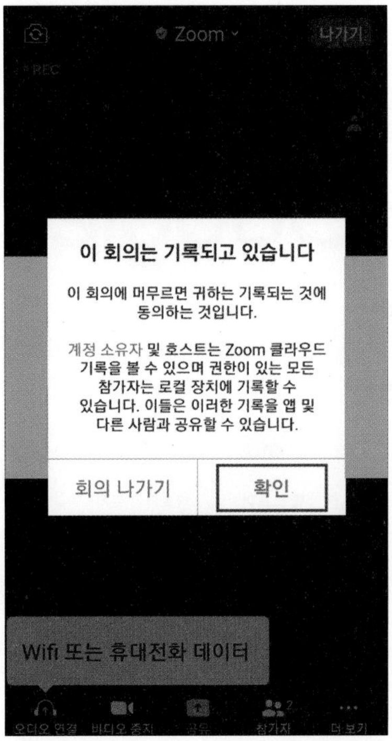

1 연결중... 창이 뜹니다. 2 [ **확인** ]을 터치합니다. 3 [ **Wifi 또는 휴대전화 데이터** ]를 터치합니다.

1 [ ZOOM ] 줌 강의실 화면과 내 얼굴이 보이고 입장이 되었습니다. 왼쪽 하단의 [ **음소거** ]를 터치합니다. 2 음소거가 된 강의실 입장화면입니다. 이제 수업에 참여하면 됩니다.

**CHECK 리스트**

## 2. PC에 [ ZOOM ] 프로그램 설치하기

1 크롬 브라우저를 실행하여 검색창에 [ ZOOM ]을 입력하고 엔터키를 누릅니다.

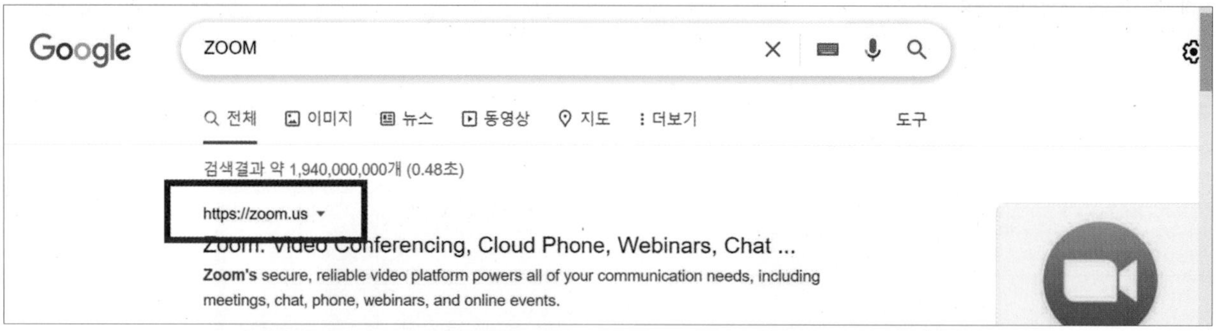


1 검색되어진 페이지에서 https://zoom.us 주소를 클릭합니다.

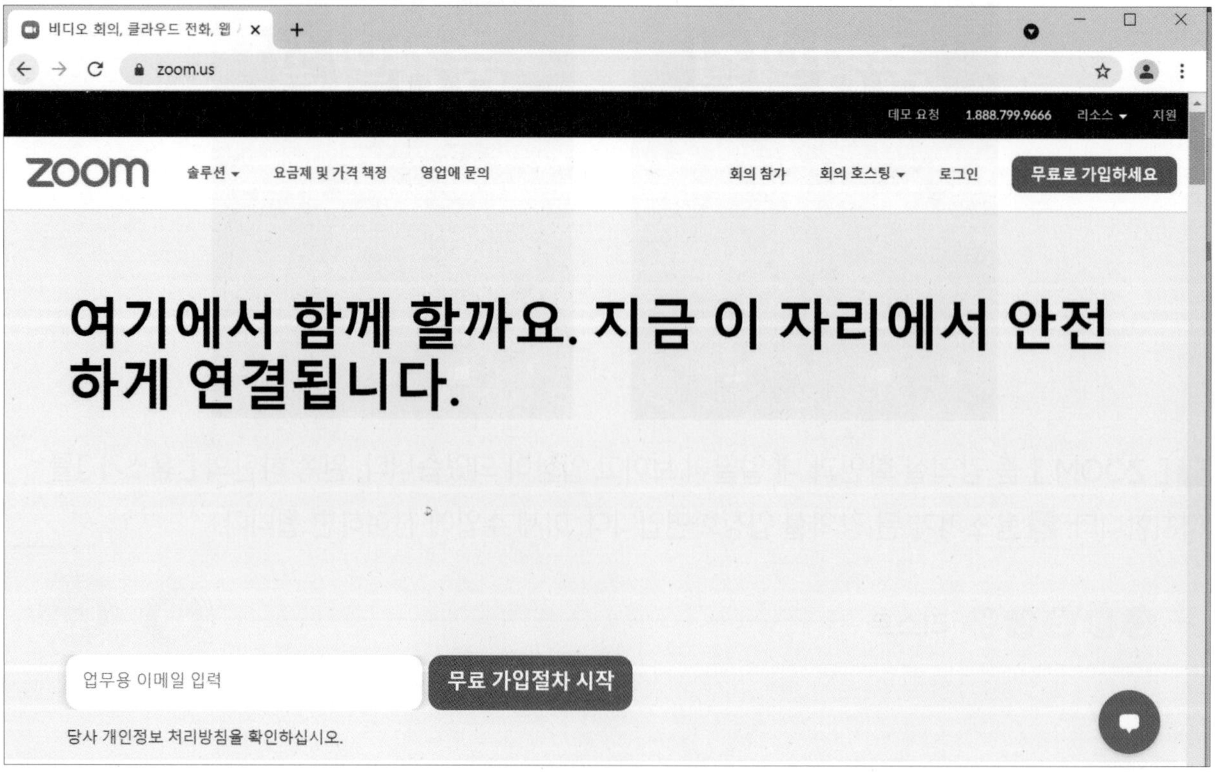


1 [ ZOOM ] 줌 홈페이지가 열립니다.

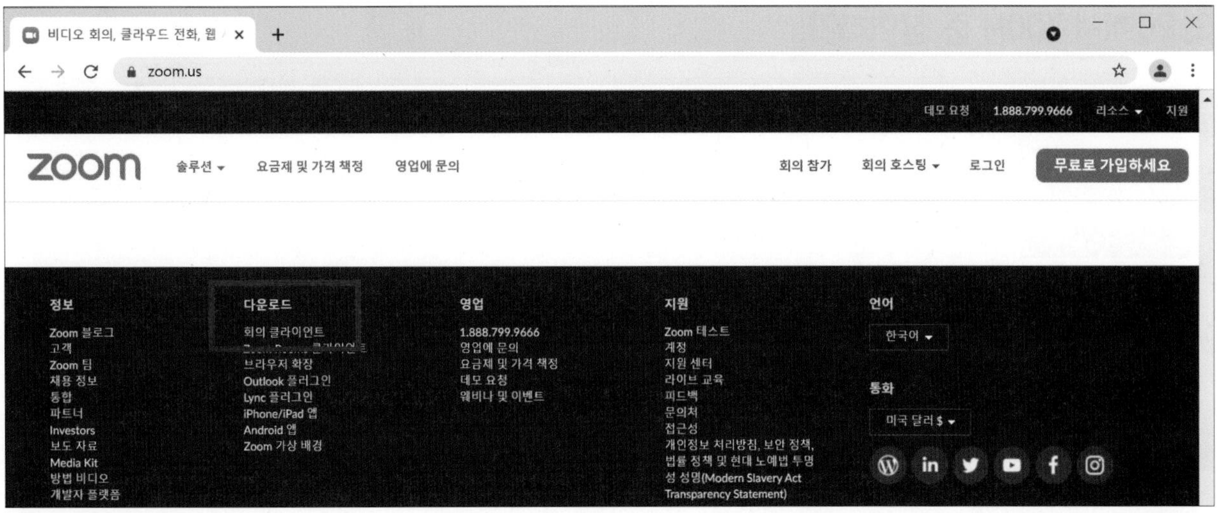


1 스크롤을 하단으로 내려 (또는 키보드의 End키를 누릅니다) 다운로드 아래 **[ 회의 클라이언트 ]**를 클릭합니다.

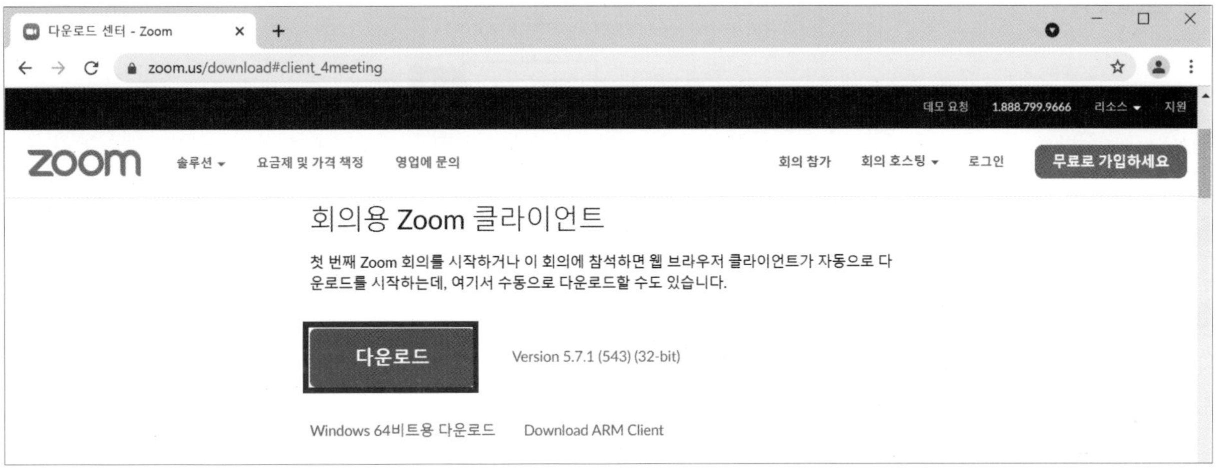


1 **[ 다운로드 ]**를 클릭합니다.

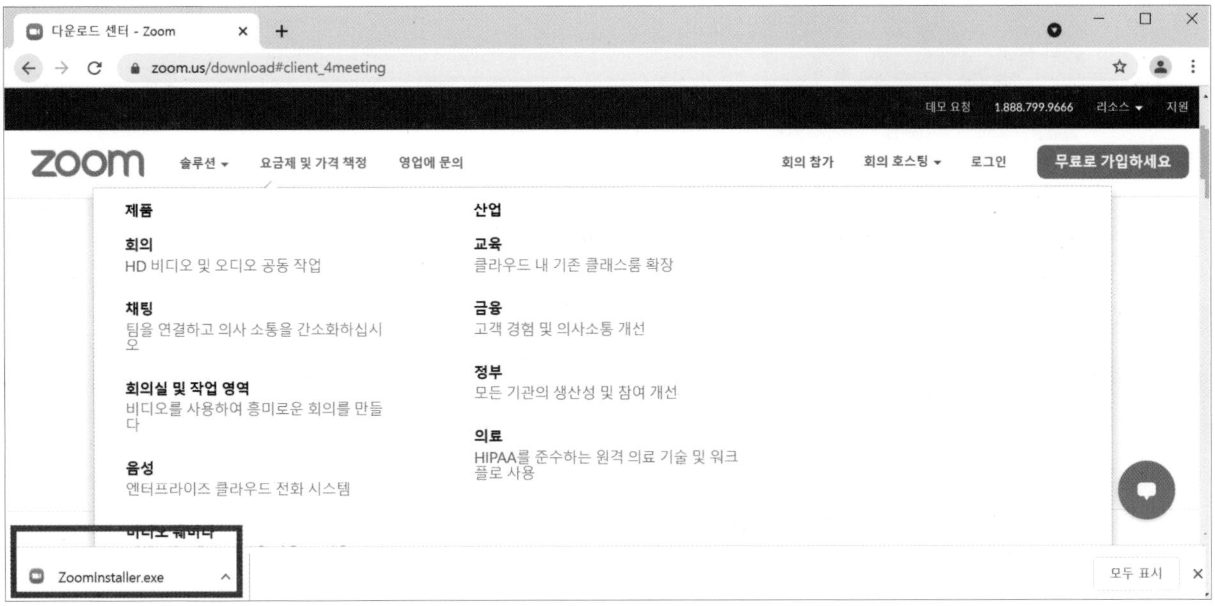


1 왼쪽하단의 ZoomInstaller.exe를 클릭하여 설치합니다.

## 3. PC에서 ZOOM 줌 참여하기

**1** 강사로부터 받은 초대 링크주소를 클릭합니다.(이메일이나 문자로 받을 수 있습니다)

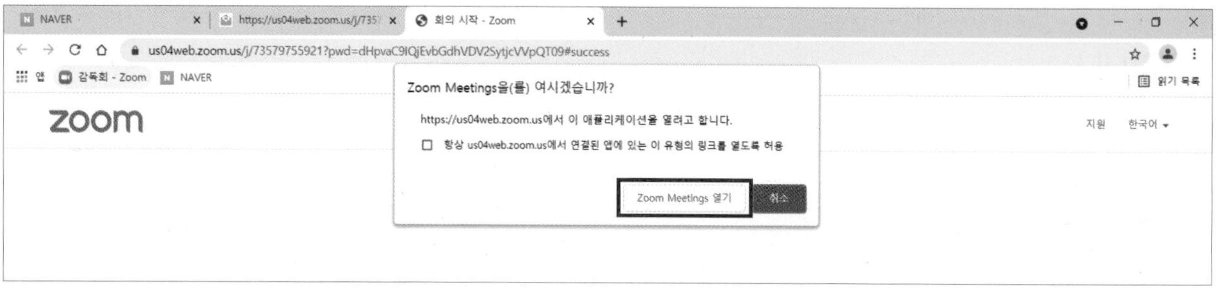


**1** [ Zoom Meetings 열기 ]를 클릭합니다.

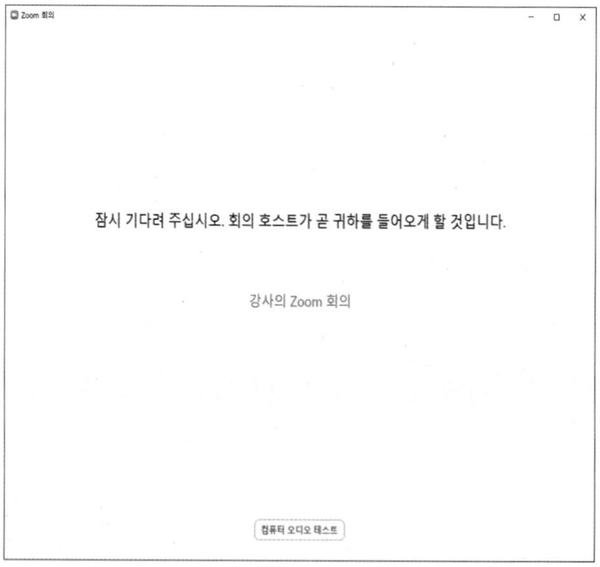


**1** [ **비디오를 사용하여 참가** ]를 클릭합니다. **2** 잠시 기다려 주십시오... 창이 열립니다.
강사가 수강생 이름을 확인하고 수락해 줄때까지 기다립니다.

**CHECK 리스트**

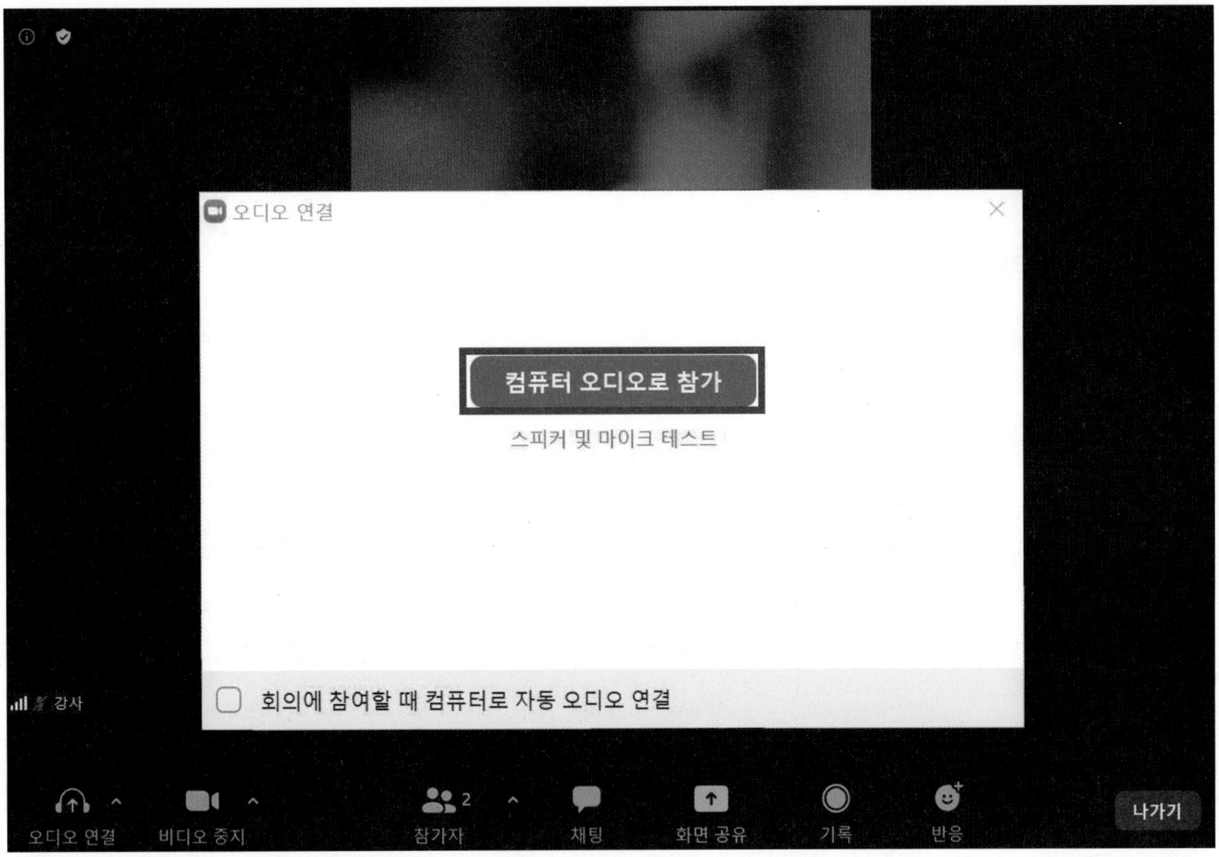


1 [ ZOOM ] 줌 연결화면이 뜨면 [ **컴퓨터 오디오로 참가** ]를 클릭합니다.

1 [ ZOOM ] 줌 강의실에 입장되어지면 왼쪽하단에 [ **음소거** ]를 터치합니다.
하단의 메뉴는 스마트폰에서 보는 화면구성과 같습니다.

# 스마트폰, 요금제, 보험 선택하는 방법

## ▶ 통신사 단말기보험 선택하기

< SKT 단말기 보험, 2021년 7월 기준 >

### T All케어플러스 이용 요금

T All케어 서비스 자세히 보기

| 구분 | 기종 | 상품 | 이용료 | 자기부담금 | | | 가입 가능 단말 출고가 | 보상 횟수 |
|---|---|---|---|---|---|---|---|---|
| | | | | 분실 | 파손 | 완전파손 | | |
| 분실파손 | 안드로이드 | T All케어플러스 200 > | 9,900원 | 40만원 | 10만원 | - | 150만원 초과 | 분실 1회<br>파손 3회 |
| | | T All케어플러스 150 > | 7,400원 | 35만원 | 8만원 | | 150만원 이하<br>80만원 초과 | |
| | | T All케어플러스 80 > | 4,900원 | 15만원 | 4만원 | | 80만원 이하 | |
| | | T All케어플러스 폴드 > | 11,500원 | 65만원 | 20만원 | | z-폴드 시리즈 | |
| | 애플 | T All케어플러스 i200 > | 10,300원 | 50만원 | 액정 10만원<br>리퍼 25만원 | | 150만원 초과 | |
| | | T All케어플러스 i150 > | 8,300원 | 40만원 | | | 150만원 이하<br>100만원 초과 | |
| | | T All케어플러스 i100 > | 6,300원 | 25만원 | | | 100만원 이하 | |
| 파손 | 안드로이드 | T All케어+파손 200 > | 6,500원 | - | 10만원 | 10만원 | 150만원 초과 | 파손 3회<br>완전파손 1회 |
| | | T All케어+파손 150 > | 5,700원 | | 8만원 | 8만원 | 150만원 이하<br>80만원 초과 | |
| | | T All케어+파손 80 > | 3,900원 | | 4만원 | 4만원 | 80만원 이하 | |
| | | T All케어+파손 폴드 > | 8,900원 | | 20만원 | 20만원 | z-폴드 시리즈 | |
| | 애플 | T All케어+i200 > | 7,300원 | | 액정 10만원<br>리퍼 25만원 | 10만원 | 150만원 초과 | 파손 3회 |
| | | T All케어+i150 > | 6,200원 | | | | 150만원 이하<br>100만원 초과 | |
| | | T All케어+i100 > | 5,100원 | | | | 100만원 이하 | |

1 스마트폰 보험은 단말기 분실이나 파손에 대비해 매월 보험료를 납부하고, 단말기 분실이나 파손 시 도움을 받는 부가서비스입니다. 납부하는 보험료에 따라 단말기 분실이나 파손 시 보상받을 수 있는 금액에 차이가 있습니다.

단말기 보험은 스마트폰 교체 시에 가급적 가입하실 것을 권합니다. 약정기간 내내 납부하는 보험료가 부담된다면 스마트폰 교체 직후 3개월~6개월만이라도 보험을 가입하는 것이 바람직합니다. 스마트폰 교체 직후 새 스마트폰에 적응하는 과정에서 스마트폰을 분실하는 경우가 많기 때문이기도 하고, 구입 초기에 스마트폰을 분실하면 오랫동안 큰 부담을 감당해야 하기 때문입니다.

KT에는 스마트폰을 구입하고 1개월 이후에 가입할 수 있는 보험상품도 있지만, 통상적으로 단말기 보험은 새 폰을 구입하고 30일이 경과하면 가입이 불가능하다는 점을 꼭 기억하시기 바랍니다.

### ▶ 통신사 시니어요금제 선택하기

또한, 요금상품을 선택하는 것은 스마트폰을 구입하는 것 이상으로 중요합니다. 본인의 통화량과 데이터사용량 등을 참고해서 적당한 요금제를 선택하는 것이 현명한 통신생활의 첫걸음이기 때문입니다. 스마트폰을 사용하면서 수시로 통신매장에 들러 본인의 요금제를 점검하는 것도 좋은 습관입니다.

〈 SKT 시니어 요금제, 2021년 7월 기준 〉

#만 65세 이상 ×　　　추천순 | 낮은가격순 ↓

| 상품명 | | | | 월정액 | 선택약정 반영 금액 | | |
|---|---|---|---|---|---|---|---|
| T플랜 시니어 스페셜 | 160GB | 집전화·이동전화 무제한 | 기본제공 | 79,000원 | 59,200원 | 자세히보기 | |
| T플랜 시니어 에센스 | 110GB | 집전화·이동전화 무제한 | 기본제공 | 69,000원 | 51,730원 | 자세히보기 | |
| T플랜 시니어 안심4.5G | 4.5GB | 집전화·이동전화 무제한 | 기본제공 | 50,000원 | 37,460원 | 자세히보기 | |
| T플랜 시니어 안심2.8G | 2.8GB | 집전화·이동전화 무제한 | 기본제공 | 43,000원 | 32,220원 | 자세히보기 | |
| T플랜 시니어 세이브 | 1.7GB | 집전화·이동전화 무제한 | 기본제공 | 33,000원 | 24,750원 | 자세히보기 | |
| T끼리 어르신 | 400MB | SKT 고객간 무제한 | 기본제공 | 19,800원 | 14,850원 | 자세히보기 | |
| 뉴실버요금제 | - | 30분 | 80건 | 9,900원 | 7,425원 | 자세히보기 | |

〈 KT 시니어 요금제, 2021년 7월 기준 〉

부가세가 포함된 실제 지불금액입니다.

| | | | | | |
|---|---|---|---|---|---|
| 데이터ON 시니어 | 만 65세 이상 | 집/이동전화 무제한 | 데이터 무제한 (속도제어) | 월 49,000원 | 상세보기 / 상품리스트 |
| 시니어 베이직 | 만 65세 이상 | 집/이동전화 무제한 | 데이터 이월+당겨쓰기 | 월 33,000원 | 상세보기 / 상품리스트 |
| 추천 순 골든(LTE) | 만 65세 이상 | 지정번호 통화할인 | 스마트 지킴이 제공 | 월 22,000원 | 상세보기 / 상품리스트 |
| LTE WARP 골든 | 만 65세 이상 | 지정번호 통화할인 | 최대 500MB | 월 16,500원~ | 상세보기 / 상품리스트 |

CHECK 리스트

## ▶ 통신사 스마트폰 계약 주의사항

스마트폰 계약을 하면서 참고할 사항입니다. 첫 번째는 내가 가입하고자 하는 통신사를 정확히 구분할 수 있어야 합니다. 알뜰폰은 통신사의 망을 임대해서 제공하는 서비스로 요금이 저렴한 장점이 있지만, 매장이 없어서 전화로만 업무가 가능한 단점이 있습니다. 수시로 매장에 방문해서 스마트폰 사용에 대해 문의를 해야하는 어르신들은 불편할 수 있으니 주의가 필요합니다.

※ MNO(Mobile Network Operator) : skt kt lgu+와 같은 이동통신사업자

※ MVNO(Mobile Virtual Network Operator) : MNO의 망을 임대하여 서비스하는 사업자

< 출처 : 한국알뜰통신사업자협회 >

| 구분 | 이동통신사업자(3개사) | 알뜰폰(27개사) |
|---|---|---|
| 의미 | KT SKT LGU+ 3개 통신사 | 이동통신사의 망을 빌려서 통신서비스 제공 |
| 장점 | ✓ 직영 매장 이용 편리<br>✓ 가족결합 할인 가능<br>✓ 기종, 요금제 종류 다양 | ✓ 전체적으로 요금 저렴<br>✓ 약정 조건 부담 적음 |
| 단점 | ✓ 기본 24개월 약정 조건 | ✓ 가족결합 할인 불가 |
| 매장 | 직영 매장이 다수 존재<br>(3사 합계 전국 1만여개) | 직영 매장 없음<br>(전화로만 업무 처리) |

두 번째는 통신사 직영매장과 판매점을 구분해야 합니다. 통신사 직영매장은 각 통신사에서 직접 관리하는 매장으로, 해당 통신사의 요금제 가입이 가능하고 고객정보 전산을 통해 개통~요금수납 ~ 명의변경 등 모든 업무처리가 가능합니다. 판매점은 통신사와 직접적인 계약 관계가 없어서 모든 통신사의 요금제와 단말기 상담이 가능한 장점이 있습니다.

< KT직영매장 / SKT 직영매장 >

< 판매점 >

| 구분 | 직영대리점 | 판매점 |
|---|---|---|
| 간판 | KT SKT LGU+ 등<br>특정 통신사만 명시 | 통신사 로고를<br>다양한 형태로 조합 가능 |
| 전산<br>프로그램 | 통신사 전산을 통해<br>사용내역 조회 가능 | 거래처 대리점을 통해<br>전화로 정보 조회 |
| 상품•서비스 | 특정 통신사 단말기와<br>요금제만 안내 | 여러 통신사 단말기와<br>요금제 상담 |
| 매장 지속성 | 통신사에서 지원하는 형태로<br>매장 변동 적음 | 개인이 운영하는 형태로<br>매장 변동이 많음 |

세 번째는, 통신서비스 계약에 대한 안내입니다.

①통신서비스 계약은 기기를 구입하는 계약과 요금제를 약정하는 계약 2건으로 진행됩니다

②스마트폰 할부 계약은 무이자가 아니라 5.9% 할부이자가 있습니다

③요금제 약정 가입은 기본 24개월이고, 자급제폰이나 중고폰은 12개월 약정도 가능합니다

네 번째는 통신서비스 계약 주의사항입니다.

①전화가입 권유는 가급적 거절하세요 (각 통신사에서 고객관리를 위해 좋은 조건을 제시하는 전화상담도 있지만, 상담내용과 다르게 가입이 이루어져서 피해를 보는 경우도 있습니다)

②할부원금과 할부기간을 꼭 확인하세요 (월 통신요금을 낮추기 위해 할부기간을 길게 설정하는 방법은 할부이자로 인해 부담만 키울 수 있습니다)

③개인별 데이터 사용량에 맞는 요금제를 선택하세요

④가족들이 같은 통신사에 가입해 결합할인을 받는 것도 좋은 방법입니다

⑤매월 요금할인을 받을 수 있는 제휴카드 할인도 검토해보세요

CHECK 리스트

# 유용한 앱 활용하기

## ▶ 스마트폰 하나면 노래방이 필요없다 (노래방 종결자)

1 Play 스토어에서 [ **노래방 종결자** ]를 검색합니다. 2 어플 설치를 위해 앱 접근권한 안내를 확인합니다. 3 인기차트 등을 통해 음악 재생이 가능합니다.

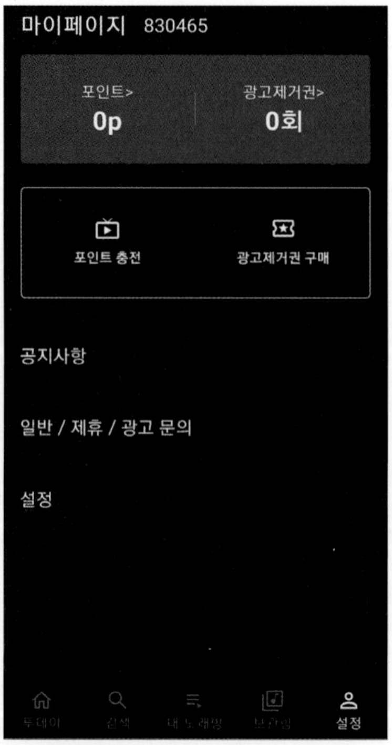


1 음악을 선택하면 녹음시작, 정지를 통해 본인의 노래를 녹음하고 공유할 수 있습니다. 2 검색 기능을 통해 원하는 음악을 찾아볼 수 있습니다. 3 마이페이지에 충전된 포인트 등을 확인할 수 있습니다.

## ▶ LED 전광판

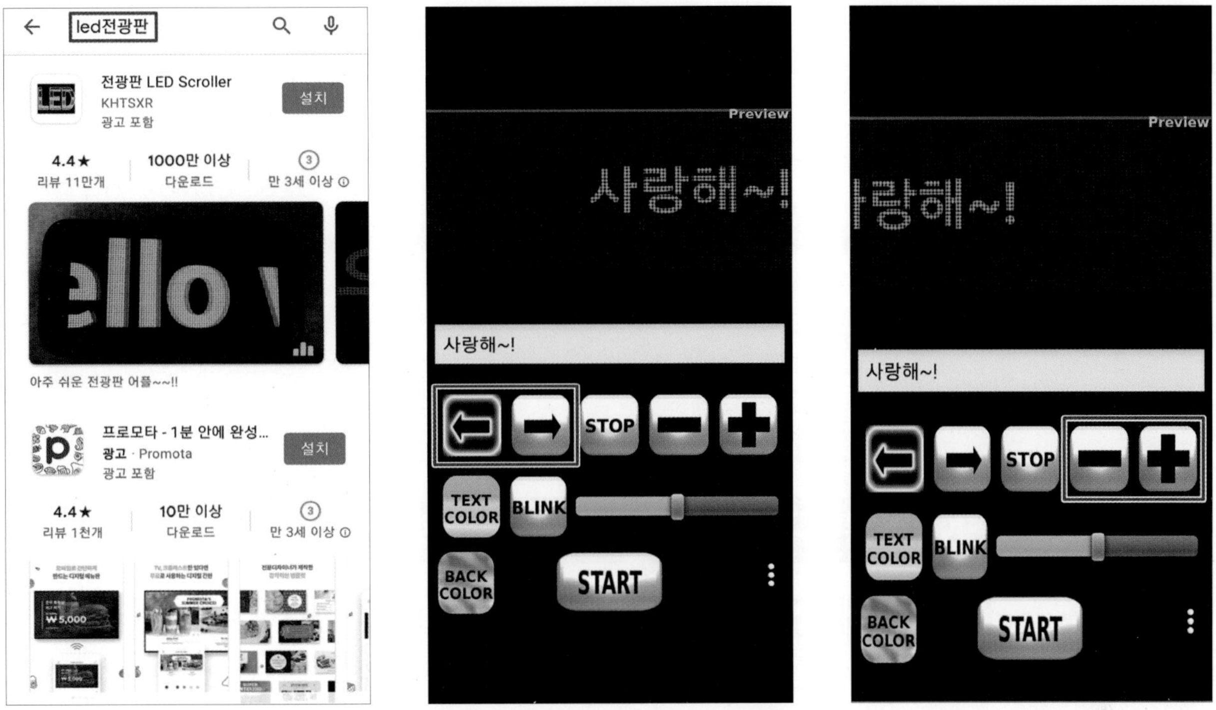


1 Play 스토어에서 [ **LED전광판** ]을 검색합니다. 2 좌우 화살표 버튼으로 글씨가 움직이는 방향을 설정할 수 있습니다. 3 ━ ✚ 버튼으로 글씨 크기를 조정할 수 있습니다.

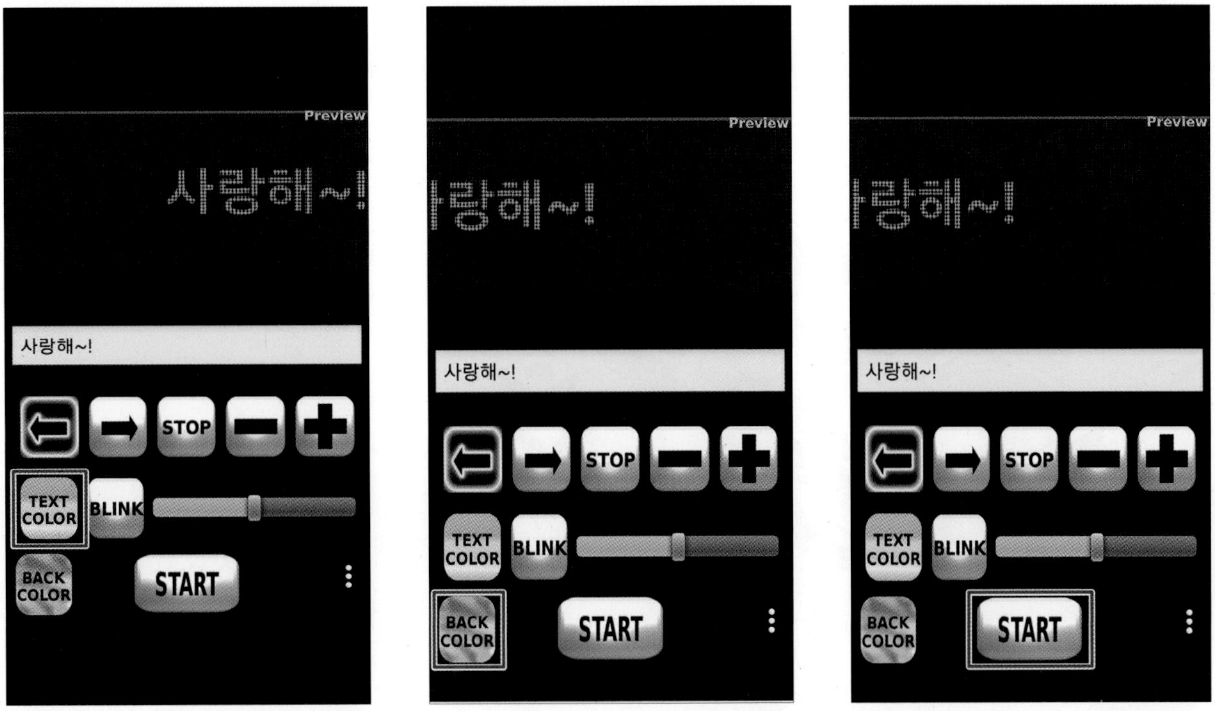


1 [ TEXT COLOR ] 버튼으로 글씨 색상을 조정할 수 있습니다. 2 [ BACK COLOR ] 버튼으로 배경 색상을 조정할 수 있습니다. 3 [ START ] 버튼으로 조정한 내용을 실행할 수 있습니다.

SNS소통연구소, 스마트폰 교육 문화부터 바꾼다!

**전 세계 모든 교육 문화를 바꿀 때까지!**

***스마트폰 활용***

***제대로 배우고 익히면 당신의 인생이 즐거워집니다!***